Colocs (et plus)

EMILY BLAINE

Colocs (et plus)

roman

Cette œuvre est une œuvre de fiction. Les noms propres, les personnages, les lieux, les intrigues, sont soit le fruit de l'imagination de l'auteur, soit utilisés dans le cadre d'une œuvre de fiction. Toute ressemblance avec des personnes réelles, vivantes ou décédées, des entreprises, des événements ou des lieux, serait une pure coïncidence.

Le visuel de couverture est reproduit avec l'autorisation de :
Immeuble : © ROYALTY FREE/THINKSTOCK
Réalisation graphique couverture : A. DANGUY DES DESERTS

HARPERCOLLINS FRANCE
83-85, boulevard Vincent-Auriol, 75646 PARIS CEDEX 13.
Service Lectrices — Tél. : 01 45 82 47 47
www.harlequin.fr

ISBN 978-2-2803-6494-2

Prologue

La peur est le chemin vers le côté obscur.

MAÎTRE YODA

Ce que j'aime à Chicago, ce sont les journées portes ouvertes des universités. Lors du dernier week-end d'août déboulent des jeunes filles, fraîches, innocentes et naïves, prêtes à conquérir le pays tout entier. Elles se repèrent à des kilomètres : elles sont en grappes, attachées les unes aux autres, le regard plein d'étoiles.

Candides, faciles et de passage : elles réunissent les trois qualités que j'apprécie le plus chez une femme.

Et les bars constituent les meilleurs terrains de chasse. Je suis à l'*Irish* depuis deux heures. Austin, mon fidèle acolyte, m'a honteusement lâché pour un entraînement tardif à la salle de musculation. Comme s'il en avait vraiment besoin. Je sirote ma bière, je scrute la foule, j'admire les postérieurs en mouvement et les sourires enjôleurs. J'ai repéré une blonde depuis quelques minutes déjà. Elle bouge son corps au rythme de la musique, balançant sensuellement des hanches en faisant mine d'ignorer mon regard. Je sais qu'elle sait.

Elle est une proie. Comme toutes les autres.

Je repose ma bière sur le bar, et Sher m'adresse un clin d'œil complice.

— Bonne chance, lance-t-il.

— Ça n'a rien à voir avec la chance !

Je me lève de mon tabouret, ajuste ma chemise, remets mes cheveux en place. Nouveau sourire de la blonde. Parfois, la chasse est trop facile.

— Prétentieux, siffle une voix sur ma gauche.

Je me fige. La brune au bar pivote sur son tabouret et avale d'un trait le shot de tequila que Sher vient de lui donner. Elle repose son verre brutalement, puis passe le dos de sa main sur sa bouche. Ses yeux sont vitreux et je vois que quatre autres verres vides sont posés devant elle.

— Je vous demande pardon ?

— Prétentieux, répète-t-elle. Un autre ! indique-t-elle à Sher en levant un verre. Cette fille, c'est la facilité, ajoute-t-elle en désignant la blonde d'un mouvement de tête.

— J'aime la facilité.

— J'aime l'ambition, riposte-t-elle. Je t'offre un verre ?

Sans attendre ma réponse, elle mord dans un quartier de citron et avale une nouvelle rasade de tequila. Elle ferme les yeux, grimaçant à la brûlure de l'alcool. Quand elle rouvre les paupières, ses iris bleus me sondent. Elle me défie.

— Vous faites ça souvent ? demandé-je.

— Draguer des types sans envergure dans un bar ?

— Boire jusqu'à l'oubli. Sher, deux verres, c'est pour moi.

— Et galant avec ça, ironise-t-elle.

Les deux shots de tequila glissent sur le bar. Sher nous propose du citron et du sel.

— Aux prétentieux ! lâche-t-elle en faisant tinter son verre contre le mien.

— Aux désespérées !

Elle n'est pas une de ces jeunes naïves que j'apprécie. Elle est plus âgée, plus percutante et tient l'alcool de manière remarquable. Je ne lui demande pas son prénom, elle ne me demande pas le mien. Du coin de l'œil, j'aperçois ma blonde en conversation avec un autre type. Et je prends conscience que je n'en ai rien à faire.

Au troisième verre, la brune me demande de tendre la main. Elle y dépose du sel, le lèche, mord le quartier de citron, puis avale sa tequila d'un trait.

— Pourquoi bois-tu autant ?

— Faut-il une bonne raison ?

Je l'observe. Ses yeux, ses lèvres pleines, la petite fossette dans le creux de sa joue. Elle est très jolie, de ces beautés qu'on ne remarque pas au premier coup d'œil, mais qu'on découvre progressivement.

— Pourquoi me regardes-tu ?

— Faut-il une bonne raison ?

— Je ne suis pas contre.

— Tu es jolie.

— Oh ! Ce qui m'exclut donc de la catégorie des baisables de la soirée, dit-elle en gloussant.

— C'est donc ça le problème ? Le manque de sexe ?

— A ce niveau-là, ce n'est plus du manque. Je crois que mon vagin est quelque peu... calcifié.

A cet instant, je sais comment ça va se finir. Et au regard qu'elle m'adresse, ardent, sombre et sans équivoque, je comprends qu'elle le sait aussi.

Elle n'est pas vraiment le type de femme qui me plaît, de prime abord. Cette provocation dans le regard, cette repartie, je n'y suis pas habitué. C'est sûrement pour ces deux raisons qu'elle me plaît.

Pour ça et pour la paire de seins enserrée dans son chemisier. Je ne suis qu'un homme après tout.

— Tu vis ici ?

— Non. Juste de passage. Je boucle mes inscriptions pour la rentrée.

De passage. Formidable.

— Et là, tu te demandes si on va faire ça dans ta voiture ou chez toi, ajoute mon inconnue.

— Non, je me demande dans quelle position.

Elle rit de nouveau, son humeur maussade s'est dissipée au fil de notre conversation et de nos verres de tequila. Elle se rapproche, malicieuse, et me murmure à l'oreille :

— Tu crois que c'est déjà dans la poche, n'est-ce pas ?

— Viens danser.

Je n'attends pas sa réponse. Je prends sa main, je l'entraîne sur la piste et je la fais danser. Son corps est moulé au mien, ses mains se perdent dans sa chevelure brune, ses yeux mi-clos trahissent un état second. Mes mains sont sur ses hanches, mes yeux rivés sur son sourire heureux. Mes lèvres frôlent les siennes et ses paupières se rouvrent. Ses iris bleu azur me sondent avec intensité. La musique devient un lointain bourdonnement, mes mains trouvent ses hanches et parcourent sa peau satinée. Elle ne fait rien pour m'arrêter. Ses doigts glissent de ma nuque vers mes pectoraux. Son sourire s'élargit, moins joyeux et plus coquin, empli de promesses. A quel moment ai-je perdu le contrôle de la situation ? Et surtout l'ai-je déjà vraiment eu ?

Elle rayonne, même ivre morte. Elle sourit, même ivre morte. Elle danse, même ivre morte. Ni naïve ni blasée, elle me trouble, elle déjoue mes tactiques habituelles.

La musique cesse et les lumières s'éteignent pendant une toute petite seconde. Soudain, je sens ses lèvres sur les miennes. Un goût de sel et de citron. Sa langue se glisse dans ma bouche, cherchant la mienne, avant de l'entraîner dans une danse sensuelle. Ses mains s'enfoncent dans mes cheveux, me maintenant contre elle avec douceur.

Les lumières se rallument, notre baiser dure. Mes paumes glissent sur ses fesses et j'attire son corps un peu plus près du mien. Sa poitrine s'écrase contre mon torse et son baiser devient plus langoureux. Quand finalement je m'écarte d'elle, je ne vois que le bleu azur de son regard.

— La voiture, murmuré-je.

Ce n'est pas l'alcool qui me grise. J'ai déjà bu davantage. C'est elle. Elle et le désir brut et sauvage qui nous guide, cette chaleur inédite entre nos deux corps. Nous fendons la foule vers la sortie, sa main calée dans la mienne. A peine dehors, l'air frais me fouette le visage. Mes yeux cherchent les siens, je redoute que le changement d'atmosphère ne la fasse changer d'avis.

— Où est ta voiture ? demande-t-elle d'une voix assurée.

La réponse à ma question.

Je déverrouille les portières, la fais asseoir sur le siège passager, avant de m'installer derrière le volant. A peine ai-je claqué la porte qu'elle vient sur moi, tirant sur les pans de ma chemise au point d'en faire sauter les boutons. Ses mains sont partout sur moi, sa bouche rôde autour de la mienne, embrasse ma mâchoire, s'égare dans mon cou.

En retirant ma chemise, elle tape accidentellement sur le Klaxon et éclate de rire. Je la libère de son chemisier, puis repousse les bretelles de son soutien-gorge avant de le dégrafer. J'embrasse son épaule dénudée, m'attardant sur une petite marque de naissance en forme de « L ». Elle soupire, sa peau frémit à mon contact. L'habitacle se réchauffe lentement.

Elle se débat avec la ceinture de mon jean, en défait ensuite les boutons, avant de glisser la main à l'intérieur. Mon sexe est dur et tendu. Il l'est depuis qu'elle a léché ma main.

— Prends-moi, murmure-t-elle à mon oreille.

Je parviens péniblement à lui retirer son jean, puis sa culotte. Nue au-dessus de moi, elle m'observe, caresse mes cheveux, m'embrasse de nouveau. Elle cajole mon sexe, le sort de mon boxer et fait glisser la main doucement dessus. La friction m'achève. J'ai besoin d'être en elle, besoin de sentir son intimité trembler avec la mienne.

Du vide-poches, je sors un préservatif. Elle me l'arrache des mains et l'enfile sur mon membre. Mes doigts trouvent son intimité ; elle se cambre, pousse un gémissement d'intense soulagement. Quand je les retire, son regard plonge dans le mien. Elle se soulève et s'empale doucement sur mon sexe, ses yeux toujours aimantés aux miens. Elle appuie les mains sur le siège, entamant une série de va-et-vient d'une lenteur délicieuse. Mes doigts s'enfoncent dans ses cuisses.

Nos deux corps bougent dans une même harmonie, ses baisers sont lents, fiévreux, à contre-courant de la frénésie qui nous anime. Le désir me brûle de l'intérieur et je sais que je ne tiendrai pas. Pour la première fois depuis… longtemps, je n'ai aucun contrôle.

Elle soupire au-dessus de moi, porte une de ses mains à un sein, en triture la pointe. Je chasse sa main et la remplace par ma bouche. Je veux la faire jouir avant moi. Elle m'encourage dans un murmure, se cambrant de nouveau contre moi. Elle bouge de plus en plus vite, halète contre moi. Mon propre souffle est inexistant, mon cœur frappe à une cadence étrange, cherchant un rythme qui conviendrait. Je suis perdu en elle. Elle impose son rythme, mène la danse, cherche ma bouche avant de la délaisser ensuite. Quand mes yeux rencontrent les siens, ils ont une coloration bleu nuit. Et je sais maintenant que c'est elle qui m'a chassé, qu'elle m'a attiré dans ses filets. Je m'enfonce un peu plus dans mon siège, l'admirant tandis qu'elle bouge sur moi. Cette nouvelle provocation ne m'agace pas. Au contraire, je me libère, je me concentre sur le mouvement de ses hanches, me calque sur son souffle, me régale des sons indécents qui sortent de sa bouche. Je ne sais plus où je suis, avec qui. Il n'y a plus qu'elle et moi. Elle.

Elle, dont les ongles s'enfoncent soudain férocement dans la chair de mes épaules. Son orgasme est spectaculaire. Cambrée, la tête renversée, les cheveux cascadant dans son dos, la poitrine tendue et gonflée, elle jouit en silence, comme surprise de ce qu'elle ressent. Je la rejoins presque aussitôt, mon sexe conquis par les palpitations de sa chair. Elle s'effondre sur moi, reprend son souffle. Elle retrouve ses esprits.

— Il faut que je rentre chez moi, murmure-t-elle.

Elle descend de mes cuisses, renfile son jean pendant que je me débarrasse du préservatif.

Je n'ai pas pour habitude de coucher deux fois avec la même fille. Mais avec elle... Je rêve déjà de l'étendre dans mon lit et de la faire jouir encore et encore, jusqu'à l'oubli.

— Merci pour la tequila.

— Attends, tu...

Elle disparaît en pleine nuit, me laissant sa culotte en dentelle noire en guise de souvenir. Pas de prénom, pas d'attache. Juste une proie de plus. Si on veut.

Quand je retourne au bar, la blonde en sort avec un gringalet boutonneux à son bras.

— Sher, une tequila.

— Et ta brune ?

— Partie.

Ce soir-là, j'ai bu jusqu'à l'oubli.

A mon réveil, une rousse roupillait sur mon bras.

Chapitre 1

Cinq mois plus tard.

Si elle était une chanson ?
She's Electric.

C'était désormais un rituel entre Austin et moi. Chaque année, juste après le nouvel an et quasiment à la même heure, nous prenions place sur les gradins du Soldier Field.

Austin est receveur pour l'équipe de football des Redskins, il a ses entrées. Déjà enfant, il possédait ce charisme propre au sportif : il était admiré pour ses pointes de vitesse et entouré d'une multitude de gens voulant être son ami.

Personnellement, je n'étais pas un grand fan de sport — et je ne le suis toujours pas — et je me fichais comme d'une guigne d'être son ami. Le sort a voulu que je sois son voisin et que mon père soit l'entraîneur de l'équipe de football de l'école. Pour être honnête, je crois qu'Austin est le fils que mon père aurait voulu avoir : grand, musclé, sportif, qui acquiesce religieusement à tous ses conseils.

Et puis un jour, puisque toutes les histoires les plus tordues commencent toujours sur une anecdote croustillante, à quatorze ans, j'ai rencontré Austin. Du moins, sa tête casquée a rencontré mon torse chétif. J'avais eu l'audace de marcher le long du terrain et, arrivé à la ligne des trente yards, je fus percuté de plein fouet par un monstre de muscles de soixante-quinze kilos. Un nez cassé, deux dents en moins et une semaine à l'hôpital, ponctuée des visites d'Austin pour s'excuser.

Deux fausses dents et une petite déviation de la cloison nasale étaient désormais les signes visibles de notre amitié en or. Ça et le fait que nous vivions ensemble, riions des mêmes mauvaises blagues et que nous nous partagions le cheptel de pom-pom girls.

Une organisation rigoureuse, perfectionnée au cours de nos quinze années d'amitié. Austin, je lui confierais ma vie.

Il était debout sur le gradin, analysant d'un œil expert la horde de proies devant nous. A son regard fixe et à la fossette apparente sur sa joue, je sus déjà qu'il avait repéré la blonde du troisième rang. Il avait ce sourire du gamin qui a gagné à la loterie.

— La blondinette du troisième rang, lâcha-t-il finalement avec satisfaction.

Qu'est-ce que je vous disais ?

Je sifflai d'appréciation, examinant les courbes parfaites de la jeune femme. Il s'agissait d'un spectacle que nous admirions sans nous lasser : quarante-cinq jeunes filles, triées sur le volet, incroyablement souples, superbement habillées d'un short doré et qui hurlaient des slogans à la gloire des Bears, tentaient leur chance pour intégrer le peloton d'élite des pom-pom girls.

— La brune du premier rang est définitivement... souple, remarquai-je alors qu'elle exécutait un grand écart prometteur.

— Pas mal, admit-il. On les invite ?

Devant moi, une dizaine de jeunes femmes construisaient une pyramide chancelante. Je grimaçai, songeant que les auditions étaient particulièrement ardues cette année.

— Ils ont refait les costumes, non ?

— Tu crois ?

— L'an dernier, on voyait leur nombril, assurai-je. Tina avait même un piercing.

— Bon sang, tu te souviens encore de son prénom ? s'étonna Austin.

— Parce que je l'ai rappelée. Deux fois.

— Deux fois ? Quelle est ta bonne excuse pour avoir bafoué la règle de base ?

— La rentrée étudiante n'avait pas encore eu lieu, expliquai-je, les yeux toujours rivés sur les danseuses devant nous. Qui vient ce soir ?

— Les habitués, les gars de l'équipe, quelques filles. Invite Ben, ça lui fera du bien !

— Je ne crois pas que Jenny l'autorise à sortir de chez eux. Encore moins pour venir dans « le loft de la perversité ». Cette fille est... Franchement, elle me fait peur !

Je travaillais avec Ben depuis deux ans. Deux ans durant lesquels j'avais été le spectateur d'un véritable film d'horreur : sa vie de couple, d'homme « rangé des voitures » avec Jenny. Leur relation avait connu des hauts et des bas, mais quand Jenny avait appris que mon mode de vie était aux antipodes du leur, elle avait demandé à Ben de « limiter nos relations ».

La musique se tut et les danseuses avancèrent vers les gradins pour récupérer leurs sacs. Austin les fixait, traquant sa proie avant de commencer la chasse. Il bénéficiait de cette aura surnaturelle qu'ont les sportifs : un simple regard et l'affaire était conclue.

— Hé, toi ! lança-t-il en désignant la blonde du doigt.

Elle lui offrit un sourire fabuleux, révélant un évident travail de chirurgie esthétique. Austin grimaça et je l'imitai. Nous collectionnions les conquêtes, étions parfois des goujats — souvent des sales types —, mais nous avions une aversion manifeste pour le faux et le refait.

Parfois, on nous taxait d'hypocrites, mais il s'agissait

simplement de préférences personnelles. Je suis cuisinier et, par essence, je n'ai qu'un goût très modéré pour le frelaté.

— Ses seins aussi, remarquai-je à voix basse.

— Un si beau potentiel ! se lamenta Austin.

Puis, de concert, nous haussâmes les épaules. Peut-être devrions-nous nous faire une raison et admettre que les dernières femmes naturelles de cet Etat végétaient désormais toutes à Morton. Naturelles et périmées, évidemment, puisque la jeune garde de la ville avait déserté ou cédé aux sirènes de la chirurgie.

— Je fais une soirée chez moi, ce soir, hurla-t-il à l'intention de la blonde. Toi et... la brune sur la gauche, c'est ça ? me demanda-t-il, moins fort, pour être sûr.

— C'est ça, acquiesçai-je en me levant à mon tour.

— Toi et ta copine, la brunette là-bas, vous êtes invitées, cria-t-il.

La brune releva les yeux vers moi et pointa l'index vers elle, pour s'assurer qu'elle avait bien compris. Je hochai la tête, lui offris mon sourire le plus éblouissant, passai nonchalamment une main dans mes cheveux — technique de séduction de base ! — avant de lui lancer un regard de braise. Elle gloussa stupidement et accepta d'un mouvement de tête. *Tellement facile que ça en devient lassant !*

— Est-ce que ta sœur vient ? me demanda Austin.

— Je dois aller la chercher à l'aéroport. Elle revient de vacances. Tu sais qu'elle ne dit jamais non à une de tes soirées !

— Il y a quantité de choses que j'aimerais qu'elle cesse de refuser !

— Austin, il s'agit de ma sœur. Eloigne tout de suite ces pensées obscènes de ton cerveau dépravé !

— Je ne vois pas du tout de quoi tu parles, mentit-il avec un sourire pervers.

— Je vais t'en coller une, si tu continues, le prévins-je en pointant un index menaçant vers lui.

— Tu sais que ta sœur n'est plus vierge depuis un bail ?

— Par égard pour notre amitié et pour éviter de t'en coller une en public dans ton propre stade, je préfère ne pas savoir comment tu as obtenu cette information !

— Tu risquerais de te faire mal, rétorqua-t-il.

Je rétrécis le regard, sachant que, de toute façon, je n'avais aucune chance malheureusement de faire peur à Austin. Il était Goliath et j'étais David. En moins courageux et certainement moins futé. J'avais l'habitude qu'il me parle de ma sœur, Sophia. Sophia était le grain de sable dans le rouage de notre amitié. Depuis plus de dix ans, je m'évertuais à éloigner Sophia d'Austin. Nous collectionnions les filles et je refusais que ma sœur finisse sur son tableau de chasse. Parce qu'elle était ma sœur, parce qu'elle méritait mieux et parce qu'imaginer ma sœur avec Austin dans une position acrobatique me donnait la nausée. Je me levai du gradin, suivant machinalement du regard les danseuses qui se dispersaient.

— Je file récupérer Sophia, dis-je. On se rejoint au loft ?

— Ça marche. Je vais m'assurer qu'il ne manque rien pour la soirée.

Nous quittâmes le stade en même temps, Austin rejoignit son pick-up flambant neuf aux vitres teintées, pendant que je grimpais dans mon cabriolet.

Depuis presque dix ans, Austin et moi partagions un loft. Loft gracieusement offert par le très sportif et très riche père d'Austin culpabilisant d'avoir abandonné sa famille, il y avait presque trente ans, pour une vie de strass et de paillettes. Hormis ce loft, nous partagions une amitié solide, loyale, sans faille, et un mode de vie identique, basé essentiellement sur les femmes... et les fêtes. Parfois même les deux en même temps.

Nous avions fixé des règles immuables, inviolables et résolument hédonistes.

Règle n° 1 : Jouir de la vie... Et jouir tout court, si possible avec une brune.

Et voilà pourquoi j'adorais Chicago : en terme de femmes, j'avais de quoi faire. Le cheptel était quasiment inépuisable. Venant d'une petite ville où la seule festivité marquante est le festival de la citrouille, habiter dans une mégalopole grouillante et toujours en mouvement avait été une révélation. J'étais fait pour la ville, pour l'animation, pour le bruit, pour les femmes.

Chaque rentrée universitaire, de la chair fraîche venait s'offrir à nous. Austin avait ses entrées à l'université, grâce à un partenariat entre son club et l'équipe universitaire. Tout auréolé de son statut de star du football, il avait été désigné par leur journal comme l'un des célibataires les plus en vue. Derrière ce titre enviable se cachait en fait l'un des plus grands tombeurs de la ville. J'étais le second, pas très loin derrière lui.

Règle n° 2 : Jouir avec une brune, oui, mais jamais la même.

Je ne réédite pas les exploits, ça les rend moins spectaculaires.

Cette ville m'offrait changement et diversité. Et elle offrait aussi les plus calamiteux changements climatiques du pays ! J'affrontais actuellement l'orage du siècle, une averse torrentielle s'abattant sur mon pare-brise, tandis qu'une heure plus tôt je profitais du soleil, des pom-pom girls et d'un moment entre hommes avec Austin. Heureusement, j'étais parvenu à remonter la capote avant d'être littéralement inondé. Les phares allumés, alors qu'il était tout juste 17 heures, je plissai les yeux, tentant de discerner la route devant moi. Je parvins à l'aéroport avec quinze bonnes minutes de retard, constatant, dépité, que je n'avais qu'une pauvre veste pour affronter la pluie et cavaler entre les gouttes jusqu'au terminal d'arrivée.

Génial !

Je vissai ma casquette sur la tête — la visière au plus près de mes sourcils — et jetai un dernier coup d'œil au ciel. Je poussai un long soupir désabusé et sortis de ma voiture. La fraîcheur de l'air me saisit. Je rentrai la tête dans les épaules et courus jusqu'à l'entrée du terminal.

Une fois à l'abri, je retirai ma casquette pour secouer les quelques mèches humides de ma chevelure. Après vérification sur le tableau d'affichage, je constatai que l'avion de Sophia avait atterri. Je filai jusqu'au hall des arrivées, guettant l'ouverture de la porte automatique.

Quand Sophia apparut, le teint bronzé, le sourire aux lèvres et vêtue d'une robe très courte, l'ensemble des regards masculins se tournèrent vers elle. Ma sœur avait toujours suscité cette attirance étrange et persistante : elle fascinait les hommes. Elle était belle, drôle — évidemment, mais elle était aussi sortie diplômée avec les honneurs du MIT. Elle me fit un signe de la main en me voyant. Un homme — qui devait avoir l'âge d'être notre grand-père — l'aida à récupérer sa valise sur le tapis.

— Tu as encore fait des ravages, lançai-je avant de l'étreindre.

Elle s'écarta vivement de moi, plissant le nez de dégoût.

— Il avait une haleine de fennec et un dentier vacillant. Eh ! Tu es trempé !

— Et toi, tu es superbe, déclarai-je en prenant sa main pour la faire pirouetter devant moi. Mais cette robe est trop courte !

— Trop courte pour toi ou pour la soirée chez Austin ? s'amusa-t-elle en triturant le tissu léger de son vêtement.

— Que se passe-t-il entre Austin et toi au juste ? demandai-je un peu sèchement.

— Je t'en prie, Connor, on a passé l'âge !

— Il n'a pas le droit. Et il le sait, ajoutai-je en dressant un index inquisiteur vers elle.

Elle saisit mon doigt entre son pouce et son index impeccablement manucurés, le pinça et le tordit légèrement. Une douleur fulgurante traversa ma main et courut dans mon avant-bras. Un sourire sadique s'étira sur ses lèvres pendant qu'elle resserrait sa prise. Je serrai les dents, cherchant en moi assez de fierté pour ne pas pousser un petit cri aigu.

— Sophia, je..., bégayai-je en sentant mon épaule se paralyser lentement.

— Ce que je fais de ma vie avec Austin ou avec quelqu'un d'autre ne te regarde absolument pas, gronda-t-elle entre ses dents serrées. Est-ce que je te fais mal ? s'inquiéta-t-elle soudainement en relâchant légèrement sa prise.

— Oui, articulai-je, le souffle court.

Le même sourire sadique apparut sur son visage, une lueur de satisfaction brillant dans ses yeux. Maintenant, je savais pourquoi tous ses collègues l'appelaient « la tueuse ».

— Si j'entends encore parler une seule fois de ce pacte débile entre lui et toi, crois-moi, tu auras vraiment mal.

Règle n° 3 : On ne touche pas aux sœurs.

Surtout pas à la mienne, même si l'avenir de l'humanité en dépend. Austin et moi avions toujours été clairs sur le sujet : Sophia était intouchable. Parce qu'elle était ma sœur et qu'Austin était... Austin : dépravé, pervers, lourdingue, nichonphile absolu et fétichiste d'un improbable casque à bière. Bref, l'anti-bachelor.

Comme pour me ramener au moment présent, Sophia vrilla douloureusement mon index, me faisant hurler de douleur au milieu de l'aéroport et anéantissant la toute petite part de masculinité que j'étais parvenu à conserver. Quand elle me lâcha enfin, je sautillai sur place, gémissant de douleur, secouant mon bras pour le faire revenir à la vie.

— Sinon, ça va ? demanda-t-elle innocemment.

— Bon Dieu, Sophia, ça fait un mal de chien ! Je suis cuisinier, tu attaques mes outils de travail, là !

— La prochaine fois, j'attaquerai autre chose ! On y va à cette fête ? demanda-t-elle en agrippant sa valise à roulettes.

La pluie avait redoublé et nous gagnâmes ma voiture, protégés par ma veste déjà détrempée. Dans l'habitacle, je poussai le chauffage à fond, espérant éviter une nouvelle bronchite carabinée. La dernière m'avait cloué au lit pendant une semaine, poussant Austin à engager une infirmière. Avec le recul, je crois qu'elle était juste déguisée en infirmière. Ce qu'elle m'avait fait n'avait absolument rien à voir avec un protocole standard de soins.

Le trajet de retour jusqu'au loft d'Austin fut heureusement rapide. A notre arrivée, nous fûmes accueillis par le boum-boum significatif des fêtes prodigieuses de mon meilleur ami. S'il devait un jour songer à une reconversion, c'était certainement dans ce domaine qu'il excellerait. Sophia extirpa sa valise du coffre, pestant contre la pluie persistante.

— Je monte me changer, m'indiqua-t-elle.

— Ferme ma chambre à clé. Austin doit être en train de s'échauffer pour une nouvelle chasse, une bière à la main !

— Je sais me défendre. Mais tu dois le savoir, non ?

Le souvenir de sa prise douloureuse était encore vif et m'arracha un frisson. Elle m'offrit un sourire carnassier, repoussant une mèche de sa folle chevelure derrière l'oreille, avant d'entrer dans l'immeuble en brique. Je poussai un soupir, m'étonnant de cet enthousiasme suspect à rejoindre Austin. Je n'arrivais cependant pas à déterminer si Sophia cherchait réellement à séduire mon meilleur ami ou si elle prenait simplement plaisir à me provoquer. Etant donné son goût pour la torture physique — mon index prenait une délicieuse coloration aubergine —, ça devait être la seconde option.

Je verrouillai la voiture, mon jean humide et froid collant désagréablement sur mes jambes. Je remis ma casquette et saluai furtivement les premiers invités d'Austin qui cavalaient jusqu'à la porte de l'immeuble. Apparemment, tous ses coéquipiers avaient répondu présents. C'est en sortant les clés de l'appartement de ma poche que mon regard croisa une silhouette frêle, la chevelure emprisonnée dans un bonnet. Elle tentait d'ouvrir son parapluie, mais une rafale de vent la surprit, le retournant et pliant les baleines.

Je l'entendis pester, puis elle donna un violent coup de pied dans la roue d'une voiture. Et elle pesta de nouveau, contre elle-même, clopinant de douleur. J'approchai d'elle, comprenant finalement qu'une des roues arrière de sa voiture était crevée.

Pauvre chose, ne crains rien, Superman arrive. Oui, bon, d'accord, Superman avec son doigt aubergine ! Tant qu'elle n'était pas au courant de l'origine de ce petit bobo, mon intégrité et mon sex-appeal étaient sains et saufs.

— Besoin d'aide ? lançai-je alors qu'elle me tournait le dos.

Elle sursauta de surprise et pivota pour me faire face. Une nouvelle bourrasque déferla et le parapluie de ma proie douce et délicate virevolta dans les airs avant de s'écraser lourdement dans la bouche d'égout.

— Je crois que cette fois, c'est vraiment le pompon, râla-t-elle.

Elle tourna les talons, m'ignorant totalement, puis ouvrit le coffre de sa voiture. Elle posa un cric au sol, se cogna au passage dans le hayon, réprima un juron et maudit l'humanité tout entière. J'étouffai un rire et m'approchai d'elle.

— Laissez-moi faire, dis-je en prenant la roue de secours.

Elle eut une seconde d'hésitation, son regard se baladant sur mon visage, puis sur mes mains. Je posai la roue de secours contre la voiture, puis retirai ma veste pour la mettre sur ses épaules. Elle se crispa, surprise par mon geste, avant de se détendre.

Ma belle, tu es déjà presque mûre pour la dégustation...

— Merci beaucoup, murmura-t-elle en ajustant ma veste.

Je plaçai le cric sous la voiture et le fis tourner pour la soulever. Je déboulonnai la roue, me réjouissant intérieurement de ne pas me heurter à un boulon récalcitrant qui m'aurait rendu absolument ridicule.

— Mauvaise journée, alors ? m'enquis-je pour faire la conversation.

— Je me traîne une poisse perpétuelle depuis ma naissance, j'ai l'habitude.

— Ça ne peut pas être si terrible : je suis venu vous sauver, plaisantai-je.

— Nous en débattrons plus tard. Quand vous aurez changé ma roue par exemple.

Elle haussa un sourcil soupçonneux. Ses yeux bleus me fixèrent furtivement, avant qu'elle finisse par détourner le regard. Pendant un bref instant, une sensation de déjà-vu me saisit. Ce regard ne m'était pas inconnu. Je secouai la tête, cherchant à la resituer, en vain.

Je levai les yeux vers l'intérieur de sa voiture : quatre cartons, deux valises. *Une nouvelle*, songeai-je en entendant déjà le ding de la victoire par K-O.

— Nouvelle en ville ?

— Rentrée universitaire, répondit-elle en fronçant les sourcils.

Je retirai la roue, tentant d'oublier la pluie qui s'abattait sur mon dos et le froid sournois qui s'insinuait sous mon T-shirt. Cette fille me poussait déjà à me surpasser physiquement.

— Vous faites ça souvent ?

— Aider les jeunes filles en détresse ? dis-je fièrement.

— Les draguer ouvertement en faisant croire à un acte de chevalerie.

Elle me scruta intensément, attendant une réponse de ma part. Désarçonné, j'eus un moment de stupéfaction, avant de reprendre ma tâche et de placer la roue crevée dans le coffre de sa voiture. J'avais déjà vu cette fille quelque part et, malgré tous mes efforts, je ne parvenais pas à me souvenir de la dernière fois que nous nous étions croisés. Au-delà de la sensation de déjà-vu, c'était un sentiment ambivalent, un mélange de trac qui vous remuait l'estomac et d'excitation qui courait dans vos veines et vous électrisait. Je connaissais cette fille.

Or les seules femmes avec qui j'entretenais des relations régulières étaient ma mère, ma sœur et mes quelques collaboratrices en brigade. Cette fille n'entrait dans aucune de ces trois cases. La seule raison pour laquelle je la connaissais était donc facile à deviner : j'avais déjà couché avec elle.

Sauf que ce raisonnement parfait venait s'écraser contre les cartons de son aménagement en ville. C'était incompréhensible.

— On se connaît, non ?

— Pas vraiment.

— Vous mordez, aussi ? ironisai-je.

— Durant les préliminaires. Et pas forcément où vous pensez.

— Vous faites ça souvent ?

— Remettre en place les dragueurs ?

— Les allumer ouvertement en faisant croire que vous n'êtes pas intéressée.

— Je suis lesbienne, rétorqua-t-elle aussitôt.

— Je peux être très convaincant.

Elle pencha légèrement la tête, mais je devinai qu'elle retenait un sourire. Si cette fille pensait m'échapper aussi facilement, elle se trompait. Quand nos regards se croisèrent de nouveau, j'y décelai de l'amusement teinté d'une pointe de provocation.

J'aimais les femmes, j'aimais les séduire, leur faire croire à leur ridicule conte de fées. Mais dès qu'on me résistait, qu'on me défiait, la victoire devenait une nécessité, une conquête au goût d'autant plus délicieux. Et cette fille rendait la perspective de la victoire absolument délectable.

— Finissez donc ce que vous avez commencé, suggéra-t-elle.

— C'est ce que je fais toujours ! affirmai-je avec un clin d'œil.

Je calai la nouvelle roue, m'assurant qu'elle tenait convenablement, puis retirai le cric pour le ranger dans sa voiture. J'essuyai mes mains crasseuses sur mon jean puis, sans lui demander son avis, récupérai ma veste pour me couvrir.

— Je ne suis pas chevaleresque à ce point, me justifiai-je devant son regard ébahi.

— Je présume que vous avez épuisé votre quota. Est-ce que... Est-ce que je peux au moins vous offrir un café ? demanda-t-elle.

— Je croyais que vous étiez lesbienne ? m'esclaffai-je.

— Disons que j'aime la diversité. Alors, ce café ?

Je relevai les yeux vers le loft. D'ici, le son étouffé des basses me parvenait et les lumières des spots, alternativement bleus et rouges, tournoyaient. Je pesai rapidement le pour et le contre.

Une nouvelle soirée de beuverie *vs* un café.

Une pom-pom girl déjà quasiment ferrée *vs* une prétendue lesbienne.

— Désolé, on m'attend. Et je dois me changer, ajoutai-je en décollant mon T-shirt trempé de mon torse.

Et surtout, je devais me débarrasser de cette sensation

diffuse et engourdissante qui me saisissait dès que je la regardais.

Son regard bleu azur fixa mon torse, avant de revenir aussi vite que possible — mais pas assez vite — sur mon visage. Elle n'était définitivement pas lesbienne. Et nous nous étions déjà rencontrés, j'en avais la certitude maintenant.

— Vous êtes certaine qu'on ne se connaît pas ?

— Je crois que je m'en souviendrais. Merci pour votre... chevalerie, s'amusa-t-elle en retirant son écharpe.

Elle ouvrit la portière de sa voiture, signifiant ainsi la fin de notre conversation. Je reculai, levant stupidement la main pour la saluer, avant de tourner les talons pour rejoindre l'immeuble. Un sourire naquit sur mes lèvres : il y avait quelque chose d'étrangement familier chez elle. Peut-être son humour douteux, son regard bleu azur fascinant...

— Hé, l'interpellai-je en revenant vers elle. Et si on prenait ce café demain ?

— Vous faites ça souvent ? demanda-t-elle en faisant descendre la vitre de sa voiture.

— Prendre un café ? dis-je en posant les avant-bras sur sa portière.

— Faire des propositions honnêtes alors que vous avez clairement une idée derrière la tête.

— Ça m'arrive très fréquemment. Demain, 10 heures ?

Elle s'esclaffa, puis secoua la tête. Elle fronça les sourcils, semblant réfléchir à ma proposition relativement décente. Mon regard s'attarda sur son cou et son épaule dénudée. Il me sembla repérer une marque de naissance. De nouveau, elle eut ce regard hypnotisant, scrutateur, comme si elle sondait mon âme.

— D'accord, souffla-t-elle finalement.

Brutalement, elle tira mon bras en avant, prit un stylo et nota son numéro dans le creux de ma main.

— Appelez-moi pour qu'on se retrouve.

— Qui me dit que c'est vraiment votre numéro ?

— Qui me dit que vous voulez vraiment boire un café ?

— A demain, lançai-je en m'éloignant de sa voiture.

Elle démarra et, après quelques mètres, bifurqua sur la gauche et disparut de mon champ de vision. Je jetai un œil au numéro dans le creux de ma main, me demandant si cette fille était bien réelle. Sa façon de me fixer, surtout, m'avait troublé.

Déambulant pieds nus dans le loft après avoir pris une douche salvatrice et enfilé des vêtements secs, je retrouvai le brouhaha infernal des fêtes d'Austin. Les gars de son équipe de football au grand complet beuglaient qu'ils voulaient plus de bière, le canapé était garni de filles — définitivement pas assez habillées vu la météo —, ma sœur se dandinait sur la table basse du salon avec une bouteille de tequila à la main, pendant qu'Austin, aussi loyal qu'un chien de montagne, la dévorait des yeux.

— Elle est belle, hein ? Tu en as un peu, juste là, ironisai-je en désignant le coin de sa bouche.

Il me lança un regard frustré avant de porter sa bière à ses lèvres. Sophia me fit un clin d'œil, pendant qu'Austin se renfrognait dans le fauteuil.

— Je pourrais prendre soin d'elle, maugréa-t-il.

— Oui. Et je pourrais te faire manger tes bijoux de famille, ripostai-je. Il n'est pas question que tu touches ma sœur.

— Mais...

— Ni maintenant ni jamais. Tu connais la règle.

— Cette règle craint ! Il n'y a jamais eu de contreparties !

— C'est ce qui la rend encore meilleure ! plastronnai-je. Vois-le comme un code d'honneur entre toi et moi.

Mon regard se balada sur les filles autour de moi. Brunes, blondes. Toutes jolies, toutes disponibles. Et Austin pouvait bien en choisir dix pour la nuit, tant qu'il ne s'approchait pas de Sophia. Je repérai la pom-pom girl d'un peu plus tôt et lui offris mon sourire de séducteur.

— J'ai besoin de quelque chose de plus fort, murmura mon meilleur ami en se redressant.

Il se dirigea vers le bar, pendant que, de mon côté, j'hameçonnais Julia-la-pom-pom-girl. Elle n'était pas différente des femmes que je draguais habituellement. Et même si mon attitude laissait à penser que j'étais un goujat, je savais aussi que ces femmes n'attendaient pas grand-chose de moi : une nuit de sexe et un café le lendemain matin. Après, comme le voulait la formule consacrée, « nous resterions amis ».

Règle n° 4 : Ne jamais revenir sur le lieu du crime.

Alors que je faisais connaissance avec la délicieuse Julia, mon regard s'arrêta sur une silhouette familière. Elle discutait vivement avec Austin, qui semblait avoir retrouvé sa bonne humeur. Visiblement, il lui fallait simplement de la distraction. Il opina énergiquement de la tête, puis s'éclipsa en direction du bar.

C'est quand elle se retourna que je reconnus mon café de 10 heures. Elle s'était séchée et changée, arborant un short en jean assez court, un débardeur très ajusté et... une superbe paire de chaussettes en laine rose vif. Je me demandai vaguement si c'était pour détourner l'attention du soutien-gorge noir que je devinais sous son haut.

Je me surpris à passer la langue sur mes lèvres. Ses cheveux n'étaient pas tout à fait secs et avaient encore une coloration foncée, relevée par quelques mèches rousses. Ses courbes féminines étaient tout à fait tentantes, ses hanches invitant au péché.

Ses yeux croisèrent finalement les miens et elle pencha

la tête pour me saluer. Je l'imitai, oubliant bien vite Julia qui me parlait de ses multiples contorsions gymnastiques. L'inconnue afficha un sourire entendu, comme si elle savait exactement ce que j'étais en train de faire. A l'instant où elle me fit un petit signe de la main, le babillage de Julia ne devint qu'un irritant bourdonnement.

— Excuse-moi, je dois aller saluer quelqu'un.

Sans attendre sa réponse, je retrouvai ce délicieux et pétillant regard azur.

— La jeune fille en détresse... Vous me suivez ? demandai-je avant de porter le goulot de la bouteille de bière à mes lèvres.

— En effet. Je me suis dit que j'avais définitivement loupé la scène où je devais me pâmer devant vos talents de mécanicien.

— Jolies chaussettes, la complimentai-je.

— Jolis pieds, rétorqua-t-elle en désignant mes pieds nus.

— Vous faites ça souvent ? m'amusai-je.

— Venir à une fête ?

— Ne pas vous présenter alors que nous allons de toute évidence passer la nuit ensemble.

— Juste parce que vous avez changé une roue crevée ? Vous rêvez ! Allez donc rejoindre votre... amie, proposa-t-elle en désignant Julia.

— Vous n'avez aucune idée de ce à quoi je suis en train de rêver en ce moment, lâchai-je en faisant courir paresseusement mes yeux sur elle.

— Vous la préparez depuis combien de temps celle-là ?

Et soudain, cela me revint.

Tequilagirl. La fille du bar, la fille que j'avais fait jouir dans ma voiture. Son regard azur, cette lueur de défi, ses provocations... son corps contre le mien, les deux en harmonie parfaite dans l'habitacle.

Elle réprima un nouveau rire et, alors que je m'apprêtais à riposter, je sentis le bras d'Austin s'enrouler autour de ma nuque. Je hoquetai de surprise, étouffant presque. La jeune fille nous fixa alternativement, l'air surpris, avant de sourire largement. Y avait-il un moment où elle ne souriait pas ?

— Vous faites connaissance ? demanda Austin en nous regardant tour à tour.

— On se connaît déjà, lâcha-t-elle.

Elle savait. Elle me menait en bateau depuis le début. Elle savait qui j'étais. Et ce que nous avions fait.

Austin resserra sa prise autour de mon cou et un sourire diabolique s'étira sur ses lèvres.

— Ce Connor, toujours aussi galant avec les femmes.

Son regard se durcit, avant qu'un sourire amusé ne flotte sur ses lèvres.

— Quoi ? grognai-je en tentant de m'échapper de l'emprise de son bras.

— Tu en as un peu, juste là, murmura-t-il en indiquant de l'index le coin de ma bouche. Connor, tu te souviens de Madeline, bien sûr, lança mon meilleur ami avec un regard dur.

Je m'en souviens très bien, songeai-je. *Je me souviens de sa bouche salée, de son corps chaud contre le mien, de sa main caressant mon sexe.*

— Ma sœur, précisa Austin.

C'est à ce moment-là que je la vis.

La fossette. Celle sur sa joue droite, la même fossette qui ornait la joue de son frère, alias mon meilleur ami. Je repoussai son bras de toutes mes forces, presque à bout de souffle et pétrifié. Mon regard passa de la belle inconnue à Austin, avant de prendre conscience du désastre.

Je m'entendis déglutir bruyamment, comprenant avec stupeur que le destin était bien cruel. Cruel, ricanant et ressemblant à mon meilleur ami, Austin. Madeline souriait toujours, appréciant de toute évidence de me voir pris au dépourvu.

— Madeline, se présenta-t-elle en tendant la main vers moi.

Sa fossette se creusa. Aussi profondément que le gouffre dans lequel je voulais être aspiré *maintenant*. Comment avais-je pu oublier Madeline ? L'adorable petite fille avec des couettes et un pyjama de princesse, celle qui s'accrochait à la jambe d'Austin pour qu'il joue à la dînette avec elle. Et comment avais-je pu oublier celle qui m'avait offert l'une de mes plus belles parties de jambes en l'air ? Celle qui avait ondulé au-dessus de moi en gémissant. Celle qui, pendant un court moment de ma vie, m'avait fait perdre le contrôle ?

Je fixai sa main, jetant un coup d'œil rapide vers Austin.

J'avais couché avec sa sœur.

Sauf que je ne savais pas qu'elle était sa sœur. Est-ce que cela excuserait mon acte ?

— Connor, répondis-je faiblement en tendant la main.

Sa paume chaude toucha la mienne, me tétanisant dans l'instant. Son sourire s'élargit, ses yeux brillèrent et, comme quand elle m'avait fait ce petit signe de la main, tout ce qui m'entourait devint terne et flou. En un instant, les images de Maddie dans ce bar, de sa danse avec moi et de notre étreinte frénétique me revinrent.

Austin allait me tuer. Pire, il m'enterrerait vivant. J'avais rompu le pacte, j'avais trahi mon meilleur ami, j'avais brisé la règle. Saccager notre amitié était la dernière chose que je voulais : on ne brise pas une amitié de presque quinze ans pour trois minutes de plaisir bestial dans une voiture. Austin était un sportif et il plaçait le fair-play tout en haut de la liste de ses valeurs. Coucher avec Maddie n'était pas fair-play. Coucher avec Maddie était mal. Très mal. Parce qu'on ne trahit pas son frère, on ne trahit pas le type qui rit de vos mauvaises blagues, on ne trahit pas le type qui est parvenu à vous casser deux dents. On ne trahit pas son frère. Aussi simple que ça.

— Enchantée, souffla-t-elle, ses joues rougissant légèrement.

Elle y repensait elle aussi. Son regard braqué sur nos deux mains jointes devait lui rappeler de doux souvenirs.

Je serrai sa main un peu trop fort, comprenant soudainement que parler à Austin de ma petite aventure avec sa jeune sœur ne servirait à rien. Ce qui est fait est fait. J'avais passé un bon moment avec elle et cela s'arrêterait là. Il n'était pas question de renouveler cette expérience, au risque de perdre le respect et l'amitié d'Austin.

Le pacte disait qu'on ne devait pas toucher aux sœurs, mais est-ce que le pacte s'appliquait quand les présentations officielles n'avaient pas été faites ? C'était sa faute après tout : elle ne m'avait même pas donné son prénom ! Quel genre de fille fait ça ?

Austin se racla la gorge bruyamment, avant de me lancer un regard assassin. Je relâchai aussitôt la main de sa sœur et reculai instinctivement d'un pas. Un peu d'espace ne pourrait que m'aider à finir cette soirée sans problème.

— Maddie va finir son cursus universitaire ici.

Super, au moins, elle est majeure, songeai-je avec soulagement. Même si, avec le recul, être arrêté pour détournement de mineur était nettement moins effrayant que d'être torturé par Austin. Ou juste de sentir le mépris dans son regard.

— Jusqu'en juin, reprit-il, me sortant de mes pensées.

Juin ? Six mois ?

— Ah… c'est… bien. Félicitations, ajoutai-je en me fustigeant d'être aussi stupide. Nous allons donc nous revoir régulièrement.

Pour toute réponse, j'eus un regard terrible d'Austin et son poing serré en guise de menace. Mes yeux retrouvèrent très vite le visage de Madeline. Toujours ce satané sourire, toujours cette satanée… chose étrange qui m'empêchait de me concentrer sur autre chose que son visage lumineux.

Dieu merci, après cette soirée et une bonne bouteille de tequila — le tout saupoudré de sexe avec Julia —, ce désastre serait oublié.

— Je le crains, s'esclaffa-t-elle. Très régulièrement, même.

— Tu as trouvé un appartement dans le coin ? lançai-je en repensant à l'amas de cartons dans sa voiture.

— Tout à côté, oui !

Elle rit de nouveau, suivie très vite par Austin.

— Connor, je te présente notre nouvelle colocataire. Madeline va vivre ici.

Brutalement, le désastre prit la forme d'une véritable tornade destructrice, de celle qui vous aspire et vous fait tourbillonner jusqu'à ce que vous finissiez par vous fracasser contre un mur. Elle allait vivre ici.

J'avais couché avec elle, rompu le pacte, trahi Austin, et en guise de cerise sur le gâteau, elle allait vivre ici.

C'est officiellement la soirée de ma vie.

Il entoura affectueusement les épaules de sa sœur de son bras et la serra contre lui. Mon regard navigua avec effroi entre eux deux. Malgré moi, je m'attardai sur Maddie, sur ses jambes nues, sur ses lèvres, sur ses mains, refoulant un nouveau flot d'images. Le désir crépitant de notre étreinte était toujours là, m'atomisant un peu plus.

Je reculai de nouveau, un sentiment surpuissant, incontrôlable et inédit prenant le pas sur mes pensées erratiques : la peur de craquer et de briser une amitié de quinze ans. Peut-être me pardonnerait-il ce moment d'égarement avec une inconnue. Il en rirait même si je lui en parlais en détail. Jusqu'au moment où je lui avouerais que l'amazone en question s'appelait Maddie et partageait une partie de son ADN.

Je pouvais oublier cette nuit dans la voiture, je pouvais oublier l'envoûtement de Maddie.

Je pouvais le faire. Je devais le faire.

— J'ai besoin de quelque chose de plus fort, murmurai-je en filant au bar.

Et pendant que l'alcool anesthésiait mon début de crise de panique, pendant que Madeline souriait toujours avec cette adorable naïveté, je me répétai la troisième règle : *On ne touche pas aux sœurs.*

Du moins, on n'y touche plus.

Plus jamais.

Six mois, soit cent soixante-quatorze jours à dater de ce soir. Cent soixante-quatorze jours avant qu'elle ne parte, cent soixante-quatorze jours avant la délivrance.

J - 174

Note pour moi-même : travailler mon self-control.

Chapitre 2

S'il était une chanson ?
Mr Boombastic. Sans aucun doute.

Résumons la situation :

• je vis chez mon frère et dois donc songer à suivre prochainement une psychothérapie : à mon âge, revenir dans le giron familial est une humiliation ;

• je suis fauchée comme les blés, ce qui explique que je vive chez mon frère. J'avais certes le choix : soit appeler mon père, jouer la corde de la culpabilité et lui soutirer quelques milliers de dollars, soit demander à mon frère de m'héberger. J'ai estimé que la thérapie valait mieux que de faire une croix sur ma fierté ;

• je suis étudiante. Et donc fauchée pour un long moment, à moins de trouver le job qui me permettrait d'allier études, gardes, vie sociale et argent. La dernière fois que j'ai regardé, l'annonce estampillée « miracle pour Maddie » n'était toujours pas parue ;

• enfin, je souffre d'amnésie : j'ai oublié Connor, j'ai oublié qu'il était le meilleur ami de mon frère, j'ai oublié que j'avais couché avec lui et j'ai même oublié que j'avais adoré ça ! Oh ! et j'ai oublié ma culotte aussi dans sa voiture.

Bilan de la situation : franchement pas brillante.

Je n'étais pas particulièrement enthousiaste à l'idée de vivre avec mon frère. Les fêtes, les chaussettes sales, la vaisselle qui s'entasse, l'absence de nourriture saine et surtout le deuil de ma vie privée avaient failli me faire changer d'avis. J'étais résolue à mettre un terme à cette situation dès que possible. En gros, je devais partir très rapidement de cet endroit saturé de testostérone.

Et cette résolution était d'autant plus forte que Connor — alias mon kidnappeur de culotte — vivait ici. Autant demander à une fille au régime de résister à une mousse au chocolat. Je devais fuir la mousse au chocolat. Parce qu'on ne couche pas avec son colocataire, on ne couche pas avec le meilleur ami de son frère et on ne couche pas — on ne recouche pas — avec un type qui vous a fait jouir dans sa voiture. Ça fait mauvais genre et ça ne me ressemble pas.

Et moi, Madeline, future infirmière prochainement diplômée, femme indépendante, plutôt agréable à regarder, bourrée d'humour et volontaire à la soupe populaire, j'étais une fille bien. Très bien même.

Je m'étais doutée que vivre avec mon frère et son meilleur ami n'allait pas être de tout repos, j'avais donc acté un certain nombre de règles avec Austin : je n'étais pas sa femme de ménage, pas sa secrétaire, et encore moins l'incarnation de maman qui avait toujours été aux petits soins pour lui. Mais j'avais un atout maître : le métier de mon frère. Etre joueur professionnel vous entraîne aux quatre coins du pays. J'étais donc certaine de ne croiser mon frère que très rarement.

J'étais arrivée ici depuis une semaine. Sept jours, sept nuits. Le temps approximatif qu'il faut pour rallier Chicago à Nashville à pied. Oui, j'avais vérifié.

Une semaine pendant laquelle j'avais eu le temps de vider mes cartons, de prendre mes marques à l'université et à l'hôpital, et de m'installer dans une routine rassurante et délicieuse.

D'autant plus rassurante que Connor ne m'adressait pas la parole. Dès que nos regards se croisaient, il fuyait à toutes jambes. Je voulais désamorcer la situation, agir en adulte : oui, nous avions couché ensemble, oui, c'était un affreux moment d'égarement, non, il ne pouvait pas garder ma culotte en souvenir. Simple, non ? Une fois les choses mises à plat, nous aurions pu peut-être devenir amis ?

C'était tout de même lui qui m'avait draguée ouvertement, lui qui m'avait fait danser, lui qui m'avait conduite à sa voiture. Il ne m'avait même pas donné son prénom ! Quel genre d'homme fait ça ?

— Les hommes qui ont l'habitude. Les hommes qui passent d'une fille à une autre sans se soucier des conséquences.

Parfois, Ash est trop pertinente pour son propre bien. Et je déteste quand elle a raison !

Je n'avais rien prémédité : j'étais aussi ivre que possible, il était là, il me provoquait. La plupart des hommes qui me plaisent fuient devant mon humour douteux et mes remarques acerbes. Il aurait dû fuir ! Il aurait dû aller chasser la blonde au milieu de la piste de danse.

En tout cas, et même en retournant le sujet dans tous les sens, j'en arrivais à la même conclusion : tout était sa faute !

Et il le savait ! Sinon, pourquoi passerait-il son temps à me fuir ? Peut-être avait-il été vexé parce que je ne l'avais pas reconnu à deux reprises ? C'était ridicule : Austin et Connor avaient quitté Morton depuis plus de dix ans.

Et pour la deuxième fois, je n'avais déjà que peu de souvenirs de notre nuit de débauche — uniquement des flashs instantanés : sa bouche sur mon sein, son regard sombre, la sensation électrique et galvanisante de nos corps liés — alors comment aurais-je pu le reconnaître six mois plus tard ?

Les probabilités pour passer un moment magique dans une voiture après avoir bu la moitié d'une bouteille de tequila sont très minces. Autant que les probabilités de vous retrouver nez à nez avec votre kidnappeur de petite culotte. Ma poisse, encore et toujours. Je suis la démonstration parfaite de la loi de Murphy.

Je fronçai les sourcils et secouai la tête. Je n'avais pas besoin de me tourmenter pour un type qui collectionnait les femmes et avait oublié que le loft n'était pas convenablement insonorisé. Depuis le début de la semaine, mes oreilles subissaient des concerts de miaulements, de feulements, de cris, de suppliques et de grognements.

Je soupirai, sortant le blender du placard. Ma tête bourdonnait encore de la fête d'hier soir. Sur le plan de travail trônait une ribambelle de bouteilles vides. Parmi elles, ma bouteille de tequila.

— Tu aimes le céleri ? demandai-je à la jeune femme avachie sur le canapé.

Elle, elle feulait.

Elle releva les yeux vers moi, son visage ravagé par le maquillage et ses cheveux parfaitement emmêlés. J'étais volontaire à la soupe populaire, mais je n'étais pas une *si* gentille fille que ça.

Notamment parce qu'elle avait feulé. Elle. Et pas moi. Et avec lui. Et pas moi.

— C'est une recette maison contre la gueule de bois, expliquai-je.

Elle opina doucement, avant de s'effondrer de nouveau sur le canapé. Je n'arrivais pas à déterminer si elle manquait de force pour gagner la porte ou si elle attendait son maître ès feulements. Je jetai des morceaux de carotte, du céleri, du jus de tomate et une pointe de Tabasco dans le blender, avant de le lancer.

La jeune femme brune me lança un regard assassin, apparemment dérangée par le bruit.

Est-ce que j'ai fait une remarque, moi, quand tu as feulé ? Souffre !

Bon, j'avais peut-être jeté négligemment contre le mur mes chaussures et un ou deux livres, mais ça ne l'avait pas empêchée de feuler.

Je lui offris un sourire bienveillant, tournant la molette à pleine puissance. De nouveau, elle grimaça et je découvris au même moment une facette sadique de ma personnalité.

Et si je rajoutais du Tabasco ?

J'arrêtai le blender, pris le flacon et tapai furieusement sur le fond pour recueillir trois gouttes de piment. Ça devrait suffire pour la faire feuler de douleur. J'arborai de nouveau mon sourire angélique, celui, notamment, qui me servait à rassurer les enfants avant de devoir leur faire une prise de sang.

Je trempai mon index dans la décoction pour goûter mon cocktail bienfaisant. Le piment m'arracha la langue, une partie du palais, et brûla tout ce qu'il trouva jusqu'à mon estomac.

— Parfait, chantonnai-je en ignorant la désintégration de mon œsophage.

Mon sourire s'effaça quand j'entendis le cliquetis de la porte de la salle de bains. De sadique absolue, je passai à maso irrécupérable : Connor était là. Simplement habillé d'une serviette rouge nouée autour des hanches, les cheveux humides, le torse luisant de son gel douche hyper-hydratant, enrichi à la vitamine E et à base d'aloe vera.

Oui, j'avais vérifié ça aussi.

Menthe et citron. Et une pointe d'épice que je n'arrivais pas encore à déterminer. La simple odeur du citron me ramenait des semaines en arrière, dans l'habitacle surchauffé de sa voiture.

Oublie ça, Maddie. C'était un moment de pure folie, un moment où je n'étais plus moi-même. Et surtout un moment unique : il n'était pas question que je succombe de nouveau.

Connor braqua son regard vers la brune sur le canapé et la salua d'un mouvement de tête, avant d'avancer vers moi.

Je clignai des yeux un bon millier de fois, m'assurant que je n'étais pas en train d'halluciner. Ma gorge se dessécha subitement, mon corps se paralysa tandis que mes yeux dévoraient chaque parcelle de peau découverte.

Et mon inconscient se mit à fredonner *Mr Boombastic*, impeccablement coordonné avec le mouvement chaloupé de ses hanches. Tout en marchant, il s'étira, allongeant les bras au-dessus de sa tête, tendant au maximum ses abdominaux. Mon regard se promena sur son corps — mes yeux ne cherchant même pas à être discrets — et Mr Boombastic m'offrit un sourire à un million de watts, électrisant toutes les parties érogènes de mon corps.

Et même les non érogènes. Genre le coude.

Je pris un morceau de banane et le massacrai dans le blender. Ce n'était guère étonnant qu'il puisse séduire les femmes aussi facilement : son corps était une arme de destruction massive à lui seul.

Corps que je ne toucherai plus. Il pouvait se pavaner autant qu'il voulait, sans la tequila en intraveineuse, je pouvais faire preuve d'un self-control à toute épreuve.

— Bonjour, lança-t-il joyeusement en grimpant sur un des tabourets du bar.

Je me raclai la gorge pour chasser la désagréable sensation de sécheresse et versai ma décoction dans un verre. Mais, malgré moi, mes yeux revinrent sur le nœud de sa serviette.

— Tu veux que je t'en débarrasse ? demandai-je.

— Je te demande pardon ?

— La... euh... fille sur le canapé, précisai-je en désignant la brune d'un mouvement de menton. Je crois que tu as couché avec elle, en fait.

Il se tourna vers elle, plissa du nez et secoua la tête. Apparemment, la tequila avait aussi fait des ravages chez Connor. Son regard se porta sur ma mixture verdâtre et il la sentit.

— C'est un remède maison contre la gueule de bois, expliquai-je.

— Tu n'as pas l'air d'avoir la gueule de bois, déclara-t-il en scannant ma tenue.

— J'ai un excellent métabolisme.

— Je m'en souviens parfaitement en effet.

— J'ai surtout un entretien d'embauche dans une heure. Comment s'appelle-t-elle ?

Le front de Connor se plissa de réflexion, recherchant dans les replis de son cerveau encore alcoolisés l'information cruciale que je lui demandais. Je n'arrivais pas à croire qu'il ne se souvenait même pas de son prénom. Je calai les poings sur mes hanches, prenant à dessein une mine renfrognée. Un paquet de suffragettes devaient être en train de faire des triples sauts dans leurs tombes.

— Julia ! triompha-t-il finalement avec soulagement.

— Ça, c'était la semaine dernière, Connor, assenai-je, les dents serrées.

— Pourquoi es-tu en colère après moi ? s'étonna-t-il.

— Pourquoi ? Parce que tu ne connais pas son nom peut-être ? Ou peut-être parce qu'elle a feulé une bonne partie de la nuit, m'empêchant de dormir convenablement ?

— Feulé ? s'esclaffa-t-il.

— Feulé, approuvai-je. Ta copine feule comme un maudit chat qu'on serait en train de castrer ! m'agaçai-je à voix basse.

Il rit de nouveau, à gorge déployée, indifférent à la spectatrice qui croupissait sur le canapé. Je jetai un regard à la pauvre jeune fille, avant de diriger mon attention sur Connor. A mon grand désarroi, je me surpris à participer à son fou rire. Pour la première fois depuis une semaine, le meilleur ami de mon frère n'était pas en train de prendre la poudre d'escampette devant moi. Et c'était ça, surtout, qui me faisait sourire.

Nous pouvions être amis. Nous pouvions gérer la situation calmement. L'atmosphère au loft deviendrait alors plus respirable. Rester six mois ici ne me réjouissait pas, mais passer six mois ici dans cette ambiance tendue était impensable.

Quand finalement Connor se calma, je levai un sourcil, attendant toujours la réponse à ma question. Quelque chose me disait qu'elle était tapie dans un des recoins pas tout à fait sobres du cerveau de mon colocataire.

— Je n'en ai sincèrement aucune idée, avoua-t-il finalement.

— Tu fais ça souvent ?

— Leur offrir une inoubliable nuit de sexe ? s'amusa-t-il.

— Les ignorer au petit matin pour les humilier ouvertement ?

Son sourire s'effaça aussitôt, remplacé par un rictus.

— Pas quand elles partent en plein milieu de la nuit.

— J'ai toujours brillé par ma perspicacité, ripostai-je.

— J'ai gardé ta culotte en trophée.

— Et moi la bouteille de tequila !

Il me fusilla du regard puis, examinant le verre rempli devant nous, le prit et se leva de son tabouret.

— Janet, un verre ? lança-t-il avec enthousiasme.

De nouveau, le mouvement de ses hanches capta mon attention. Son dos musclé, ses épaules carrées et la douce tentation de la courbe de ses fesses me firent lécher mes lèvres. Il était horripilant, pénible et fuyant, mais le simple fait de le regarder me faisait oublier ces légers détails.

J'étais faible. Et définitivement maso car, au vu de notre relation, il y avait peu de chances que je feule un jour de nouveau avec lui. Je poussai un profond soupir, me consolant finalement avec le hurlement de douleur de Janet. Le Tabasco était apparemment une valeur sûre. Je souris largement, sirotant mon café noir déjà tiède.

Je ravalai mon sourire quand Connor se tourna vers moi, fronçant les sourcils de perplexité. Janet toussait, criait, tirait la langue et... feulait. Douce est la vengeance.

— C'est un remède maison, me justifiai-je avec toute l'innocence possible d'un psychopathe en devenir.

Connor secoua la tête, apparemment pas ébloui par mes connaissances en potions, avant de revenir dans la cuisine et de remplir un verre de lait.

— Rappelle-moi de ne pas devenir ton ennemi, marmonna-t-il en visant le blender à demi vide.

— Tu n'as vraiment aucun goût du risque, commentai-je en haussant les épaules.

— Pour l'instant, vivre avec toi me semble suffisant. Tu n'avais pas un entretien à passer ? éluda-t-il.

— Ce que j'aime ton caractère grognon. C'est pathologique ou juste postcoïtal ?

— Sais-tu au moins ce que « postcoïtal » veut dire ?

— Je l'ai su il n'y a pas si longtemps.

Ma main se resserra furieusement autour de ma tasse de café. Il le faisait encore. Il avait de nouveau cet horripilant sourire arrogant et prétentieux. J'avais détecté ce tic chez lui dès notre rencontre dans le bar.

Il devait certainement penser que ça le rendait irrésistible, que ce léger retroussement de ses lèvres, associé à un regard joueur, faisait fondre la plupart des femmes.

En fait, il avait raison. Et cela m'agaçait au plus haut point.

Un nouveau feulement de Janet retentit et coupa court à notre échange. Je lançai un regard agacé à la jeune femme, tandis que Connor retournait à ses côtés avec le verre de lait. Finissant mon café, j'assistai finalement à la chute du mélodrame larmoyant « Janet et Connor, les amants maudits ».

Médusée, je vis mon colocataire, à moitié nu, tenant le nœud de sa serviette dans le creux de sa main, diriger la feulante Janet jusqu'à la porte en lui frottant le dos comme s'ils étaient de bons amis. Alors que la plupart des hommes faisaient montre de lâcheté et de pitoyables excuses, Connor était déconcertant de facilité.

L'habitude avait dû forger certains automatismes. Il n'avait même plus l'air d'y réfléchir, flattant chaleureusement l'épaule de Janet.

Connor, alias l'homme qui murmurait à l'oreille des brunettes.

Et il avait murmuré à *mon* oreille.

J'en étais encore à réfléchir au pathétique de la scène quand Connor réapparut devant moi, un sourire victorieux sur les lèvres. J'enfouis le souvenir de notre étreinte furtive dans un coin de mon cerveau.

— C'était... impressionnant, le félicitai-je. Ni larmes ni cris. T'es une sorte de casque bleu du sexe ?

— Besoin d'une intervention d'urgence, Maddie ?

J'éclatai de rire devant sa mine fière et déterminée. Il pensait réellement que j'étais intéressée.

Bon, je l'étais, mais il n'avait pas à le savoir. Pas tout de suite en tout cas, et pas après avoir lutté pendant vingt minutes pour me faire un chignon impeccable.

Et surtout, par principe, je ne passerais pas derrière une feuleuse de l'extrême, au pedigree douteux.

— Ote-moi d'un doute, c'est bien la première conversation que nous avons depuis que j'habite ici, non ?

— Euh... oui, hésita-t-il.

— Donc notre première réelle conversation porte sur « une intervention d'urgence du casque bleu du sexe », c'est bien ça ?

Il opina, son regard confiant virant progressivement. Je ne voulais pas parler de notre nuit ensemble, cette nuit appartenait au passé et je refusais de me justifier, surtout auprès de lui. Connor était un homme. Par définition, détourner son attention d'une question à laquelle je ne pouvais absolument pas répondre ne serait pas spécialement compliqué. Mettez-leur une boîte de céréales devant les yeux, et ils font dans la seconde le jeu du labyrinthe maudit pour retrouver la pépite de chocolat.

Pour mon colocataire, esquiver une question grâce à une autre question devrait probablement suffire.

— Connor, tu as bien compris que j'allais rester ici, n'est-ce pas ? Ce qui implique une sorte de... relation suivie entre toi et moi.

Son regard s'écarquilla et j'y décelai de nouveau cette étincelle de terreur absolue. Je ne l'avais donc pas imaginée. Il recula, plaçant le bar entre lui et moi, avant de s'installer sur le tabouret, une sensation étrange de malaise flottant dans la pièce.

— Rassure-toi, Connor, je n'ai aucunement besoin d'intervention d'urgence. Encore moins de ta part, soulignai-je sans frémir de mon mensonge.

Dans la mesure où mes sous-vêtements s'étaient autodétruits à l'instant où Mr Boombastic était apparu, l'intervention était désormais inutile. Il n'y avait plus rien à sauver.

Paix à leur âme.

— Est-ce que c'est du vrai café ? s'enquit-il en désignant ma tasse.

— Tu ne veux pas tester mon cocktail maison ?

— Mon palais est mon outil de travail, Maddie. Un outil fragile et délicat qu'il faut manier avec doigté et délicatesse.

Un sourire satisfait apparut sur ses lèvres. De toute évidence, il n'y avait pas que le palais de Connor qu'il aimait qu'on manie avec douceur. Je me réfugiai dans mon café pour éviter d'entrer dans son jeu. Il aurait été malvenu de sacrifier mon chignon dans une position compromettante sur le bar impeccable de la cuisine.

Très malvenu, mais terriblement tentant.

— C'est du vrai café, Austin m'a montré comment me servir du percolateur.

— Tu sais te servir de cette... machine ? demanda-t-il en désignant l'appareil derrière moi.

— Il faut juste la manier avec doigté et délicatesse, ironisai-je en agitant mes doigts devant lui.

Il eut un regard dubitatif vers le percolateur, avant de se lever et de se placer devant la machine. Un effluve mentholé flotta autour de moi et tout mon corps se tendit dans l'instant : Maddie, au milieu de son désert sexuel, avait enfin retrouvé son oasis.

— Est-ce que tu peux m'aider ? demanda-t-il doucement.

Il était à moitié nu dans la cuisine, les cheveux humides, le regard perdu, et il me demandait d'une voix vibrante d'émotion si je pouvais l'aider.

— S'il te plaît, ajouta-t-il dans un murmure.

Il pencha légèrement la tête, ses yeux plongeant dans les miens. Je repris une gorgée de mon café, refoulant le son lointain des violons. Pas étonnant que les filles tombent aussi facilement dans le panneau. Je lui offris un sourire compatissant. Son sourire s'élargit, et son regard s'illumina et plongea au même instant vers mon décolleté.

— Tu n'avais pas pris l'option petit déjeuner avec Janet ? m'étonnai-je faussement.

— Jamais de la vie, s'esclaffa-t-il en réprimant un frisson d'effroi.

— Tu pourrais pourtant joindre l'utile à l'agréable, lançai-je en contournant le bar pour enfiler ma veste de tailleur.

— Je le fais : tu me fais mon café et je mate tes seins !

Son regard plongea dans le mien, une lueur de défi et d'amusement l'illuminant. Il croisa les bras sur sa poitrine ; l'association de la serviette tenant mollement sur ses hanches et de la révélation des biceps de Connor me fit tressaillir. Pendant une courte seconde, j'eus une désagréable sensation de flottement.

Au bar, je l'avais trouvé très séduisant. Ici, je le trouvais irrésistible. J'avais mis cette attirance sur le compte de l'alcool, mais force était de constater que cela n'avait rien à voir : il s'agissait de lui.

— Je crois que nous sommes partis sur de mauvaises bases, toi et moi, lâcha-t-il finalement.

— Ne sois pas si négatif : tu n'étais pas si mauvais ! raillai-je.

— Tu sais très bien de quoi je veux parler !

— Parce que tu veux en parler maintenant ?

— Ecoute, tu me plaisais, je te plaisais, on a baisé dans la voiture. Pas la peine d'en faire tout un plat !

— Je n'en fais pas tout un plat. C'est toi qui me fuis depuis que je suis arrivée ici.

— Tu m'as surpris.

— Je fais ça à beaucoup d'hommes ! Y compris à jeun. Qu'est-ce que tu as imaginé ? Que j'allais te sauter dans les bras en te suppliant de reconnaître mon enfant ?

Il pâlit instantanément et, pendant une seconde, je crus qu'il allait défaillir.

— Respire, Connor. Mettons les choses au clair : je ne suis pas spécialement ravie d'être ici.

— Je m'inquiète : on commence à avoir de véritables points communs. Je n'exulte pas non plus à l'idée de tomber nez à nez avec toi chaque jour. Mais puisque tu sais faire le café...

— Et que tu peux mater mes seins...

Il s'esclaffa et son sourire irrésistible réapparut sur ses lèvres.

— Si gentleman, ironisai-je.

— J'ai changé ta roue : c'était chevaleresque, souligna-t-il.

— Nous avons baisé dans ta voiture.

— Tu l'as dit toi-même : ce n'était pas si mal !

— C'était juste un moment d'égarement, me justifiai-je un peu lamentablement.

— Egare-toi autant que tu veux.

Son regard gris acier perça le mien et l'espace d'un instant je me demandai si je devais rire ou m'inquiéter. Je me demandai aussi si c'était l'aloe vera de son gel douche qui rendait sa peau si satinée. J'avais envie de le toucher, de passer l'index sur le dessin de son biceps, de m'assurer que mon oasis n'était pas un vulgaire mirage. Je poussai un profond soupir, cherchant rapidement une échappatoire à cette conversation.

Revenir au sujet de base : le Tabasco et le café.

— Tu en as parlé à quelqu'un ? demanda-t-il finalement.

— A Ash.

— Qui est Ash ?

— Mon pire cauchemar, marmonnai-je. Et ma meilleure amie. Si étonnant que cela puisse te paraître, moi, je ne fais pas profiter tout le quartier de ma vie sexuelle.

— Cela restera notre petit secret, chuchota-t-il, conspirateur.

— Faisons un marché. Je préparerai le café chaque matin, lançai-je alors qu'un sourire gigantesque s'affichait sur les lèvres de Connor, si, en contrepartie, je n'entends plus aucun feulement, ni gémissement, ni hurlement après minuit.

— Une heure, proposa-t-il après une courte réflexion.

— Minuit trente, dernière offre.

— Je rentre à minuit, Maddie !

— Ce qui te laisse trente minutes. Tu n'auras qu'à aller droit au but et zapper les préliminaires. Je sais que tu peux le faire, lui rappelai-je.

— C'est impossible ! contra-t-il.

— L'arabica est dans le placard du haut, l'informai-je en me dirigeant vers l'entrée de l'appartement.

— Maddie !

J'entendis ses pas derrière moi et sa main se referma sur mon avant-bras. Je pivotai, sûrement trop vite, mes mains se posant sur son torse. Mes doigts se crispèrent et, sous ma paume, je découvris enfin les bienfaits de l'aloe vera : une peau douce, lisse, parfaite, qui cachait des pectoraux admirablement dessinés. Mr Boombastic.

Ses doigts se resserrèrent sur mon bras et l'étrange tension entre lui et moi resurgit, tranchante et déstabilisante. Il passa la langue sur ses lèvres, son regard naviguant entre mon visage et mon cou. Le souffle court, il ferma les paupières, relâcha mon bras, et je compris que j'avais gagné.

— D'accord. Minuit trente, murmura-t-il, dépité. Ce que tu me fais faire, soupira-t-il en rouvrant les paupières.

Il plongea son regard dans le mien, son visage arborant une expression inédite à la fois sérieuse et déterminée. Le silence dura quelques secondes, secondes pendant lesquelles la tension autour de nos deux corps s'accentua, me paralysant. Une douce chaleur m'enveloppait, l'odeur du citron m'envoûtait et Connor me fixait, haletant. Nous y étions de nouveau : cette même alchimie déstabilisante, ce même désir brutal et incandescent qui nous tenaillait. Je perdais le contrôle et cette perspective m'effrayait.

Je m'écartai de lui, trébuchant sur le tapis, mes paumes picotant de ne plus le toucher. La tension se dissipa finalement, mon cerveau et mon corps reprirent un fonctionnement normal et le sourire dévastateur de Connor me provoqua.

— Marché conclu, dis-je péniblement en tendant la main.

— Marché conclu.

Un sourire s'étira sur ses lèvres, pendant que sa paume chaude brûlait la mienne. Encore cette sensation de flottement, comme si tout contrôle m'échappait. Comment faisait-il?

— Si tu me faisais goûter ton café maintenant ? murmura-t-il.

Il me libéra, glissa une mèche échappée de mon chignon derrière mon oreille et son arrogance me sortit de ma torpeur.

— Elle a feulé jusqu'à 3 heures du matin.

— Nous n'avions pas d'accord hier.

— Nous en avons un maintenant. Et personnellement, j'ai déjà bu mon café.

Il fronça les sourcils, contrarié de ne pas avoir le dernier mot. Je lui offris un sourire victorieux et enfilai une paire de talons aiguilles, grimaçant à l'idée de les garder plus de dix minutes aux pieds. J'étais habituée aux chaussures confortables d'infirmière et à être libre de mes mouvements dans un de ces infâmes pantalons verdâtres. Quand je me redressai, je surpris le regard de Connor sur moi. Il était retourné dans la cuisine et avait jeté son dévolu sur une banane qu'il dévorait.

Si je le trouvais toujours aussi canon, la tension avait cependant disparu, l'atmosphère était respirable : mon corps était enfin sous contrôle. Etre loin de lui était la solution. Et surtout, avec ce genre de séducteur sûr de lui, la meilleure défense, c'est l'attaque. C'était la stratégie que je devrais appliquer : vivre ici, avec lui, dans ce déferlement d'hormone et de désir ne serait supportable que si je prenais le contrôle de la situation. Si je parvenais à le déstabiliser, à lui arracher des lèvres son horripilant sourire, alors je survivrais. Si je me laissais avoir stupidement par son physique, son sourire ou son gel douche, j'étais cuite. Je devais garder le contrôle de la situation.

— Comment suis-je? m'enquis-je en tournant sur moi-même.

— Tu as grandi, commenta-t-il.

— J'ai eu le temps en dix ans, m'amusai-je.

— Tu es toujours une sale gamine, contra-t-il.

Il esquissa un sourire nostalgique, me ramenant des années en arrière, à l'époque où Austin et Connor étaient voisins et déjà meilleurs amis. L'époque où je regardais Blanche-Neige sans prendre conscience qu'elle était une cruche absolue, dans sa quête du prince charmant. Malgré tout, j'avais de bons souvenirs de mon enfance avec Austin : il me protégeait et j'adorais passer du temps avec lui. Notre différence d'âge n'avait jamais été une difficulté.

— Où est ton entretien? reprit-il en se levant.

— Dans un restaurant, pour être serveuse. Le vieux sage que tu es aurait-il des conseils pour la débutante que je suis?

Il se leva et avança dans ma direction, son regard errant sur mon corps, sans jamais s'attarder. *Mr Boombastic* résonna de nouveau, la vision du torse de mon horripilant colocataire asséchant aussitôt ma gorge. Instinctivement, je reculai et mon dos heurta le mur. Les briques froides me tirèrent un hoquet de surprise. Mais où était passé le Connor à qui je collais une peur bleue ?

Je m'entendis déglutir lourdement, mon corps subissant une dangereuse montée en température. OK, je ne contrôlais rien du tout. *Au temps pour mes bonnes résolutions.* Il se posta devant moi, me toisant d'un œil expert, avant de tapoter son index contre ses lèvres. De l'espace, il me fallait de l'espace.

— Montre tes seins, lâcha-t-il finalement.

— Je te demande pardon ? éructai-je.

— Pour ton entretien. Il faut que tu dévies l'attention. Et tes seins ont du potentiel, expliqua-t-il en louchant vers mon décolleté. Si mes souvenirs sont bons, ils sont magnifiques et extrêmement sensibles.

— Mon genou aussi, ripostai-je en plaçant ma jambe entre ses cuisses.

— Tu fais ça souvent ?

— Castrer des crétins pour assurer un avenir meilleur à l'humanité ?

— Camoufler ta frustration sexuelle par la violence.

Il approcha encore, son regard gris rivé au mien. Ma gorge s'assécha encore un peu et mes mains se crispèrent sur le mur. Il était trop près, trop nu, trop provocateur, et sa façon de me regarder limitait mon raisonnement.

Logiquement, j'aurais dû fuir. Ou le repousser. Ou relever le fameux genou qui traînait entre ses jambes. Mais il y avait cette délicieuse palpitation qui se propageait dans tout mon corps, m'empêchant de réagir, annihilant toute ma volonté.

— Tu es très jolie, murmura-t-il finalement.

Son regard glissa sur mes lèvres, puis sur mon cou,

avant de revenir à hauteur de mes yeux. Mon cœur était parti dans un marathon, frappant et tapant dans ma poitrine au point de m'en faire mal. Debout devant lui, vacillante sur mes talons, j'étais à bout de souffle. Il leva prudemment le bras, ses yeux toujours rivés aux miens, comme pour s'assurer que je n'allais finalement pas le castrer.

Ses doigts effleurèrent la peau de mon cou, me faisant frémir de la tête aux pieds, avant de toucher le haut de ma nuque. Le bout de ses doigts s'insinua dans ma chevelure et, d'un geste précautionneux, il retira deux épingles de mon chignon.

— Tu es nettement mieux comme ça.

Il esquissa un léger sourire, avant de s'écarter de moi. Brutalement, la température chuta et je repris mes esprits, me maudissant pour l'avoir laissé saccager ma coiffure.

— Mieux ?

— Mieux, acquiesça-t-il. Tu ressembles plus à une étudiante, et non à une bibliothécaire au vagin calcifié !

— Mon vagin va très bien ! m'écriai-je, vexée, en lui arrachant rageusement mes deux épingles.

— Ton vagin est dépressif, Maddie ! dit-il en souriant pendant que je réajustais les quelques mèches qu'il avait libérées. Tu l'as dit toi-même. Mais mon offre d'intervention tient toujours !

Son sourire arrogant réapparut, me donnant une magistrale envie de le gifler.

Et de le traîner jusqu'à ma chambre pour lui démontrer, tests à l'appui, que mon vagin était dans une forme olympique. Sans doute avait-il besoin que je lui rafraîchisse la mémoire.

— Quel sens du sacrifice, ironisai-je.

— Uniquement de la chevalerie. Changer un pneu, ressusciter un vagin : c'est la routine pour moi.

— Je me sens tellement valorisée !

— Tu peux ! Tu vis ici ! Imagine le nombre de femmes qui aimeraient être à ta place !

— Parce qu'elles ne savent pas que tu notes leur prénom dans ta main pour ne pas avoir à le leur redemander au réveil ! riposta une voix derrière moi.

Le rire cristallin de Sophia résonna dans la pièce, me faisant pivoter sur mes talons. Dans l'énergie de mon échange avec Connor, je ne l'avais même pas entendue entrer dans l'appartement. Elle passa à mes côtés, m'éblouissant de son élégance innée sur des talons vertigineux, avant de déposer une bise sur la joue de son frère. Elle lui prit la main et la tourna vers moi. Connor étouffa un rire, pendant que je lui lançais un regard consterné : le prénom de Janet apparaissait effectivement en pattes de mouche griffonnées à la hâte.

— Je t'ai donné une clé en cas d'urgence, pas pour dévoiler tous mes secrets ! dit Connor à sa sœur.

— Je pensais que tu serais encore au lit ! Et je venais juste pour te proposer un dîner ce soir. Maddie, tu es des nôtres ?

— Impossible, j'ai une garde ce soir. Je rentrerai pendant la nuit.

— Est-ce qu'Austin sera là ? demanda-t-elle à son frère.

— Il doit rentrer demain matin, son match est ce soir, répondit-il.

— Oh... Tant pis ! Juste toi et moi alors !

Son frère la serra contre lui dans une étreinte affectueuse et sa légère déception disparut immédiatement. Je jetai un coup d'œil à ma montre, me rendant compte que j'allais finir par être en retard. Mr Boombastic était un peu trop... distrayant ! J'enfilai ma veste de tailleur et abandonnai l'idée du chignon.

— Tu as le temps pour un café ? demanda Connor à sa sœur.

— Tu sais enfin te servir du percolateur ?

Connor et moi échangeâmes un regard complice, tandis que je ravalais un rire. Les yeux de Sophia passèrent de son frère à moi, tentant de comprendre.

— Il faut que j'y aille, éludai-je, un sourire aux lèvres.

— A ce soir, Maddie, lança Connor avec ce même sourire. Une heure, c'est ça ?

Mon sourire s'élargit, à m'en faire presque mal aux joues. Après une semaine de non-relation, Connor admettait enfin mon existence dans son monde. Une lueur d'amusement brilla dans son regard, comme s'il cherchait à évaluer ma tolérance à ses provocations.

— Minuit trente, lui rappelai-je avec un regard sévère.

— Sale gamine !

— Crétin !

— Et montre tes seins ! hurla-t-il.

En réponse et sans même lui faire face, je lui offris un superbe lever de majeur. Je claquai la porte de l'appartement derrière moi, croisant brièvement la mine ahurie de Sophia, pendant que Connor riait aux éclats.

Je ne pouvais pas dire que mon entretien s'était mal passé : pour être honnête, cette entrevue avait été un désastre. Pendant une courte seconde, j'avais même envisagé d'appliquer le conseil pervers de Connor. Mais quelque chose dans l'attitude de mon interlocuteur avait fini par m'en dissuader.

Peut-être le fait qu'il se faisait les ongles tout en inspectant mon CV.

J'avais été poliment remerciée et gratifiée d'un prometteur « nous vous rappellerons ». Dépitée, j'avais filé à l'hôpital prendre ma garde. Mes six derniers mois d'études alternaient entre mes cours à la fac et des gardes à l'hôpital : un rythme trépidant, mais auquel j'étais habituée. J'espérais désormais négocier quelques gardes en plus les week-ends pour boucler les fins de mois.

Après avoir affronté une intoxication alimentaire d'une chorale de jeunes filles de dix ans, puis une fracture ouverte du tibia, et enfin un accouchement express dans l'ascenseur des urgences, je rentrai au loft épuisée. Alors que j'enfonçais la clé dans la serrure, la porte s'ouvrit, laissant apparaître Connor, simplement vêtu d'un boxer.

Doux Jésus, achevez-moi !

— Est-ce que tu t'habilles parfois ? demandai-je avec curiosité.

— Je n'ai jamais entendu personne se plaindre.

— Tous ces feulements t'ont donc rendu sourd ?

— Entre, je t'ai gardé quelque chose à manger !

Je lui lançai un regard soupçonneux, en essayant de ne pas suivre la ligne tentatrice de poils qui menait sous son boxer. Il me devança, gagnant la cuisine, pendant que je restais hagarde, dans l'entrée, à m'inquiéter soudainement de la santé de mon vagin. Mon dernier check-up datait de...

Oublie ça, Maddie. Oublie qu'il est le dernier homme à t'avoir offert un orgasme digne de ce nom.

— Je sais que tu regardes, lança-t-il, sortant une assiette du four.

— Et je sais que tu rembourres ton boxer, contrai-je.

— Viens t'asseoir, sale gamine !

Je retirai mon manteau et m'exécutai. Le parfum qui flottait dans le loft me mit l'eau à la bouche : je n'avais rien mangé depuis mon café matinal. Connor déposa une assiette fumante sur la table, m'offrant un petit sourire timide.

— Des macaronis au fromage ? m'étonnai-je.

— Tu aimes toujours ça, j'espère.

Je le dévisageai, stupéfaite, tandis qu'il s'installait sur un tabouret face à moi. Mr Boombastic faisait la cuisine... et se promenait perpétuellement en boxer. J'aurais aimé que ce dernier argument m'aide à considérer Connor comme un crétin irrécupérable, mais je devais admettre que je commençais à développer une fascination malsaine pour le meilleur ami de mon frère.

— Toujours ta stratégie de la chevalerie ? Depuis quand tu cuisines ?

— C'est mon métier, depuis presque dix ans. Pendant que tu te débattais avec tes problèmes d'acné, j'étais second dans un des grands hôtels de la ville.

— Tu n'es pas obligé de me faire la cuisine, Connor. Je peux très bien me débrouiller toute seule. Je suis une grande, maintenant ! lui rappelai-je.

— C'est mon rôle. En tant que meilleur ami de ton frère, je dois veiller sur toi et ta façon horripilante de mettre en doute mes compétences en cuisine, lança-t-il en agitant les doigts devant moi.

— Connor. Et d'une, tu ne sais pas faire un café et de deux, si tu dois veiller sur moi, je te conseille de me regarder dans les yeux, suggérai-je.

En un millième de seconde, son regard passa de ma poitrine à mes yeux.

Il fronça les sourcils et secoua la tête. Je piochai dans mon assiette, un gémissement de plaisir m'échappant. Ce plat était délicieux, le fromage fondant me faisait oublier toutes les mésaventures de ma journée. Il y avait des années que je n'avais pas mangé de macaronis au fromage et cela me rappela avec nostalgie la cuisine de ma mère.

— Et ton entretien ? demanda-t-il après un long silence.

— Loupé !

— Je t'avais dit de montrer tes seins ! sourit Connor.

— On ne t'a jamais dit que tu n'étais qu'un obsédé ?

— Souvent. Surtout par les seins, d'ailleurs, remarqua-t-il pensivement. Mais je le prends comme un compliment. Et les tiens valent définitivement le détour.

Je finis mon assiette rapidement, dévorant jusqu'à la dernière bouchée. Je la débarrassai et ouvris le réfrigérateur pour prendre un yaourt. Je sentis le regard de Connor sur moi, mais, cette fois, il n'y avait plus ce crépitement désagréable entre nous. A la place, une nouvelle vague de douce nostalgie m'envahit.

— Tu veux regarder un film ? demanda-t-il en s'emparant de la télécommande.

Je pesai rapidement le pour et le contre. J'étais exténuée par ma journée et, dans quelques heures, je devrais gagner la fac pour une série de cours d'anatomie. D'un autre côté, partager un plaid avec Connor sur le canapé...

— J'arrive !

Je me calai dans le coin du canapé, me glissant sous le plaid que Connor m'offrait. L'écran s'illumina et j'en profitai pour fixer le profil de mon colocataire. Il n'avait plus rien de l'adolescent aux joues rondes dont j'avais le souvenir. Le dessin parfait de sa mâchoire, la légère déviation de son nez, le carré de ses épaules...

— Je sais que tu regardes, chantonna-t-il en tournant le visage vers moi.

— En vertu de notre accord, je me retiens de gémir, ripostai-je. Tu veux un stylo pour noter mon prénom ?

De nouveau, il eut ce froncement de sourcils, comme si un souvenir pénible lui revenait à la mémoire. Son regard se durcit légèrement et il prit une profonde inspiration. Je plongeai mon index dans mon yaourt, attendant une nouvelle attaque en règle de Connor. Je commençais à m'habituer à nos échanges animés.

Il me fixa, tandis que je portais mon doigt couvert de yaourt à ma bouche.

— Ton vagin ne survivrait pas à une nouvelle thérapie de choc, ironisa-t-il.

— Ton principe de la « performance unique » ne survivrait pas à une nouvelle nuit avec moi. D'ailleurs, je sais très bien que tu as envie de retenter l'expérience.

— Non, c'est contre mes règles de base.

— C'est justement tout l'intérêt de mon séjour ici : provoquer le chaos dans ta vie.

Son regard changea, s'assombrissant un peu plus. Il se pencha vers moi, son visage à une effrayante proximité du mien. Comme ce matin, l'air se raréfia, mes poumons se comprimèrent et j'écrasai violemment mon yaourt entre mes doigts.

Contrôle, Maddie, contrôle. Sans quitter mes yeux, Connor prit mon malheureux pot et le déposa sur la table basse.

— Allonge-toi, m'intima-t-il.

Je m'exécutai, mal à l'aise et au bord de la panique. Nous n'allions tout de même pas faire ça... ici ? Connor se cala derrière moi. Même avec la barrière du tissu — son « pyjama » irrésistible et mon uniforme tue-l'amour —, je sentis son corps chaud se mouler au mien. Ma gorge s'asséchа, mon cœur trépida et mon vagin sortit de son mode « veille prolongée », jurant allégeance à son seigneur et maître. Connor posa la main dans le creux de mes reins, m'attirant un peu plus contre lui. J'étouffai un cri de surprise avant de froncer les sourcils. Si mon corps était en émoi, celui de Connor était parfaitement... inerte.

Maintenant, je comprenais.

Je comprenais que ma stratégie était vouée à l'échec. Essayer de garder le contrôle avec lui à proximité allait m'épuiser. Il était bien meilleur que moi à ce niveau.

Restait une nouvelle option : jouer et en profiter. De toute façon, je n'avais pas prévu de vivre comme une nonne pendant les six prochains mois. On verrait bien si Connor parvenait à rester maître de son corps...

— Je pense que mes principes ont une longue vie devant eux. Je n'en dirais pas autant de ton vagin...

— Crétin !

— Sale gamine !

Un peu moins de six mois. Cent soixante-sept jours (oui, j'ai vérifié) pour montrer à Connor que je sais jouer. Même sans tequila.

J-167

Symptômes : hypertension, hyperventilation, hyperfrustration.

Pronostic vital : hyper mal engagé.

Chapitre 3

Si elle était un plat ?
Le soufflé au fromage. Un plat de défi.

Tomber nez à nez avec Maddie, lors de cette soirée, c'était comme revivre le moment douloureux où Austin m'avait plaqué au sol. J'en avais eu le souffle coupé, les neurones déconnectés, et j'avais juré solennellement de ne plus approcher Maddie.

De ne plus fricoter avec elle.

De ne plus la regarder — surtout ses seins.

De limiter tout contact et ainsi tout risque de basculer de nouveau du côté obscur.

Notamment parce que je redoutais un nouveau plaquage d'Austin et parce que je refusais de briser le pacte. Je tiens parole, c'est une de mes rares qualités.

Sur le papier, cela semblait faisable. L'éviter un maximum, contrecarrer ses attaques, reprendre le contrôle, prendre l'ascendant. J'étais le plus expérimenté de nous deux, ça aurait dû être... simple.

Oui, cela aurait dû.

Mais elle était drôlement forte. Et drôle. Et belle. Et mes hormones masculines se faisaient mener par le bout du nez par son déhanché tentateur. Eviter Maddie avait été illusoire. Chaque matin, je la croisais. Chaque nuit, nous partagions un film ensemble. Et chaque jour, cette culpabilité resurgissait violemment et me faisait reprendre mes bonnes résolutions.

C'était une situation étrange : plus je la voyais, plus je la voulais. Les souvenirs de notre étreinte dans la voiture se précisaient toujours un peu plus, ravivant le crépitement indescriptible entre nous. Ce fameux crépitement que j'aurais préféré détester, mais que j'adorais. Cela rendait nos échanges électriques et, curieusement, les provocations de Maddie m'amusaient. Notre lutte pour prendre le dessus sur l'autre était grisante. Nous jouions avec le feu, toujours sur la corde raide, à vaciller entre une amitié douteuse et chaste et une danse de la séduction, à base de flirt et de piques.

Ce n'était pas un fait nouveau pour moi : ce qui semblait être une bonne idée le soir se révélait, au petit matin, la pire des décisions. Cette théorie valait pour : les bouteilles de tequila tardives, les filles que je séduisais après minuit, les bras de fer impromptus contre Austin — je me remettais tout juste d'une luxation à l'épaule — et... ma nuit avec Maddie.

Enfin, mes nuits avec Maddie. La troisième en deux semaines.

La première fois, c'était une réponse à une énième provocation.

La deuxième fois, nous étions rentrés d'un club trop éméchés pour faire l'effort d'aller dans nos chambres.

Et hier soir, la fatigue avait simplement pris le pas sur le bon sens. Du moins sa nuisette noire avait pris le pas sur *mon* bon sens.

Il aurait été plus simple de coucher — de nouveau — avec elle. J'en avais eu l'opportunité : nous avions descendu une nouvelle bouteille de tequila. Mais dès que mes pensées vagabondaient un peu trop, le visage d'Austin et ma promesse solennelle envers lui me revenaient. Je ne voulais pas le trahir, je ne voulais pas compromettre notre amitié. Et j'osais croire que notre amitié était plus forte qu'un simple désir envers sa sœur.

On pouvait être amis. Je n'avais jamais été ami avec une femme. Généralement, coucher avec elle ruinait mes chances. Mais Maddie était... comme Austin, avec un vagin. Une sorte de bon pote, qui aime boire, qui est très sexy et qui me fait rire comme jamais.

On pouvait rester amis. On devait rester amis. C'était ma seule parade — avec la fuite — pour lui résister.

Alors oui, passer mes nuits avec elle sur ce canapé défoncé pouvait sembler tordu et incompréhensible. Mais je prenais peu à peu conscience que, malgré ses multiples provocations — ou à cause de ? —, j'aimais être avec elle.

Comme lors de notre étreinte dans la voiture, je sentais son corps moulé au mien, je devinais sa respiration... et, invariablement, je l'imaginais jouir avec moi.

Ce matin encore, les chaussettes rose vif de Maddie côtoyaient mes orteils gelés.

J'en étais donc à résumer toutes les étapes du soufflé au fromage, en priant pour que cela suffise à faire retomber mon érection.

Séparer les blancs des jaunes, battre les blancs fermement...

— Tu n'y arriveras pas comme ça, murmura-t-elle près de moi.

Sa main, crochetée sur mon T-shirt, glissa dangereusement plus bas, s'arrêtant à hauteur de mon estomac. Elle se redressa, calant la tête dans le creux de sa main, tout en m'observant. Ses doigts provocants naviguaient toujours sur mon T-shirt, traçant des cercles.

Râper le fromage, faire chauffer le beurre...

— On s'est endormis, soufflai-je en captant son regard azur.

Son pied droit remonta le long de mon mollet. Mes mains

agrippèrent le plaid, le tenant fermement. *Contrôle-toi, Connor !* C'était mon nouveau mantra depuis trois semaines.

— Je peux t'aider, proposa-t-elle, sa main repartant à l'assaut du pôle sud.

La bretelle de sa nuisette glissa le long de son bras et mes yeux fixèrent ce minuscule carré de peau, juste au-dessus de son sein. Austin aurait pu me tuer pour ce simple regard. Austin aurait pu me tuer rien que pour les images inavouables qui me passaient par la tête depuis trois semaines.

— On pourrait... remettre ça, proposa-t-elle.

— On pourrait, en effet.

— Mais ?

— Mais tu vis ici. Tu voulais qu'on soit amis ; ça ne fonctionnera pas si on couche ensemble.

— Et si je te parle d'amitié améliorée ? Une sorte de... pacte entre toi et moi.

Incorporer la farine, fouetter...

— Non, coupai-je en repoussant sa main.

Un autre pacte m'empêchait de faire ça. Son âge m'empêchait même d'y penser. Nous avions déjà couché ensemble et je m'en voulais suffisamment. J'étais parvenu, grâce à une pirouette de ma conscience, à cataloguer ce petit épisode dans la catégorie « faute pardonnable ». Coucher avec Maddie maintenant, même si c'était au-delà de la tentation, rentrerait allègrement dans la catégorie « péché mortel ». Dix ans d'écart et presque quinze ans d'amitié avec Austin. Elle était jeune, innocente, fragile. Oui, bon, peut-être pas si innocente que ça au vu de ses multiples provocations. Elle cherchait à me rendre dingue, j'en étais certain. Mais je devais tenir.

Maddie glissa à mon côté, repoussant le plaid. Son regard s'ancra dans le mien. Profond, empli de désir, provocant... Définitivement ni innocent ni fragile. Elle remonta mon T-shirt, dévoilant mon estomac, et me fit un sourire lubriquement dévastateur.

Ajouter le lait, porter à ébullition...

Je m'entendis déglutir, tandis que je cherchais à rassembler mes quelques pensées cohérentes. Je ne devais pas faire ça. Je ne pouvais pas faire ça. J'avais conclu ce pacte pour protéger Sophia des intentions scandaleuses d'Austin. Si je perdais le contrôle avec Maddie, je perdais mon amitié avec Austin, sa loyauté. Et il me tuerait, en optant pour une séquence de torture médiévale au préalable.

Maddie fit courir son index sur mon estomac, son regard toujours perdu dans le mien. Mes muscles se contractèrent, sollicités à la fois par le désir violent et animal qui me parcourait et par les ordres contradictoires de mon cerveau : « Vas-y », « Non, retiens-toi ».

Ajouter la noix de muscade, incorporer les blancs délicatement...

Elle souffla sur le bas de mon estomac, me tirant un grognement. Depuis des années, je n'avais jamais eu à contrôler mes envies. Je repérais, je séduisais, je consommais. Mais Maddie ne méritait définitivement pas ça et je ne courais pas assez vite pour échapper à Austin. Il allait me broyer tout entier pour avoir touché à sa sœur.

— Tu es trop jeune, sale gamine, soufflai-je finalement.

Et il y a le pacte, ajoutai-je pour moi-même.

Mes yeux restèrent verrouillés aux siens.

Mon instinct de survie me dictait de ne pas descendre au-delà de son menton. Mon instinct de prédateur m'intimait de reprendre la main au plus vite.

Et mon instinct adolescent quémandait une douche froide. Très froide et très vite.

— Trop jeune ? s'étonna-t-elle. J'ai vingt-deux ans !

— Et moi dix de plus. Tu es hors concours, Maddie. Très jolie nuisette, approuvai-je en remontant la bretelle qui avait glissé sur son bras.

— Tu fais ça souvent ?

— Tripoter des nuisettes ?

— Eviter sciemment une conversation.

— Maddie, m'esclaffai-je, ce que tu voulais faire est à des années-lumière d'une conversation ! Ou alors tu es diaboliquement douée !

— Tu serais étonné ! Je ne t'ai pas montré toute l'étendue de mon talent dans ta voiture.

— Ne me provoque pas, murmurai-je plus sérieusement.

— Ne me dis pas que je suis trop jeune, rétorqua-t-elle. J'étais encore plus jeune quand tu m'as offert de la tequila !

— Tu es trop jeune, affirmai-je avec force. Et tu vis ici. Je ne cherche pas à éviter une conversation, mais à nous éviter un paquet d'ennuis.

Je quittai brusquement le canapé, mû par l'instinct de survie et par la sensation désagréable de perdre le contrôle. Un seul mot sur le pacte et j'étais un homme mort. Soit Maddie me tuait, soit Sophia me tuait. Je me dirigeais vers ma chambre, havre de paix équipé d'une serrure triple point, quand la voix de Maddie m'arrêta net.

— Qu'est-ce qu'elles ont que je n'ai pas ?

Je pivotai, la trouvant debout au milieu du salon, affichant un air déterminé. Elle me dévisagea, sondant sûrement mon état d'esprit. Où en étais-je déjà ? Ah oui.

Faire préchauffer le four...

J'avançai prudemment vers elle. Depuis que je connaissais Maddie, elle avait acquis un certain talent pour me prendre au dépourvu. Je la soupçonnais toutefois d'agir ainsi uniquement pour m'agacer.

— Tu as un frère, marmonnai-je.

— Alors, c'est à cause de lui que tu refuses de coucher avec moi sur ce fichu canapé ?

En trois pas, j'étais devant elle et plaquai la main sur sa bouche. Dieu seul sait quel genre d'énormité allait en sortir. Les yeux écarquillés, elle secoua la tête pour se dégager, saisissant mon bras avec force.

— Je vais mettre ça sur le compte d'une grosse fatigue, Maddie, murmurai-je en la libérant. Ou d'une vague de désespoir galopant !

Un silence pesant s'installa entre nous et je pris conscience à cet instant que je n'avais aucune idée de ce qui me liait à elle. Le percolateur, son frère, une amitié étrange et décalée, nos nuits camping sur le canapé ? Je pris une profonde inspiration et me penchai pour que mon visage soit à hauteur du sien. Un léger sourire se dessina sur ses lèvres et, pendant une courte seconde, elle arbora ce visage fragile et innocent que je ne voyais que très rarement.

— Ce que tu viens de dire est... indécent. On ne peut pas coucher ensemble de nouveau. Ça serait une erreur, crois-moi.

Elle étouffa un rire moqueur et croisa les bras sur sa poitrine. Sa fragilité disparut dans l'instant, remplacée par un regard dubitatif. Elle me provoquait encore.

— Venant de moi, je sais, c'est... étrange, admis-je avec une grimace.

Et dans la mesure où je venais de réciter la recette complète du soufflé au fromage pour m'empêcher de lui sauter dessus, c'était même incroyable, au sens premier du terme.

— Cela va au-delà de l'âge, Maddie. Tu mérites un type qui t'emmènera dîner, qui t'offrira des fleurs, qui te préparera un petit déjeuner au lit. Pas un type qui te saute dans sa voiture un soir de beuverie !

— Tu m'as fait des macaronis au fromage, objecta-t-elle.

— Et toute cette conversation est déjà en train de me le faire regretter. Sors avec un type bien, Maddie.

— Et si je ne veux pas ? Si je ne veux pas des fleurs et des petits déjeuners au lit ?

— Essaye ! murmurai-je. Essaye ! Donne une chance à un brave type diplômé et qui envisage de t'offrir une maison en banlieue. Mais ne viens pas te corrompre dans une relation purement sexuelle avec moi.

Nous nous fixâmes longuement et je priai pour que notre conversation en reste là. Je souhaitais pour elle ce que j'avais toujours voulu pour Sophia : un mec bien, un type qui la ferait rêver, qui lui ferait une tripotée d'enfants et qui lui serait aussi fidèle qu'un saint-bernard.

— Tu mérites tellement mieux, ajoutai-je pour enfoncer le clou.

Elle esquissa un sourire et leva les yeux au ciel. Cette conversation avait au moins eu le mérite de faire retomber mon excitation.

— Quoi ? fis-je pendant qu'elle étouffait un rire.

— C'est ça que tu leur dis au petit matin ? « Tu mérites tellement mieux » ?

Et dans un éclat de rire de Maddie, la bulle de tension désagréable explosa pour laisser place à notre ambiance habituelle. Le soulagement me gagna instantanément, j'avais finalement repris le contrôle sur la situation.

— On devrait aller prendre une douche, suggérai-je. Séparément, je veux dire, rectifiai-je pendant que Maddie réprimait très mal un sourire.

— Avoue que c'est une première pour toi. Refuser une proposition indécente, conclut-elle en prenant conscience que je ne comprenais pas.

— Crois-moi, Maddie, tu mérites vraiment mieux, murmurai-je très sérieusement.

Mon envie de la protéger — de la même façon que je protégeais ma sœur — prit le dessus. L'envie, le désir, l'instinct animal, la promesse d'assassinat immédiat d'Austin... Tout était oublié à l'instant où ma main se posa sur sa joue. Elle tressaillit et son regard plongea dans le mien.

Mon pouce effleura ses lèvres, son visage épousa un peu

plus la paume de ma main et, pendant un court instant, j'eus l'envie fulgurante et dévorante de l'embrasser.

Toucher ses lèvres, deviner son souffle, aspirer ses gémissements, redécouvrir sa saveur. L'embrasser. Encore. Maintenant. Juste une fois. Pour voir.

Elle posa sa main au-dessus de la mienne, ses doigts glissant entre les miens. Son regard se décrocha du mien, fixant mes lèvres tout en se soulevant sur la pointe des pieds.

— Essaye, chuchota-t-elle contre ma bouche.

Ses lèvres frôlèrent les miennes, son souffle haletant s'accorda au mien, sa poitrine à peine cachée par le tissu de soie caressa mon torse et mon corps tout entier se tendit.

Je retirai ma main de sa joue et m'écartai légèrement d'elle. Je ne pouvais pas faire ça. Je ne devais plus faire ça. Son regard se voila de déception et sa fossette disparut dans l'instant. Je posai les lèvres contre son front. Pour ce simple et chaste baiser, je risquais l'écartèlement.

— Je vais prendre une douche, dis-je en reprenant finalement ma respiration.

Brusquement, je lui tournai le dos et marchai bien trop vite jusqu'à ma chambre. Je claquai la porte et m'y appuyai.

— Bordel de merde, jurai-je en frappant ma tête contre le bois.

En temps normal, je serais resté à l'appartement et j'aurais sorti mon carnet noir, celui qui m'accompagne depuis cinq ans pour noter mes idées de recettes.

En temps normal, je n'aurais pas guetté les bruits dans l'appartement avant de franchir le seuil de ma chambre.

En temps normal, je n'aurais pas galopé sur la pointe des pieds jusqu'à l'ascenseur, ni maudit le couinement des gonds de la porte d'entrée.

En fait, le temps normal, c'était avant *elle*. Avant Maddie, avant les idées indécentes, avant nos nuits sur le canapé.

Depuis plusieurs jours, je considérais le loft comme un territoire ennemi et m'offrais chaque matin un remake de *La Grande Evasion.* J'ouvrais un œil, je tendais l'oreille et devinais les craquements du sol, j'enfilais un caleçon et me ruais dans la chambre d'Austin pour prendre une douche. La mienne, coincée dans l'angle droit de ma chambre, était mitoyenne — et donc dangereuse — avec la chambre de Maddie.

Après ça, je retournais à ma chambre, je m'habillais, j'entrebâillais la porte, jetais un œil, repérais les éventuels obstacles — Maddie laissait ses chaussures traîner dans tout l'appartement — et, après avoir pris une profonde inspiration, je réalisais ma dernière cascade. J'enfilais ma veste, glissais mon portable dans ma poche, attrapais mes clés et bondissais hors du loft.

Et normalement, je ne tombais pas nez à nez avec mon meilleur ami quand les portes de l'ascenseur s'ouvraient.

— Hey ! m'accueillit-il d'une voix tonitruante.

Il lança son sac de sport sur l'épaule et sortit de l'ascenseur. Je me ruai à l'intérieur et appuyai sur le bouton pour le sous-sol. Austin n'avait aucune idée qu'il était en train de faire capoter lamentablement ma spectaculaire évasion matinale.

— Il est à peine 7 heures, dit Austin en vérifiant l'heure sur sa montre. Viens, je te fais un café.

— J'en prendrai un au restaurant, éludai-je en appuyant de nouveau sur le bouton du sous-sol.

— Parce que tu sais te servir du percolateur du restaurant ?

— Très drôle. Je dois voir un fournisseur, mentis-je.

Austin retira sa main de la porte et elle coulissa lentement sur son rail. J'exhalai le souffle que je retenais depuis cinq secondes et passai une main sur mon visage.

— Est-ce que tout va bien ? m'interpella Austin en retenant les portes.

— Oui, je...

— Je veux dire, l'appartement avec Maddie. Est-ce que cela fonctionne ?

Je me surpris à ouvrir et fermer la bouche, à la recherche d'une réponse acceptable. Je n'aimais pas mentir à Austin, nous étions comme des frères.

J'ai très envie d'elle.

Ses seins sont parfaits.

— Je veux une réponse honnête, dit Austin en souriant. Je sais à quel point Maddie peut se révéler...

— Sale gamine ? finis-je pour lui.

— Exactement ! J'adore ma sœur, mais elle est parfois terriblement chiante ! Je ne suis pas souvent là ; je ne veux pas que la situation devienne intenable pour toi.

Une porte grinça dans le couloir, révélant Maddie, essoufflée, son sac sur le dos. Elle nous jeta un regard assassin avant de déposer son sac devant la porte du loft.

— J'étais justement en train de maudire pour deux éternités le crétin qui retenait l'ascenseur ! grogna-t-elle.

— Toujours cette bonne humeur communicative, ironisa Austin en souriant.

— Toujours cette odeur de bouc ?

J'étouffai un rire, prenant conscience que, pendant ces quelques jours de stratégie d'évitement, la repartie de Maddie m'avait manqué. Parler avec elle, débattre avec elle, rire avec elle, même nos nuits chaotiques sur le canapé me manquaient. Austin relâcha la porte de l'ascenseur pour étreindre sa sœur. Il la souleva dans ses bras puissants et le rire de Maddie résonna dans le couloir.

— Est-ce que toi, tu as le temps pour un café ? demanda Austin à sa sœur. Connor essaye de me faire croire qu'il doit voir un fournisseur.

— Je vais vraiment voir un fournisseur, insistai-je en bloquant l'ascenseur avec mon pied.

— Je pense qu'il y a une fille là-dessous, poursuivit-il en m'ignorant.

— Une seule ? se moqua Maddie.

Je cherchai à capter son regard : en vain, elle aussi m'ignorait. Elle riait avec son frère, mais je redoutais le moment où j'allais fatalement tomber nez à nez avec elle. Elle savait comment me déstabiliser. Quand finalement ses yeux croisèrent les miens, j'eus la sensation de prendre un coup monstrueux dans l'estomac. Son regard pétillait, sa fossette me narguait et mon corps se pétrifia dans la seconde. Elle allait attaquer, façon missile qui siffle avant de tout massacrer sur son passage. Dans un dernier sursaut de survie, je libérai la porte.

— Oh ! Connor, tu mérites tellement mieux ! souffla-t-elle avec un sourire diabolique.

Et dans un ding, l'ascenseur se referma.

— Bordel de merde, jurai-je en m'effondrant contre la paroi de l'ascenseur.

En arrivant au restaurant, le sourire de Maddie et son regard triomphant me hantaient toujours. De toute évidence, elle avait décrété que nous étions en guerre et elle était tout à fait décidée à la gagner.

Je retrouvai Ben, occupé à faire fondre du chocolat dans un bain-marie. Il me salua d'un hochement de tête, avant de retourner son attention sur sa préparation.

— Gâteau ?

— Mousse. Un test pour la Saint-Valentin.

Je grimaçai. La Saint-Valentin était toujours une soirée commercialement importante, mais la perspective d'être étouffé de rose bonbon pendant tout le service me rebutait. J'étais pathologiquement allergique au romantisme forcé. Et, d'une manière générale, au romantisme tout court.

— Et tu comptes la servir comment ? demandai-je.

— Je vais faire une coque en chocolat blanc.

— Laisse-moi deviner : en forme de cœur ? me moquai-je.

— Je n'ai pas retrouvé le moule en forme de char d'assaut.

— Jenny a dû te le piquer !

Ben me lança un regard faussement furieux, avant de me frapper gentiment l'arrière du crâne. Je le connaissais depuis mon apprentissage et nous étions devenus très vite amis. La seule ombre au tableau de notre belle amitié était la brune volcanique qui partageait sa vie depuis deux ans.

« Volcanique » était le terme politiquement correct. En vrai, c'était une peste dominatrice, dotée d'une silhouette à damner un saint et curieusement adaptée à une camisole de force. Je la détestais, elle me détestait et Ben nous arbitrait.

— Je suis amoureux d'elle, dit-il en souriant.

— Tu es endoctriné ! rectifiai-je. Elle bat des cils et tu rappliques dans la demi-seconde. Jonah, tu es en retard ! râlai-je en voyant mon second nouer son tablier.

— C'est la femme de ma vie, Connor. Et Jonah n'est pas en retard, c'est toi qui es atrocement matinal depuis quelque temps. Tu fuis le loft ?

— Tu arrives encore plus tôt que moi ! Tu fuis Jenny ?

— Intéressant, souffla-t-il avec un sourire.

— Adam est arrivé ? demandai-je en cherchant mon commis des yeux.

Ben repoussa son chocolat fondu sur le plan de travail et pivota pour me faire face. Il s'essuya les mains dans son tablier et planta son regard dans le mien.

— Crache le morceau !

— Quel morceau ?

— Tu réponds à une question par une autre question et tu enchaînes avec une diversion sur ton commis.

— Oh ! pitié, pas la psychologie inversée ! Adam, super ! m'exclamai-je en le voyant franchir la porte de la cuisine.

J'abandonnai Ben et son début d'interrogatoire. Le restaurant était là pour m'éviter de penser à Maddie et à ce qu'elle provoquait. Je savais que je marchais trop près du gouffre avec elle. Et je savais surtout que je risquais de perdre l'amitié et la confiance d'Austin si je réfléchissais avec autre chose que mes neurones. L'éviter encore et toujours, je n'avais plus que cette option.

— Si tout le monde est là, briefing ! lançai-je en frappant dans mes mains.

La brigade se rassembla autour de moi et j'entamai le rappel des règles pour le déjeuner. Ben se posta face à moi, bras croisés sur sa poitrine, secouant la tête en riant.

— Quelque chose que tu souhaites partager ? grommelai-je.

— Surtout pas ! Personne ne me croirait ! s'esclaffa mon pâtissier.

— Ce midi, nous avons quarante-deux réservations et nous ferons certainement le double de couverts. Adam, je te veux sur les poissons. Si j'entends un client se plaindre d'une arête, tu es viré. Ben, qu'y a-t-il ce midi ?

— Tarte aux poires caramélisées et coulant au chocolat blanc.

— Encore des poires ?

Ben leva un sourcil, avant d'afficher un sourire victorieux.

— Quoi ? râlai-je.

— Rien. Continue, m'encouragea-t-il.

— Jonah, tu me seconderas sur la mise en place. Ce midi nous testerons un nouveau plat : homard au safran, couscous et coulis de tomate épicé. Il sera en plat du jour, donc j'attends de vous de la perfection dans chaque assiette. Compris ?

Un « oui, chef » résonna. Au moins, dans cette cuisine, j'étais le maître à bord et je ne craignais pas de faire une rencontre dérangeante. J'allais devoir changer mes habitudes et tester mes recettes ici.

— Au boulot, tout le monde !

Mon équipe se dispersa, chacun retrouvant dans une chorégraphie parfaite son poste et sa mission. Derrière moi, je sentis la présence de Ben. Je me tournai pour lui faire face, affrontant de nouveau avec agacement son sourire arrogant.

— Quoi ? éructai-je.

Il soupira, avant de me tapoter gentiment la joue avec une mine contrite. Pourquoi avais-je la sensation d'être victime d'une très mauvaise blague ?

— Courage, Connor, c'est juste un sale moment à passer.

— Ta relation avec Jenny ? lançai-je avec sarcasme.

— Crétin ! s'esclaffa-t-il.

— Sale gamine, rétorquai-je par automatisme.

Ben fronça les sourcils et, avant qu'il ne puisse se relancer dans un interrogatoire en règle, je décampai en direction de la salle de restaurant. J'avais besoin d'un café ultra-serré, qui dissiperait enfin le brouillard nébuleux dans lequel je me trouvais. Je lançai le percolateur, oubliant dans ma stupéfaction que je n'avais aucune idée de comment cette... chose fonctionnait.

— Bordel de merde ! jurai-je en frappant le percolateur.

Après le service du soir, j'entraînai Ben dans le pub qu'Austin et moi fréquentions quand il n'était pas en déplacement. Un bar, quelques tables, un carré de piste à peine éclairé, le tout tenu par Sheridan, plus irlandais que l'Irlande elle-même.

Austin était déjà installé au bar, discutant avec Sher. Je visai la piste de danse, repérant un postérieur appétissant moulé dans un short en jean.

Félicitations, mademoiselle, vous venez de gagner une nuit de rêve avec Connor !

— Une bière, Sher ! lançai-je en suivant la brunette des yeux.

— Deux, renchérit Ben en s'asseyant entre Austin et moi.

— Alors, ce service ? m'interrogea Austin.

— Soixante-quinze couverts ce midi et cent quatre ce soir !

— Et ton fournisseur de ce matin ?

— Quel fournisseur ? répondit Ben en écho.

— Et le mystère s'épaissit ! chantonna Austin.

Mon regard passa de Ben à mon meilleur ami, cherchant comment me sortir de ce guêpier. Austin riait aux éclats, pendant que Ben portait le goulot de sa bière à ses lèvres.

— Qu'est-ce que tu nous caches ? s'enquit Ben.

— Rien ! m'agaçai-je. Est-ce que Jenny sait que tu es là ?

— De nouveau cette technique de feinte-double feinte.

— Feinte-double feinte ? répéta Austin.

— Il nie, puis tente de détourner l'attention sur un autre sujet.

— Mais pas du tout ! m'offusquai-je. Comment s'est passé ton entraînement, Austin ?

Mes deux amis éclatèrent d'un rire gras, pendant que je pestais contre moi-même. Je pris une gorgée de ma bière, mon regard se portant de nouveau sur le mini-short en jean. Elle ferait une proie idéale, une proie qui me ferait oublier les sarcasmes de Ben et le rire de Maddie. Ce rire qui me poursuivait partout et me rappelait à quel point vivre avec elle encore plusieurs mois allait relever de la mission survie.

— Hey, sœurette ! lança Austin d'une voix tonitruante.

Mon corps se pétrifia dans l'instant et je pivotai lentement sur mes talons. Elle était là. Austin la serra dans ses bras et je me surpris à les fixer, retenant mon souffle. Maddie n'avait aucune idée du pacte, et si, par malheur, elle parlait de mon comportement à Austin, ce dernier m'écartèlerait à mains nues sans frémir et sans remords.

Et après ça, Maddie me piétinerait avec ses chaussettes roses en buvant de la tequila.

Je poussai un long soupir, avant de trouver du réconfort dans ma bière. Maddie s'écarta de son frère et Austin en profita pour faire les présentations.

— Ben, je te présente ma sœur, Madeline.

— Maddie, corrigea-t-elle en levant les yeux d'agacement en direction de son frère.

— Enchanté, lança Ben. Tu es de passage ?

— Pour quelques mois, je finis mes études ici.

— Maddie vit au loft.

Ben manqua de s'étouffer avec sa bière, toussant plusieurs fois, avant de finalement se reprendre. Il me lança un regard et j'entendis distinctement les rouages de son cerveau se mettre en route. Il y eut un moment de flottement. Flottement que j'identifiai comme le calme avant la tempête.

Mais la tempête ne prit pas la forme que j'imaginais.

— Bordel de merde, Maddie, tu as loupé le...

— Et voici Ashley, soupira Maddie, la fille qui sait soigner ses entrées.

— Ce qui s'est passé aujourd'hui était purement accidentel ! Tu me présentes ? enchaîna-t-elle immédiatement.

— Elle respire parfois ? s'inquiéta Austin en désignant la jeune femme.

— Pas si tu m'offres un verre ! répondit-elle, aguicheuse.

— Ashley travaille avec moi à l'hôpital. Ashley, voici mon frère Austin.

— Le joueur de foot ! s'exclama-t-elle. Maddie m'a beaucoup parlé de toi !

— Oh ! super, répondit Austin, ravi. Une bière ?

— Et une tequila !

Austin eut un temps d'arrêt, digérant sa stupéfaction, avant d'appeler Sheridan pour passer sa commande. Un sourire immense barrait le visage d'Ashley. Ses yeux verts pétillaient, furetant partout autour d'elle sans jamais se poser. Elle était plutôt jolie et, en la voyant avaler d'un trait le shot de tequila qu'Austin lui tendait, je compris qu'elle savait s'amuser.

Tout à fait mon style !

— Je m'appelle Ben, lança mon collègue.

— Maddie ne m'a pas du tout parlé de toi !

— Je le connais depuis trois minutes, expliqua cette dernière. Et voici Connor.

— Ton colocataire, dit Ashley en m'adressant un clin d'œil. Enfin, parmi ses multiples talents !

— Maddie t'a donc parlé de moi, conclus-je avec fierté.

— En effet. Et de ton gel douche !

Maddie me lança un regard, jaugeant ma réaction. Du coin de l'œil, je devinai Ben, ricanant derrière sa bière. Je m'entendis déglutir lourdement, espérant qu'Austin soit moins perspicace que mon pâtissier.

— Oh ! et elle m'a dit que tu étais cuisinier ! Ce qui, à mon avis, est une information absolument primordiale !

— Parce que...

— Parce que, par une merveilleuse coïncidence, je suis célibataire ! Tequila ?

— Je crois que je vais rester à la bière, dis-je dans un accès de prudence. La dernière fois que j'ai bu de la tequila, je n'étais plus maître de moi-même.

— C'est exactement ce que Maddie m'a confié dernièrement : qu'elle avait elle aussi perdu le contrôle dans une bouteille de tequila.

Et dans une nouvelle bourrasque, la tempête Ashley disparut, entraînant Maddie et Austin avec elle sur la piste de danse. Je les suivis du regard un moment, observant ma colocataire se déhancher. L'éviter pendant toutes ces semaines n'avait fait qu'accentuer ma frustration. Les yeux clos, Maddie dansait en rythme, riant aux éclats, époustouflante d'énergie et faisant naître en moi une vague désormais familière de désir. Le souvenir de notre danse dans ce même bar refit surface. Pendant quelques instants, elle avait été à moi.

J'étais donc officiellement en sursis : soit Maddie me tuait de frustration, soit Austin me massacrait pour avoir ne serait-ce que pensé à rompre le pacte.

— Je croyais qu'Austin et toi aviez un accord, intervint Ben.

— Nous l'avons toujours.

— Rappelle-moi quel était le sport que...

— Du silat. Austin pratique du silat. C'est indonésien, expliquai-je, les yeux toujours rivés sur Maddie.

— Et interdit dans plusieurs Etats. Elle te plaît ?

— Non, mentis-je avec une facilité déconcertante. Faut qu'on discute de la Saint-Valentin.

— Feinte-double feinte, ironisa Ben en appelant Sher pour une nouvelle tournée.

Alors que je m'installais sur mon tabouret, mes yeux retrouvèrent instantanément Maddie, qui remuait ses hanches sur le rythme frénétique de la musique. Elle me jeta un regard dévastateur, ravivant ce crépitement palpable entre nous. Depuis qu'elle était arrivée, je savais que ma stratégie de l'évitement avait été un échec. Deux fois. A ses provocations multiples, au mouvement de ses hanches, à sa moue irrésistible, je savais maintenant qu'elle avait aussi été sans effet sur elle. Mais à quoi jouait-elle ?

Ah oui : à me rendre dingue.

Oublions le sursis, j'étais définitivement un homme mort. Je la voulais et elle me voulait.

— Bordel de merde, jurai-je. Une tequila, Sher ! lançai-je, dépité.

Cinq shots de tequila plus tard, je me retrouvai sur la banquette arrière de la voiture d'Austin. Mon meilleur ami conduisait, subissant Ashley et son flot de paroles.

— Et par principe, je ne couche pas avec les médecins.

— Parce que tu ne mélanges pas le travail avec le plaisir ? demanda Austin.

Maddie, près de moi, étouffa un rire. Depuis ma rencontre avec Hurricane Ashley, j'avais compris qu'elle n'était pas adepte des réponses évidentes. Je croisai le regard de Maddie, dont le rire mourut dans l'instant. Nous ne nous étions pas parlé de la soirée. Nous avions échangé des regards, avions mordu dans le même quartier de citron avant ma quatrième tequila, et pourtant, l'avoir maintenant près de moi me semblait presque... intime.

Aussi intime que la première fois. Le babillage d'Ash en plus.

— Mais pas du tout ! Quand tu y réfléchis, un médecin ne sert à rien.

— Tu veux dire, hormis sauver des vies ? ironisai-je.

— Je parle de quotidien, de vie réelle, de... tâches ménagères. Connor, tu es cuisinier, ça, c'est utile au quotidien. Sincèrement, les chances pour que j'aie besoin d'un massage cardiaque sont minces !

— Austin est joueur de foot, contra Maddie.

— Et peut donc porter des meubles ! répondit Ashley du tac au tac.

— Bien. Euh, journaliste ? proposai-je.

— Des places pour la Fashion Week !

— Flic ? tentai-je.

— Oh ! tu en connais un ? demanda-t-elle, pleine d'espoir en pivotant la tête vers Maddie et moi. J'ai une bonne dizaine de contraventions à faire annuler !

J'éclatai de rire, rejoint par Maddie et Austin. Ashley reprit son babillage. Je pivotai de nouveau vers ma colocataire, prenant conscience que c'était tout à fait le genre de conversation que j'aurais pu avoir avec elle. Facile, légère et passablement inattendue.

Et cela me manquait. Au-delà de son café, au-delà du pacte avec Austin, bien au-delà de la frustration que je ressentais quand je la regardais, elle me manquait. Je lui offris un sourire contrit, espérant qu'il fasse passer un semblant d'excuse et une proposition honnête : redevenir amis. Son visage était partiellement éclairé par les lampadaires, ne me laissant pas réellement l'occasion de la regarder.

— Quoi ? murmura-t-elle avec un léger sourire.

— Rien. Je... Je t'expliquerai, éludai-je en captant le regard d'Austin dans le rétroviseur.

— Au fait, vous deux, j'ai une proposition pour vous. Un coéquipier me prête son chalet la semaine prochaine.

— Chalet comme dans « chalet au ski » ? s'inquiéta Maddie.

— Sophia a accepté, ajouta Austin.

— Je viens, affirmai-je en lançant un regard sévère à Austin.

— Et le restaurant ? demanda Maddie.

— Je me ferai remplacer. Tu viens ?

— Moi ? Sur des skis ? Tu veux ma mort ? s'écria-t-elle.

— On peut faire autre chose, proposai-je.

Austin me renvoya le même regard dur et sans équivoque que je lui avais offert cinq secondes auparavant. Ma gorge s'assécha, pendant que les yeux de Maddie passaient de son frère à moi, sans comprendre.

— Je préfère rester ici. Je prendrai une garde supplémentaire.

— Ash ? proposa Austin.

— Non, je ne préfère pas.

— Ah, tu ne skies pas ? s'inquiéta Austin.

— Si. Très bien même, donc par égard pour notre amitié naissante, je vais m'abstenir de t'humilier publiquement sur les pistes.

Après avoir déposé Ashley devant chez elle, Austin nous ramena au loft. Il gagna sa chambre dans la foulée, me laissant, pour la première fois en trois semaines de fuite, en tête à tête avec Maddie. Un silence pesant s'installa, pendant lequel je me fustigeais pour ma crétinerie. Depuis quand étais-je si stupide avec une fille ?

Ah oui, depuis elle.

— Je crois... Je crois que je vais aller me coucher, lançai-je.

— Tu ne veux pas regarder un film ?

— Maddie, je...

— Je promets de ne pas t'attaquer ! dit-elle en souriant. Je voudrais juste que tu cesses de me fuir. Cette histoire d'être amis me manque en fait.

— Je ne te fuis pas. Tu veux manger quelque chose ?

— Non ! s'écria-t-elle à m'en faire sursauter. Non, reprit-elle d'une voix plus douce. Je voudrais juste regarder un film. Avec toi, ici. S'il te plaît.

— Je ne te fuis pas, répétai-je en approchant d'elle.

Elle ne bougea pas, observant chacun de mes pas vers elle. Le crépitement s'accentua, rendant l'atmosphère électrique et à peine supportable. Elle cligna des yeux plusieurs fois, mais ne bougea pas, comme tétanisée. Je fis encore un pas, mon corps à une dangereuse proximité du sien.

Elle me provoquait encore, son regard brûlant plongeant sans pudeur dans le mien. Maddie brouillait mes radars : elle me cherchait, puis m'ignorait, revenait à la charge, jouait la carte de l'amitié. Mais rien, absolument rien, ne pouvait canaliser ce qu'il se passait quand nous étions près l'un de l'autre. Cette énergie folle, ce besoin de nous toucher...

Nous n'avions aucune chance de rester simples amis. C'était trop violent, trop irrésistible.

— On ne peut pas faire ça, Maddie, murmurai-je en défaisant le premier bouton de son gilet.

Elle ferma les yeux et s'humecta lentement les lèvres. Je tentai de maîtriser ma frustration, me concentrai sur le second bouton et me raclai discrètement la gorge. Son souffle devint difficile et elle agrippa mon T-shirt. Je risquai un sourire, entendant au loin Austin qui chantait sous la douche. Je repoussai son gilet, effleurai la peau de son épaule de mes lèvres et sentis son parfum. Cela m'avait manqué. Comme lors de notre étreinte dans la voiture, elle frémit contre moi et posa les mains sur mon torse. Elle était tellement tentante et vulnérable à cet instant.

— Connor, murmura-t-elle.

Austin cessa brutalement de chanter et jura lourdement, maudissant la chaudière qui avait encore lâché. Maddie rouvrit les paupières et je sortis de ma torpeur. J'avais été à deux doigts de flancher.

— Je ne te fuis pas, Maddie. Je te protège.

Je l'embrassai sur la joue et reculai pour me placer à une distance raisonnable. Ma poitrine était douloureuse, mon corps crispé et tendu d'avoir retenu mon souffle et l'envie irrésistible que j'avais de l'embrasser.

— A demain, Maddie.

Et sans lui laisser le temps de répondre, je gagnai ma chambre dans un état presque second. Je m'effondrai sur mon lit, dévoré par la frustration absolue et l'incompréhension. Je jouais avec le feu.

Et j'adorais ça.

— Bordel de merde, jurai-je.

J-148

Note pour moi-même : trouver une nouvelle stratégie !

Chapitre 4

S'il était un plat?
Des macaronis au fromage.
Familier et rassurant.

— Cappuccino avec une dose de crème, sans sucre, double expresso, chantonna Ashley en déposant un gobelet près de moi.

— Merci, murmurai-je, absorbée par mon dernier dossier à remplir.

Je me concentrai sur la radio de l'avant-bras de Scott, grimaçant en y découvrant la double fracture. Au même âge, je m'étais cassé la cheville et j'en gardais tout sauf un bon souvenir.

— Quelqu'un peut m'expliquer pourquoi la boîte de beignets est déjà vide? râla Ashley en refermant le placard.

— Peut-être que quelqu'un devait la réapprovisionner cette semaine?

— Pourquoi personne dans cette fichue ville n'est capable de tenir un engagement simple?

— Ma garde finit dans cinq minutes, annonçai-je en regardant ma montre. Tu as donc quatre minutes pour te plaindre. Pour faire simple, je lâcherai inopinément un « oui, oui », hocherai la tête et finirai par un « pauvre Ashley ». Ça te va ? proposai-je sans lever le nez de mon dossier.

— Marché conclu ! Par où je commence ? Ah oui, je risque d'être virée de chez moi. Ce qui veut dire que je risque de te croiser à la soupe populaire. Ensuite, je suis de garde ce week-end.

— Tu n'as pas bossé de la semaine, fis-je remarquer.

— J'étais malade !

— Tu avais la gueule de bois.

Je signai mon dossier, le refermai et levai les yeux vers Ashley. Elle rétrécit le regard vers moi et s'installa sur la chaise face à la mienne. Elle me scruta intensément, avant qu'un sourire triomphant ne s'étire sur ses lèvres.

— Quoi ? grognai-je, gagnée par une soudaine fatigue.

— Qu'a encore fait Connor pour t'avoir hormonalement déréglée ?

— Sa valise, soupirai-je.

— Oh ! le ski ! Je m'en souviens maintenant. Tu devrais y aller, ajouta-t-elle en étirant ses jambes devant elle.

— Tu n'es pas supposée prendre ta garde ?

— Il me reste deux minutes et dix secondes.

Je vérifiai pour la forme, mais je connaissais le don particulier de ma collègue pour l'heure et la notion de temps de manière générale. Elle était incollable. Je me levai de ma chaise, déposant mon dossier dans une des bannettes, avant de me saisir de mon cappuccino. Ashley secoua la tête, avant de dégainer son passe-temps suprême : une grille de mots croisés.

— Va les rejoindre, lança-t-elle. Tu en meurs d'envie.

— Je meurs d'envie de rejoindre un bon lit et de dormir, objectai-je.

— L'un n'empêche pas l'autre.

— Je ne suis pas certaine qu'ils veuillent de moi.

Ashley claqua sa langue contre son palais, tout en secouant la tête. Puis elle se gratta l'arrière du crâne avec son bout de crayon mâchonné et plaça un mot sur sa grille.

— Lui, il veut. « Distraction » en dix lettres?

Elle me fit un sourire, auquel je répondis faiblement. La situation avec Connor était incompréhensible. Le chaud, le froid, le désir, la fuite, l'envie folle de le gifler, contrecarrée par l'envie plus irrésistible encore de me frotter à lui. Qu'il m'évite m'avait blessée, mais, quelque part, je lui en étais reconnaissante : je n'avais pas la force de me heurter à lui chaque matin, ni l'énergie nécessaire pour sortir victorieuse d'une nouvelle joute verbale.

— Je ne sais pas ce qu'il veut, m'agaçai-je. Je ne vois même pas pourquoi on en parle!

— Je joue le rôle de ta meilleure amie dans cette comédie romantique! s'esclaffa-t-elle.

— Alors quoi? Tu es l'œil lucide et la voix de la raison dans cette histoire? ironisai-je.

Elle releva des yeux écarquillés de sa grille. J'étouffai un rire. De toutes les énormités qu'était capable de supporter Ash, lui dire qu'elle était raisonnable était, à ses yeux, la plus choquante.

— Je suis là pour ramasser les morceaux, corrigea-t-elle.

— Oh ! Merci infiniment, raillai-je.

— Qui a dit que je parlais de toi? Connor est...

Elle n'eut pas le temps de finir sa phrase : je lui lançai un stylo sur la tête, récoltant un rire tonitruant de ma collègue. Elle esquiva un second projectile — le couvercle de ma boisson — avant de se lever de sa chaise.

— Le devoir m'appelle. Va faire un sac et pars les rejoindre. Voilà le seul conseil déraisonnable que tu devrais suivre.

Je répondis par une vague grimace. Ashley n'avait aucune idée de l'état de ma relation avec Connor.

Dernièrement, nous avions partagé un quartier de citron, une banquette arrière et une boîte de Kleenex : dommage collatéral d'un rhume carabiné. Pas brillant. Ashley ouvrit la porte, prête à se faire happer par la frénésie des urgences pédiatriques.

— Les beignets, c'était ton tour ! dis-je en souriant.

— Le mot en dix lettres, c'était « attraction » !

En rentrant au loft, le silence et le vide de l'endroit décuplèrent ma sensation de fatigue. Soudainement, je me sentis éreintée. Je m'assis sur le canapé, observant le décor autour de moi. Des photos d'Austin, de Connor. Une de Sophia. Mon ventre grogna, troublant le calme de la pièce. Tout en me dirigeant vers la cuisine, je grimaçai : je n'avais rien acheté pour dîner. Connor mangeait habituellement au restaurant, Austin n'était pas souvent là, les placards ne devaient sûrement pas être remplis.

J'ouvris le réfrigérateur, découvrant un plat recouvert de cellophane sur une des étagères. Dessus, un message de Connor :

« Bon appétit, sale gamine. »

J'éclatai de rire, prenant le plat de macaronis au fromage entre les mains. Ma fatigue s'évanouit dans l'instant et, dopée par une décharge inédite d'adrénaline, j'abandonnai mon plat sur le bar et me ruai dans ma chambre.

Etre déraisonnable était finalement une perspective plus séduisante que d'être reposée.

En fait, j'avais tort. Maintenant que j'affrontais une tempête de neige préapocalyptique, je prenais conscience que dormir, au chaud, dans le loft était une option nettement plus alléchante. J'avais quitté l'autoroute depuis presque une heure, traversant au ralenti une succession de bourgades endormies. Il n'était pas loin de 3 heures. J'avais faim, j'avais sommeil et surtout j'avais les pieds gelés : le chauffage de la voiture m'avait lâchée à la sortie de Chicago.

Quand je vis enfin le panneau de Mountain Lake, je poussai un soupir de soulagement. La neige crissait sous mes roues alors que j'accélérais en direction du chalet. Austin m'avait laissé l'adresse en cas d'urgence. Après avoir évité une congère, grimpé un raidillon, et vérifié une nouvelle fois l'adresse, je me retrouvai devant un chalet luxueux, éclairé par des spots de lumière jaune. Je secouai la tête, me souvenant que les coéquipiers d'Austin étaient aussi riches que lui.

Je me garai près de son 4×4, remarquant un second véhicule que je ne reconnus pas. Sûrement un autre joueur de l'équipe. Je vissai mon bonnet sur la tête, enfilai mes mitaines et sortis de ma voiture. Le froid me saisit dans l'instant, me faisant grelotter jusqu'aux os tandis que je récupérais mon sac à l'arrière de ma voiture. Je marchai prudemment, remontant l'allée verglacée. Tout semblait éteint à l'intérieur du chalet, mais la seule perspective d'y trouver de la chaleur me réjouissait. Je coopterais un canapé pour y passer la nuit, je roupillerais du sommeil du juste et à mon réveil — vers 15 heures demain — j'envisagerais la vague possibilité de mettre le nez dehors.

Et alors que je rêvassais à la perspective d'un week-end reposant, je fus attaquée en traître par une plaque de verglas ennemie. Mon pied partit en avant, je battis inutilement des bras, étouffai un juron, pirouettai artistiquement autour d'un lampadaire, avant d'atterrir durement sur les fesses.

Un gémissement de douleur m'échappa, troublant le silence nocturne. Je laissai retomber ma tête en arrière, encaissant le choc et maudissant ma poisse habituelle. Une bourrasque de vent froid balaya mon visage, m'achevant tout à fait. Je grognai pour la forme, me consolant avec l'idée qu'au moins mon artistique gadin resterait confidentiel.

Alors que je débarrassais mes vêtements de la neige, un applaudissement et un rire tonitruant déchirèrent le silence de la nuit.

— J'ai dû faire quelque chose de vraiment très mal dans une vie antérieure, grommelai-je pour moi.

— Je vais prévenir Ashley qu'elle a une sérieuse concurrente en matière d'« entrée mémorable ».

— Je lui ai tout appris, répliquai-je avec un sourire forcé.

— Même ce triple lutz ? s'étonna-t-il.

Je le détaillai rapidement, retenant mes yeux de s'attarder trop longuement sur lui. De toute évidence, Connor sortait de son lit. Il portait un vieux survêtement informe, dont la ceinture avait été tournée sur elle-même pour le maintenir, et un sweat zippé sur un hideux T-shirt troué.

Et même comme ça, parce que la vie est profondément injuste et parce que Connor était l'incarnation de Mr Boombastic, il était sexy à lui arracher ses vêtements.

— Je ne rentrerai pas dans ce jeu, Connor, lançai-je en reprenant mes esprits.

— Quel jeu ?

— Celui qui consiste à te demander comment un type comme toi peut savoir ce qu'est un triple lutz.

Il eut un nouveau sourire horripilant et irrésistible. Nul doute qu'il avait dû se régaler du spectacle de ma douloureuse chute. Il me tendit la main pour m'aider à me relever, mais je refusai en secouant la tête.

— Je peux me débrouiller, grognai-je en me relevant maladroitement.

— C'est juste de la galanterie.

— Ta fameuse chevalerie, ironisai-je en me dressant finalement devant lui. Trouve-toi une fille qui croit encore au prince charmant.

Il leva un sourcil et, sans me demander mon avis, se saisit de mon sac à dos et le glissa sur son épaule. Il ouvrit la porte du chalet et s'effaça pour me laisser entrer. Immédiatement, la sensation de chaleur m'enveloppa et m'apaisa.

— Tu as finalement jeté ton pyjama, Cendrillon ? demanda-t-il.

— Je me suis dit que tu préférais les nuisettes.

Malgré la fatigue, le froid et l'hématome qui était certainement en train de fleurir dans le bas de mon dos, j'avais encore la force de le provoquer. Il soutint mon regard, déposa mon sac à mes pieds et passa une main nerveuse dans sa chevelure.

— Je croyais que tu ne devais pas venir, fit-il en avançant dans le salon.

— J'ai changé d'avis, éludai-je en étudiant la pièce.

La cheminée rougeoyait de braises. Sur la gauche, un canapé géant avait été déplié et une assiette de crumble aux pommes faisait un odieux plan drague à mon estomac. La pièce était spacieuse, tout en volumes, une mezzanine surplombant la baie vitrée. J'esquissai un sourire en découvrant que Connor avait posé un vieil Agatha Christie sur la table basse pour venir m'ouvrir. Je réprimai un frisson, tout en cherchant un moyen de briser l'étrange silence entre Connor et moi.

— Tu devrais te couvrir, suggéra Connor en retirant son sweat pour me le donner.

Il me le déposa sur les épaules, frictionnant mes bras avec énergie. Nous échangeâmes un sourire, tandis qu'un agréable picotement réchauffait mes joues.

— Tu veux d'abord la bonne ou la mauvaise nouvelle ?

— La mauvaise nouvelle est en rapport avec ce crumble ? bougonnai-je.

Il éclata de rire et ses mains glissèrent de mes bras à mes doigts. Je retirai vivement ma main, mon cerveau turbinant à plein tube : à quoi jouait-il ? Après l'ignorance et la fuite, Connor se montrait maintenant étonnamment tactile.

— Commence par la mauvaise.

— La mauvaise, c'est qu'il n'y a plus une chambre de libre dans ce gourbi.

— Ce gourbi ? Tu parles bien du gourbi avec le jacuzzi sur la terrasse ? Le gourbi qui pourrait abriter l'équipe de foot d'Austin au grand complet ?

— Panne de chauffage, expliqua Connor.

— C'est bien un gourbi, conclus-je. Et donc la bonne nouvelle ?

Connor se décala et se racla la gorge.

— Tadaaam ! fit-il en désignant le canapé d'un mouvement de bras théâtral.

— Et tu comptes dormir où ? m'enquis-je en croisant les bras sur ma poitrine.

— Je comptais sur ton sens du partage !

— Après m'avoir évitée pendant des semaines, après m'avoir dit que j'étais trop jeune et après m'avoir fait le grand numéro du protecteur, tu veux que je partage ce canapé avec toi ?

— En effet.

Et de nouveau, sans attendre une nouvelle réaction de ma part, Connor dégaina le meilleur de ses arguments : il retira son T-shirt et se glissa sous la couette en tapotant l'emplacement à ses côtés. Je fixai stupidement son torse et m'entendis déglutir, pendant que je cherchais un plan B acceptable : un fauteuil, une peau de bête, un paillasson.

Tout sauf ce canapé.

Partager ce canapé avec Connor, c'était perdre le contrôle de la situation. Encore. C'était autoriser Connor à mener la danse, à me fuir quand il le décidait et à me récupérer en un clin d'œil et un retrait de T-shirt. Et j'avais quand même ma fierté, un peu ratatinée depuis mon arrivée, mais bien présente.

Je n'étais pas contre l'idée de succomber à Connor, le diable tentateur. Mais il fallait y mettre les formes. Et ce soir, après la route, la neige, le froid, mon gadin et l'humiliation d'avoir eu un spectateur, c'était tout bonnement impossible.

— Et je te laisse le crumble, plaida-t-il.

— C'est suspect.

— C'est vexant !

— Tu as l'air content de me voir, remarquai-je. Normalement, tu me fuis comme si tu avais peur que je me serve de mon soutien-gorge pour en faire un lasso.

— Maddie. Tout d'abord, je vais tenter d'éliminer cette image de lasso, bien qu'elle soit vraiment... intéressante, dit-il en souriant.

— Je stimule ton imagination ?

— Pas que mon imagination.

Je pris un coussin sur le second canapé et le lui lançai au visage. Nous rîmes à l'unisson, puis, au bout de quelques instants, un silence s'installa. J'attendais toujours une explication à ses changements d'humeur.

— Ecoute, Maddie, pour être honnête, j'aime ça. J'aime que tu ne me fasses aucunement confiance, mais que tu ries avec moi. J'aime que tu me descendes en flèche tout en essayant de me faire croire que tu n'es pas en train de me mater en ce moment même.

Je relevai les yeux aussitôt vers les siens, me composant un visage innocent. Je me sentais faiblir de plus en plus. Comme si Mr Boombastic me chantait à l'oreille, en frottant son corps dénudé contre le mien.

Je suis faible et je jure que le canapé exerçait sur moi ses dons d'hypnotiseur. Oui, bon, ce n'était peut-être pas *vraiment* le canapé.

— Tu m'as demandé d'essayer, me rappela-t-il. J'essaye d'être ton ami. J'aime ce qu'on partage, je te trouve hallucinante. Maddie, il faut qu'on passe à autre chose. Je ne peux pas t'ignorer pendant cinq mois.

— Et d'où vient cette subite prise de conscience?

— De mon métabolisme : je ne suis absolument pas programmé pour me réveiller avant le lever du soleil.

— Tu es en train de me dire que tu veux être ami avec moi pour ne pas avoir à te lever chaque matin pour prendre la poudre d'escampette?

— Pour ça et pour cette histoire de lasso-soutien-gorge. Une démonstration?

L'instant suivant, j'adressais mes sincères condoléances à ma fierté, abattue en pleine gloire, au milieu d'un chalet, par le sourire dévastateur de Connor. Avec un peu de chance, personne ne le saurait et je resterais digne aux yeux du monde entier.

— Remballe ton attirail, tu as gagné, soupirai-je.

— Vraiment? s'écria-t-il comme un gamin heureux.

— Je veux le crumble et Agatha Christie.

— Je suis à moitié nu dans ce canapé et tu veux lire?

— J'épargne ton si précieux métabolisme d'une activité physique trop intense, m'esclaffai-je en prenant mon sac.

Dans la salle de bains, je refusai de réfléchir à ce que j'étais en train de provoquer. J'étais celle qui avait débarqué en pleine nuit, j'étais celle qui avait accepté son amitié, j'étais celle qui lui avait proposé d'essayer. A défaut de mieux, être son amie était une situation acceptable. A mon retour dans le salon, Connor m'adressa un sourire.

Je m'immobilisai, stupéfaite.

— Jolie nuisette ! lança Connor en relevant les yeux de son livre.

— Jolies lunettes !

— Je les porte uniquement pour lire, répondit-il en replongeant dans son livre.

Et même comme ça, parce que la vie est profondément injuste et parce que Connor était l'incarnation de Mr Boombastic, il était sexy à le chevaucher sur ce canapé.

— J'oubliais à quel point tu étais dramatiquement vieux.

— Et moi, j'avais presque oublié à quel point tu étais dramatiquement pénible.

Je me glissai à mon tour sous la couette, demeurant assise pour dévorer mon crumble. Du coin de l'œil, je regardai Connor. Pourquoi une paire de lunettes le rendait-elle aussi sexy ?

— Je sais que tu regardes, souffla-t-il avec un sourire.

— Le tueur, c'est le...

Connor me lança un regard sévère, me faisant taire dans l'instant. Puis son visage se radoucit et lentement il se pencha vers moi. Mon corps se tendit, déclenchant tous les signaux d'alerte possibles. Dernièrement, j'avais pulvérisé tous mes records de frustration, le désir me grignotait de l'intérieur et bientôt, après ma fierté ravagée par son sourire, toutes les zones érogènes de mon corps finiraient en cendres. Je clignai furieusement des yeux, avec la vague sensation de vivre dans *Matrix* : je voyais tout au ralenti, sous tous les angles, jusqu'à l'impact des lèvres de Connor sur mon front.

— Bonne nuit, sale gamine !

— Bonne nuit, crétin.

Et rien qu'à son sourire, je compris que j'avais eu raison d'accepter son offre.

Bon, à son sourire et à son torse parfait. J'admets.

Le lendemain matin, je devinai un brouhaha en sourdine, comme si j'avais du coton dans les oreilles. Je bougeai lentement, enfonçant la tête dans l'oreiller dans un geste de révolte. La couette glissa, un courant d'air frais caressant désagréablement mes jambes. Je grognai, avant de sentir le corps chaud de Connor se serrer près du mien. Sa main trouva la mienne sous l'oreiller et je sentis le bout de ses doigts caresser le creux de ma paume.

Un raclement de gorge troubla le silence.

Puis un second.

Les doigts de Connor cessèrent leur petite danse sensuelle sur ma peau et il s'écarta de moi.

De nouveau, il y eut un raclement de gorge, commençant à m'agacer sérieusement.

— Dégage, Austin, grondai-je. Laisse-moi dormir.

— Tu ronfles !

— Et toi, tu as une haleine de fennec !

Je me recouvris entièrement de la couette, ouvrant péniblement les yeux sur Connor qui me fixait. Son visage était figé et je reconnus distinctement cette expression de terreur que j'avais découverte à mon arrivée au loft. D'un geste presque imperceptible, il me désigna son entrejambe. J'étouffai un rire pendant que Connor, catastrophé, secouait la tête en m'intimant de me taire.

Et soudain, la couette disparut, révélant Austin, bras croisés sur la poitrine, muscles saillants et hideux boxer sur les fesses, au pied de notre canapé-lit. Connor se leva dans l'instant, cavala jusque dans la cuisine et ouvrit le réfrigérateur. Pendant une courte seconde, je me demandai s'il n'allait pas s'y enfermer.

— Tu es arrivée quand ?

— Cette nuit. Et j'avais un peu fantasmé sur l'idée

de faire une grasse matinée ! grognai-je en toisant mon frère.

— Dans cette tenue ?

— Connor a refusé que je dorme nue, ripostai-je avec agacement.

Austin se tourna vers Connor, qui manqua de recracher le verre de jus d'orange qu'il s'était versé. Je poussai un profond soupir, lassée par cette atmosphère étrange entre Connor et Austin dès qu'il s'agissait de moi. De toute évidence, quelque chose, au-delà de notre ping-pong de provocation, m'échappait.

— Hey, salut, Maddie, chanta la voix de Ben en arrivant dans la pièce.

— Plus on est de fous, grommelai-je.

— Je ne savais pas que tu devais venir ! Tu viens skier avec nous ?

— J'envisageais plutôt de dormir.

— Dans cette tenue ?

— Ma vie est un cauchemar, murmurai-je en maudissant mon instinct qui m'avait dicté de venir ici.

— Un type doit passer pour le chauffage et il va devoir couper tout le système pour chercher l'origine de la panne. Je crains que tu attrapes froid comme ça.

En colère contre Austin et contre ce brave technicien du chauffage — qui n'avait rien demandé, mais qui me ruinait ma potentielle grasse matinée —, je pris le sweat de Connor et l'enfilai, avant de rejoindre ce dernier en cuisine.

— Un café ? proposa-t-il dans un sourire.

— Avec une pointe d'arsenic, s'il te plaît.

Il rit doucement et je ne pus m'empêcher de me joindre à lui. La situation était surréaliste, j'étais fatiguée et à deux doigts de tuer mon frère, mais rire avec Connor allégea cette désagréable tension. Austin et Ben gagnèrent la salle de bains, me laissant seule avec mon nouvel ami. En silence, nous échangeâmes plusieurs regards, puis des sourires et des rires nerveux. Je réprimai plusieurs bâillements et lorgnai avec envie la couette.

Quand Sophia apparut, pimpante, fraîche et moulée dans une combinaison jaune canari, cela décupla ma fatigue. De toute évidence, les Miller avaient le marqueur génétique du sex-appeal.

— Tu as l'air claquée, me lança-t-elle, avant d'embrasser son frère. Toi aussi d'ailleurs, remarqua-t-elle en lui pinçant affectueusement la joue.

— J'ai roulé une partie de la nuit et, ensuite, je me suis effondrée sur le canapé que Connor a accepté de partager.

— Dans cette tenue ?

— Achevez-moi, suppliai-je en levant les yeux au ciel.

— C'est très chevaleresque de ta part, lui dit-elle avec ironie. C'était une première, non ? Je veux dire : « dormir avec une fille ».

Connor et moi échangeâmes un regard. J'esquissai un sourire : ce n'était pas la première fois que nous dormions ensemble ; mais savoir que j'étais apparemment la seule à avoir ce privilège galvanisait mon ego. Mon colocataire avait été clair : il n'y aurait plus rien entre nous. Ni sexe, ni nuits débridées, ni baisers dévastateurs. Mais être son amie offrait maintenant de nouvelles perspectives.

— Tu viens skier avec nous ?

— Maddie ne skie pas, je pensais lui tenir compagnie.

— Connor, c'est très gentil, mais j'envisageais réellement de dormir, lui rappelai-je.

— Et moi j'envisageais une activité physique intense.

Le regard de Sophia passa de son frère à moi, sans comprendre. Connor plongea le nez dans son café en me fixant par-dessus sa tasse. Le malaise se prolongea quelques instants, jusqu'à ce que Sophia quitte le chalet, escortée par Ben et Austin.

— Une activité physique intense ? répétai-je à voix basse.

— Fais-moi confiance.

Il saisit ma main, passa furtivement le bout de ses doigts sur ma paume et gagna la salle de bains, me laissant abasourdie au milieu de la cuisine.

— C'est une plaisanterie ? fis-je en sortant de la voiture.

— Tu as d'évidentes prédispositions !

— Pour finir aux urgences ? m'écriai-je. Parce que c'est sûrement ainsi que ça va finir.

Connor entoura ma taille de son bras et m'entraîna avec lui vers l'entrée de la patinoire. Il arborait un sourire géant depuis que nous avions quitté le chalet. Je comprenais maintenant qu'il se régalait de cette bonne blague : Maddie sur des patins.

A cette heure-ci, le lieu était quasiment désert. L'humain normal devait certainement dormir, dans un bon lit, enroulé dans une couette chaude. Depuis que j'avais rejoint le chalet, ma paisible routine me manquait affreusement. Je suivis Connor, remontant un couloir, jusqu'aux vestiaires. Je n'arrivais pas à croire que j'étais consentante.

Je n'arrivais pas à croire que j'enfilais moi-même ces patins, un peu comme si je participais à une mise en scène macabre. Je jetai un coup d'œil vers le lieu du crime, observant quelques personnes glisser avec aisance sur la glace.

Où en était ma fierté déjà ? Ah oui, remisée au fin fond de mon estomac et de la taille de feu mon appendice.

Après cette petite séance de « sport », elle serait

définitivement portée disparue. Connor s'assit près de moi, laçant ses patins avec une vitesse ahurissante.

— Je vais me ridiculiser, me lamentai-je.

— Bien sûr que non. Je vais t'aider. Ils vont passer la surfaceuse, tu auras une glace fantastique.

— Tu fais ça souvent ?

— Patiner ?

— Prendre ton pied dans la torture psychologique !

— Tu aurais préféré passer ta journée à dormir ?

— Au lieu de la finir à l'hôpital ? Oui ! Je suis certaine que je vais me blesser. Et je dirai à Austin que c'est ta faute. Et il me vengera !

— De toute évidence, tu as encore des restes du mythe du prince charmant. Viens par là, Todd, nous allons travailler ton triple lutz.

— Non, non, Miller. Ça ne fonctionne toujours pas : je refuse de te poser des questions à ce sujet, m'esclaffai-je en me levant difficilement.

La main de Connor trouva le bas de mon dos et, lentement, en équilibre précaire sur mes lames, je me dirigeai à pas de lilliputien vers la patinoire. Je m'accoudai à la balustrade, suivant des yeux la surfaceuse, observant avec crainte la glace parfaitement lisse qu'elle laissait derrière elle. Quelle sorte d'attraction exerçait Connor sur moi pour que je me laisse faire ? Je poussai un profond soupir et lui lançai mon regard de tueuse.

— La fin est proche, murmurai-je. La tienne, je veux dire !

— Tu fais ça souvent ?

— Prier avant une mort évidente ?

— Râler sans même avoir essayé ! Je te promets qu'il ne t'arrivera rien.

— « Essayer » est devenu ton nouveau mantra ?

— Avec toi, oui. C'est ce qu'on appelle l'amitié.

— C'est ce qu'on appelle de la persécution, rectifiai-je. Austin est ton ami et tu ne le forces pas à venir faire du patin à glace avec toi.

— Peut-être parce qu'à la différence de ton frère tu ne risques pas de fendre la glace de ton poids... Et tu ne risques pas de m'en coller une à la première chute.

— J'ai des lames aux pieds, Connor. Techniquement, je peux te tuer.

La surfaceuse quitta la glace, me tétanisant un peu plus. La petite porte d'accès s'ouvrit, une dizaine de personnes s'élançant avec grâce sur la patinoire. Connor entra sur la patinoire à son tour, exécuta une arabesque, puis un petit saut, avant de réaliser un freinage impressionnant juste devant moi.

— Prétentieux, sifflai-je.

— Je sais que tu es impressionnée ! Tu as le même regard qu'hier soir quand tu me matais !

— Refais ça torse nu et, oui, là, je serai impressionnée !

— Je ne répète jamais mes performances. Jamais ! C'est la règle ! me rappela-t-il.

— Cette règle craint !

— Donne-moi la main.

Pas vraiment rassurée, j'acceptai sa main et me maintins de l'autre à la balustrade. Mes lames glissèrent sur la glace, me tirant un sourire de satisfaction. Je poussai un soupir de soulagement.

— Parfait, Maddie. Maintenant, tu lâches la balustrade. Tu as juste à glisser, c'est moi qui vais patiner. On fait un tour et...

— Un tour ? Un tour entier ? m'affolai-je en saisissant l'autre main de Connor.

— Un tour entier. Et si tu doutes encore de mes talents, je te lâche !

Aussitôt, il libéra mes mains, me laissant paniquée et seule sur la glace. Il s'éloigna, me lança un regard amusé, avant de revenir vers moi à vive allure. Il agrippa ma taille, m'arrachant un cri d'effroi. Je me sentis partir en avant et me raccrochai au torse de Connor.

— Fais-moi confiance, chuchota-t-il à mon oreille.

Il me plaqua plus fermement contre lui, enserra ma taille un peu plus fort et m'entraîna avec lui. Je glissai silencieusement sur la glace, ma respiration s'apaisant peu à peu. Le parfum de Connor me parvint et cette odeur familière me rassura. S'il avait vraiment voulu me tuer, il m'aurait plantée ici et attendu patiemment que je gagne la balustrade sur les fesses. Mon colocataire pivota, me faisant tourner sur moi-même.

— Très gracieux, remarqua-t-il avec un brin de sarcasme.

— Ne t'avise pas de me lâcher !

— Je n'oserai pas. Je vais m'écarter, Maddie...

— Non ! hurlai-je, terrifiée.

— Je vais te prendre la main. Tu ne changes rien, tu glisses. Si tu as besoin de vitesse, tu appuies sur l'avant du patin.

— De la vitesse ? Apprends-moi plutôt à freiner !

Mais Connor me libéra de son étreinte et captura ma main dans la sienne. Je manquai perdre l'équilibre, trébuchai et lançai les mains en avant, prête à amortir le choc. Mais Connor me rattrapa in extremis... avant de chuter avec moi, son dos heurtant lourdement la glace, pendant que je m'effondrais sur lui.

Un grognement s'étrangla dans sa gorge, avant qu'il ne baisse les yeux vers moi.

— Tout va bien ? s'inquiéta-t-il.

— Tu as très bien amorti ma chute.

Je m'écartai tant bien que mal pour m'asseoir, pendant que Connor se remettait debout. Il me tendit la main, et, contrairement à la veille, je l'acceptai avec plaisir. Il reprit sa position initiale : face à moi, patinant en arrière, pendant que, mes mains calées dans les siennes, je glissais, mal à l'aise.

— Comment te sens-tu ?

— Terrifiée, murmurai-je en fixant mes patins. Maintenant, je veux savoir pour cette histoire de triple lutz.

— Tu n'as même pas tenu vingt-quatre heures.

— Je sais que tu brûles de me le raconter. Sinon, tu ne m'aurais pas traînée ici pour une séance d'humiliation.

— Tu te sens humiliée ? s'étonna-t-il.

— Connor, si tu me lâches, je tombe, si tu accélères, je tombe. Je n'ai aucun contrôle sur la situation. Tu pourrais tout aussi bien me laisser au milieu de cette patinoire, je suis parfaitement incapable de rejoindre la rambarde. Et je déteste ça !

— Etre dépendante ? Ou être dépendante de moi ?

Il cessa de patiner et je constatai que nous étions au centre de la patinoire. Je me crispai davantage, paniquant totalement en sentant Connor détacher ses mains des miennes. A reculons, il s'éloigna d'un mètre.

— Allez, sale gamine, avance !

— Connor, je...

— Tu veux l'histoire du lutz ? Avance !

— Du chantage ? Connor, c'est tellement...

— Si tu vas jusqu'à l'opposé, je t'embauche. Il y a vingt mètres et la patinoire ferme dans deux heures.

— Tu m'embauches ?

— En extra, sur les week-ends. C'est mal payé, mais l'ambiance est excellente !

— Et je devrai travailler avec toi ?

— Je serai ton chef. A tout point de vue, précisa-t-il en levant un sourcil.

— Connor, je sais que c'est la grande mode du moment, mais je ne fantasme pas vraiment sur les dominants.

— A toi de voir, lança-t-il finalement en haussant les épaules. Je vais aller me prendre un *latte* en attendant que tu parcoures les vingt mètres.

— Connor ! criai-je. Connor !

Les quelques patineurs autour de nous me dévisagèrent. Je laissai glisser nerveusement mes lames sur la glace, faisant péniblement dix centimètres. Au loin, je devinais la silhouette de mon colocataire, accoudée à un des comptoirs. Plantée au milieu de la patinoire, je fulminais de rage contre lui.

« Fais-moi confiance », m'avait-il dit. Crétin décérébré ! Et j'avais cru à sa proposition d'amitié ! *Ma pauvre Maddie, tu es d'une naïveté incroyable.* Si Ashley me voyait, elle ricanerait comme une folle furieuse.

Et elle serait très probablement en train de rigoler avec le diable en buvant un café avec lui.

J'évaluai mes chances d'atteindre la rambarde opposée sans me blesser. Soyons honnête, elles étaient nulles. Connor leva son gobelet vers moi, m'adressant un sourire victorieux. Il tapota sa montre, me rappelant ainsi avec mesquinerie qu'il n'y croyait pas. De nouveau, je bougeai légèrement, cherchant un équilibre en fléchissant légèrement les genoux.

— Besoin d'aide ? fit une voix près de moi.

Je me tournai vers l'homme sur ma gauche. Grand, bâti comme une armoire à glace, des yeux gris : tout à fait le genre d'homme dont j'avais besoin. Le messie !

— Vous voyez ce type avec le gobelet là-bas ? Grand, brun, un air prétentieux sur le visage. En fait, je dois le rejoindre.

— Et vous ne savez pas patiner ?

— Oh, si. Sur le ventre, j'assure à mort ! raillai-je. Portez-moi !

— Vous voulez que je vous porte ?

— Exactement !

Et parce que j'avais une chance phénoménale et que la chevalerie n'était pas encore tout à fait passée de mode, l'armoire à glace me prit dans ses bras. Près de la balustrade, Connor mima un coup de chapeau, admettant silencieusement sa défaite. Je lui adressai un splendide majeur levé. Les vingt mètres furent parcourus en deux minutes, mon bon Samaritain glissant avec aisance sur la glace.

Quand nous atteignîmes la rambarde, Connor applaudissait silencieusement, avec une moue appréciatrice. Je remerciai mon sauveur avec chaleur. Puis je pris le café de Connor d'entre ses mains et en bus une gorgée. Il avait un goût de victoire.

— Tu me dois un boulot.

— Je croyais que tu avais un problème avec le fait de dépendre de moi ?

— C'est toujours mieux que de dépendre de mon banquier. Et je n'oublie pas l'histoire du triple lutz !

Connor récupéra son café, le posa sur la rambarde et sans me prévenir m'entraîna avec lui sur la glace. Face à moi, il nous fit tourner doucement, nos fronts soudés l'un à l'autre, son regard sombre plongé dans le mien. Sa main remonta dans mon dos, jusqu'à ma nuque, tandis que ses lèvres effleuraient la peau de mon cou. Je ne faisais même plus l'effort de glisser, me laissant entraîner par Connor et son souffle qui me réchauffait.

Nos regards se consultèrent, comme si nous évaluions la prise de risque. La main de Connor quitta ma nuque pour épouser ma joue. Mon cœur frappa lourdement dans ma poitrine : un mélange d'anticipation et de panique. S'il m'embrassait maintenant pour ensuite me repousser...

— Nous sommes amis, murmurai-je dans un élan de préservation.

— Rien à foutre.

Soudain, les lèvres de Connor étaient contre les miennes. Chaudes, douces, envoûtantes. Il patinait toujours, mon corps moulé fermement contre le sien. Il effleura ma bouche de sa langue, tentant ainsi d'approfondir notre baiser. Je m'agrippai à son torse, mes mains crochetant le tissu de son pull. Ma tête me tournait de nos pirouettes et de ce baiser dévastateur. Après toute cette frustration, sentir Connor contre moi, goûter ses lèvres, engloutir ces grognements étranglés était tout simplement parfait.

Quand il s'écarta de moi, à bout de souffle, il repoussa mes cheveux sur mon épaule et embrassa la peau sous mon oreille. Je m'entendis gémir, pendant qu'il étouffait un rire. Sa bouche courut sur mon cou, réveillant dans un doux picotement mon corps endormi. Il longea ma mâchoire et retrouva mes lèvres dans un nouveau baiser.

Cette fois, c'était certain, je n'avais plus le contrôle.

— Rien à foutre, chuchota-t-il contre mes lèvres. Viens, on rentre.

J-142

Symptômes : défaillance du ventricule droit.
Et du gauche. En même temps.

Pronostic vital : quel pronostic vital ?

Chapitre 5

Si elle était une plante ?
Du poil à gratter. Pénible et persistant.

Il y a quelques mois, j'avais couché avec une de ces filles branchées écologie, respect de la nature et bouddhisme. Elle m'avait fait un topo sur comment nos actions, bonnes ou mauvaises, s'insèrent dans un cycle prédestiné et impactent notre karma. Nos actes et notre environnement s'associent, engendrent une forme d'équilibre, et nous, pauvres âmes errantes, nous nous y débattons.

Soit. Ça, c'était la théorie, un peu nébuleuse.

En pratique, voilà ce que cela donnait :

Mes bonnes actions : être ami avec Maddie. Tenir le pacte.

Mes mauvaises actions : avoir embrassé Maddie et le regretter. En sachant dorénavant qu'elle est la sœur d'Austin, ce qui est donc potentiellement plus grave que de lui avoir fait l'amour dans ma voiture.

Mon cycle de prédestination : mon amitié loyale envers Austin.

Mon environnement : un chalet désormais surchauffé.

Le résultat : ma pauvre âme errant au milieu du salon du chalet. Errant en compagnie de ma sœur, d'Austin... et de Maddie.

Le karma, ça craint. Le karma, c'est d'une violence absolue, vous faisant passer de la joie la plus intense — embrasser Maddie et aussitôt voir toute ma frustration disparaître — à la consternation totale — découvrir Sophia en peignoir, en train de raviver le feu de cheminée, et prendre conscience qu'à cet instant « frustration » est un mot compte triple.

Le karma donc, ce gros naze, venait d'anéantir tous mes projets licencieux avec Maddie.

— Et donc cette séance de ski ? interrogeai-je ma sœur.

— La neige n'était pas exceptionnelle. Austin et moi avons préféré revenir au chalet. Ben voulait encore faire une ou deux descentes. Où êtes-vous allés ? demanda-t-elle, son regard passant alternativement de Maddie à moi.

— Patinoire, nous répondîmes en chœur.

— Tu ne voulais pas rester au lit ? s'enquit Sophia en gagnant la cuisine.

— Si. A vrai dire, c'est pour cette raison que nous sommes rentrés, lança Maddie avec une effrayante franchise.

Je me tournai vers elle, secouant frénétiquement la tête. Je passai une main sur mon visage, tentant de me composer une apparence neutre et innocente. Cette saloperie de karma était une vraie bombe à retardement et je n'étais pas assez courageux pour admirer les dégâts à venir.

— J'ai l'impression que vous êtes devenus très complices, commenta Sophia.

— Un peu, mentis-je à l'instant où Maddie lançait un joyeux « énormément ». Maddie ne sait pas patiner, donc j'ai préféré qu'on rentre. Pour qu'elle se repose, ajoutai-je après une courte pause.

— Connor, murmura Maddie près de moi.

— Pas maintenant, ripostai-je sèchement.

Elle s'éloigna de moi, perdue et de toute évidence blessée par mon comportement.

Une mauvaise action de plus dont se régalait mon foutu karma.

De plus en plus mal à l'aise, j'évitai le regard scrutateur de ma sœur et celui, furibond, de Maddie. A la faveur de notre prochaine nuit dans le salon, je lui expliquerai sereinement le pacte et la menace de mort imminente qui planait au-dessus de moi.

— Et j'ai proposé à Maddie de l'embaucher, ajoutai-je en espérant faire remonter ma cote auprès d'elle.

Est-ce que dans le monde du « karma » les bonnes actions ne comptent pas un peu plus ? Histoire de rééquilibrer la balance ?

— Eh bien, vous êtes inséparables, s'esclaffa Sophia. Enfin presque. Vu que le chauffage est réparé, Austin a pensé que vous seriez mieux chacun dans une chambre.

— Ah oui ? fis-je, atterré.

— Sauf si vous préférez vraiment dormir dans ce canapé. Mais je ne vois pas pour quelle raison vous refuseriez un peu d'intimité !

— En effet, je ne vois pas, approuva Maddie.

Le regard qu'elle me lança me figea instantanément. Glacial, dur, presque méprisant. En une heure, notre relation était passée d'un extrême à un autre. Mes chances pour lui expliquer la situation venaient d'être anéanties par son frère. Je résistai à l'envie de m'approcher d'elle pour tout lui dire. Non pas que de m'afficher devant ma sœur aurait été dramatique, mais je redoutais surtout la baffe monumentale que Maddie me servirait sans scrupule.

— Je vais aller prendre une douche, annonça Sophia.

Dès que le bruit de ses pas dans l'escalier ne me parvint plus, je me dirigeai vers Maddie. Elle m'adressa de nouveau ce regard sans âme. Elle me considérait avec indifférence et cela m'inquiétait plus que sa colère précédente.

— Il faut que je t'explique.

— Non, ça ira. Tu m'avais prévenue, n'est-ce pas ?

— Ce n'est pas ce que tu crois.

— Non ? Tu ne viens pas à l'instant de faire comme si nous n'étions que de vagues connaissances ?

— J'ai été surpris, me défendis-je.

— Tu as été lâche. Est-ce que tu as honte de m'avoir embrassée ?

— Non ! Absolument pas !

— A quoi je m'attendais ? grogna-t-elle. Tu avais raison : je devrais plutôt me trouver un mec bien, un mec qui ne m'embrasserait pas à la sauvette pour ensuite faire comme si rien ne s'était passé.

Rageusement, je la vis rassembler les quelques affaires qu'elle avait sorties pour les fourrer dans son sac. Je savais ce qui allait suivre si je ne faisais rien pour l'arrêter. Je refusais d'imaginer ce qui allait se passer quand la routine au loft reprendrait. Je n'étais pas prêt à affronter une Maddie en colère et revancharde pendant cinq mois.

— Nous sommes amis, lui rappelai-je.

— Comment ai-je pu croire ça ? Tu voulais juste faire avec moi ce que tu fais avec toutes les autres. J'ai juste été trop idiote pour ne pas le comprendre avant. Toutes mes félicitations, ton numéro était vraiment très au point !

— Mais pas du tout !

— Alors quoi ? J'étais hors concours parce que je suis déjà passée à la casserole ?

Elle enfila sa veste et cala son sac sur l'épaule. Elle me jeta un dernier regard avant de franchir la porte du chalet. Après une seconde de stupéfaction, je me précipitai derrière elle et agrippai son bras pour la faire pivoter. Je plantai mon regard dans le sien, avant qu'il ne glisse sur sa bouche. J'avais adoré l'embrasser, le simple contact de ses lèvres m'avait fait oublier le pacte, la patinoire et toutes nos prises de bec.

Dans la longue liste des décisions irréfléchies que j'avais prises durant toute ma vie, embrasser Maddie était sûrement la plus dingue. Soudain, sur cette patinoire, avec son corps contre le mien, il n'y avait plus rien d'autre. Ni l'électricité de nos débuts, ni l'humour de nos échanges, ni même le pacte.

Juste l'attraction ravageuse qui fait sauter les limites que vous vous étiez pourtant interdit de franchir.

— Reste, soufflai-je. Reste. Je t'expliquerai.

Les limites étaient réapparues dès que j'avais croisé le regard de Sophia dans le salon. Comme si, brutalement, notre intimité avait été violée et que nous avions dû tout abandonner. Du moins, j'y avais laissé une partie de mon courage et la quasi-totalité de ma fierté.

— J'essaye, Maddie, lui rappelai-je.

— Comment dis-tu déjà ? Ah, oui. Rien à foutre !

Elle se libéra de mon emprise et grimpa dans sa voiture. Après un dernier regard assassin, elle quitta le chalet, me laissant, moi pauvre âme errante, stupidement transi de froid.

De toute évidence, mon karma était exécrable.

A mon retour dans le chalet, j'eus un moment de stupéfaction. Elle était partie. De son plein gré, sans le discours lénifiant habituel disant qu'elle « méritait tellement mieux ».

Pour le coup, Maddie méritait vraiment mieux.

Je fixai le canapé, songeant au réveil de ce matin. Le feu dans la cheminée avait ardemment repris et, pourtant, j'avais envie de quitter cet endroit pour rééquilibrer mon fichu karma et restaurer un semblant de relation avec Maddie.

Relation qui impliquerait, bien évidemment, que :

1) je ne l'embrasse plus ;

2) je ne passe plus aucune nuit avec elle, sur un canapé ou dans une voiture ;

3) j'apprenne enfin à dompter le percolateur.

Pour être honnête, je ne savais pas laquelle de ces propositions me demandait le plus d'énergie. Et je devais admettre que je n'avais aucunement envie de tenir une de ces promesses. Maddie m'attirait ; au-delà du simple désir physique, il y avait cette alchimie inexplicable entre elle et moi.

— Tu n'étais pas avec Maddie ? fit la voix d'Austin derrière moi.

— Elle a… Elle a dû partir. Une urgence à l'hôpital.

Et mon karma n'était pas en train de s'améliorer avec ce mensonge stupide et facilement démasquable.

— Connor, dit-il d'un air diabolique, le sourire aux lèvres, je ne suis pas stupide. Je sais que Maddie a grandi.

— Austin, je t'arrête tout de suite. Ta sœur est… Oui, c'est vrai, elle a grandi, admis-je.

— Mais ?

— Mais c'est ta sœur. Et elle est beaucoup trop jeune. Mais surtout, elle est ta sœur, répétai-je en riant pour masquer mon manque de confiance.

— Je veux juste être certain que tout est sous contrôle.

Sous contrôle ? Certainement, certainement…

— Tu ne me fais pas confiance ? m'étonnai-je, presque vexé. Je ne remets pas en cause ta « relation » avec Sophia, lui fis-je remarquer un peu durement.

— Sophia peut me mettre à terre en me tordant le petit doigt.

— Tu veux dire qu'elle a déjà essayé ?

— Je suis ami avec ta sœur, me rappela-t-il.

— C'est un argument un peu faible, soulignai-je avec ironie.

— Pas pour elle, s'esclaffa-t-il.

— Tu as tenté ta chance ?

— Pourquoi refuses-tu l'idée que je sorte avec ta sœur ?

— Parce que je sais que tu gardes tes revues porno

sous ton matelas. Tu n'es pas... C'est Sophia, mec ! C'est *ma* sœur !

— Et elle fait sacrément mal, déclara-t-il en me montrant son auriculaire, couleur aubergine.

Je grimaçai, me souvenant de cette prise paralysante que m'avait infligée Sophia à l'aéroport. Elle n'avait vraiment pas besoin de moi pour éloigner Austin.

— Sophia est... adulte, reprit-il. Maddie n'est pas comme ça. Elle croit encore à toutes ces conneries de prince charmant !

— Je ne toucherai pas à ta sœur, promis-je avec solennité.

Et pour un peu, même moi, j'aurais pu y croire. Austin me tendit sa main, me rappelant ainsi le jour où nous avions scellé notre pacte. Sa poigne fut ferme et son regard intense soudé au mien. Il y mettait toute sa loyauté et toute sa confiance.

Quand il me libéra, je jurai de tenir ma promesse. Austin était mon meilleur ami ; je pouvais le faire. Je pouvais oublier la sensation géniale des lèvres de Maddie sur les miennes. Je pouvais oublier la vibration de ses gémissements contre moi. Je pouvais oublier la chaleur de nos deux corps enlacés dans ma voiture. Je pouvais oublier son sourire dément et notre étrange complicité. Parce que je l'avais promis à Austin et qu'il avait confiance en moi.

— Une bière ? proposa Austin.

— Ou deux !

Oui, je pouvais.

A notre retour, Maddie n'était pas au loft. Elle avait laissé une note, indiquant qu'elle devait enchaîner trois gardes et qu'elle dormirait à l'hôpital pour étudier plus efficacement. Deux mauvaises excuses qui cachaient mal la vérité : elle fuyait le loft et elle *me* fuyait. Austin était d'ores et déjà reparti en déplacement.

Ma semaine s'écoula lentement, entre mes services au restaurant, mes tentatives désastreuses pour trouver de nouvelles recettes et deux brunes adorables mais fadasses. Elles aussi méritaient mieux. Régulièrement, j'étais tenté d'appeler Maddie, mais j'étais certain qu'elle ne me laisserait pas l'occasion de lui expliquer la situation.

Et même si elle m'écoutait, l'explication que je lui fournirais ne calmerait certainement pas sa colère. Bien au contraire. Alors, j'attendais. J'attendais un signe, un rire, une remarque acide, une chaussure abandonnée dans le salon ou le bruit du percolateur.

Aussi, tandis que je m'échinais à monter une chantilly à la rose, le bruit d'une clé dans la serrure me surprit. J'abandonnai aussitôt ma tâche, cherchant à capter son regard.

— Hey ! Je... Est-ce qu'on peut discuter ? demandai-je pendant qu'elle déposait sa veste sur une patère.

— Peut-être plus tard.

— Maddie, c'est ridicule. Tu ne vas pas m'éviter pendant des mois ? m'enquis-je en la suivant dans le salon.

— Je trouve que c'est une bonne idée.

— On peut être amis. Je ne voulais pas te blesser. Que dirais-tu de... d'aller prendre un verre ? proposai-je. Ou de regarder un film ?

Maddie m'évitait toujours, me tournant ostensiblement le dos, elle naviguait dans la pièce, fuyant mon regard, fouillant dans le réfrigérateur, avant de compulser son courrier. Elle m'ignorait et cela me rendait encore plus dingue que sa colère. J'aurais préféré qu'elle explose, qu'elle crie. Au moins, j'aurais eu l'impression d'avoir quelque chose à sauver.

— Ou je peux te préparer un dîner. Des macaronis ? suggérai-je, plein d'espoir.

— Oh, vraiment ?

— Oui, vraiment, affirmai-je en sortant immédiatement une casserole d'un placard.

— Markus, deux secondes, s'il te plaît. Mon colocataire à qui je ne parle plus depuis des jours tente de communiquer avec moi.

Quand finalement elle releva les yeux vers moi, leur flamboyance m'atomisa. Elle esquissa un sourire, dévoilant finalement le téléphone qu'elle avait à l'oreille. Elle jubilait de me voir me ridiculiser encore un peu plus. Je ravalai ma rage et ma déception et envisageai pendant un court instant de prendre son téléphone pour l'exploser dans le micro-ondes.

— Tu permets ? Je tente d'organiser mon dîner avec Markus.

— Tu vas sortir avec un type qui s'appelle Markus ? m'esclaffai-je.

— A tout à l'heure, murmura-t-elle avant de couper la communication.

Et elle reprit son manège. M'ignorant avec une étonnante facilité, elle se dirigea vers la porte de sa chambre.

— Tu fais ça souvent ? risquai-je dans une dernière tentative de réconciliation.

— Faire le tri ?

— Bouder et prendre de mauvaises décisions, corrigeai-je.

Elle s'immobilisa, me tournant toujours le dos, et un silence tendu s'installa entre nous. Si j'avais cru un seul instant que j'avais réussi à capter son attention par une de nos joutes habituelles, j'avais tout faux. Elle tourna la tête, me révélant ainsi le dessin de son profil.

— C'est toi qui m'as recommandé de trouver un mec bien, murmura-t-elle.

— Ça ne nous empêche pas d'être toujours amis.

— Ce n'est effectivement pas ça qui nous en empêche.

Elle referma la porte derrière elle, me laissant abasourdi au milieu du loft. Le loft s'était brutalement rafraîchi et je me rendis compte que je serrais les poings à m'en faire mal. Je retournai dans la cuisine et, d'un mouvement de bras, je ravageai tout ce qu'il y avait sur le plan de travail. La chantilly s'écrasa au sol et je laissai échapper un juron de frustration.

Ce n'était pas encore ce soir que j'y arriverais.

En colère contre moi, déboussolé par l'attitude de Maddie et incapable de cuisiner, je m'installai sur le canapé pour lire. De loin en loin, je devinai le bruit de la douche, puis celui du sèche-cheveux. Je me surpris à tourner la tête plusieurs fois, guettant l'instant où j'aurais de nouveau une chance de parler avec elle. D'une manière ou d'une autre, je devais trouver un moyen de renouer un lien avec elle. Quand finalement j'entendis sa porte grincer, j'optai pour une stratégie : la meilleure défense, c'est l'attaque.

— Travaux d'embellissement pour la grande réouverture ? ironisai-je.

— Connor Miller, seul un soir de Saint-Valentin ? répliqua-t-elle aussitôt.

J'esquissai un sourire. Elle me parlait de nouveau, avec ce même ton acide et provocant. Je pivotai la tête, jetant un coup d'œil vers elle. Maddie était un cliché ambulant et affligeant : une robe noire, des talons, des cheveux lisses, un décolleté tentant. Je ravalai un rire et secouai la tête.

— Laisse-moi deviner : il t'invite dans un restaurant chic, le *Lobby* ? Le *Filini* ?

— Je ne vois pas en quoi cela te regarde.

— Pure curiosité. Cela dit, cela ne te ressemble absolument pas.

Je l'entendis rire, un de ces rires moqueurs et désabusés que je n'appréciais pas particulièrement. Puis, quand je relevai la tête de mon livre, Maddie était devant moi, son regard diabolique trouvant le mien.

— Tu fais ça souvent ?

— Lire un bon bouquin ? demandai-je en agitant mon livre.

— Etre jaloux.

— Il s'appelle Markus et tu sortiras très certainement affamée du restaurant dans lequel il t'invite, m'esclaffai-je en me relevant du canapé. Je ne peux pas être jaloux d'un type comme ça.

Son regard flamboya, me provoquant instantanément. Mon corps touchait presque le sien et je sentais de nouveau cette pulsion de désir, cette attraction électrique qui me liait à elle. Maddie avait pris soin de remonter ses cheveux, dégageant ainsi sa nuque. Elle était jolie, mais ce n'était pas la Maddie que je connaissais. Cette tenue la rendait lisse, banale, presque transparente.

— Sommes-nous toujours amis ? demandai-je finalement.

— Si je réponds oui, vas-tu m'embrasser ?

Son corps s'approcha un peu plus du mien, chaud et tentant. Je puisai dans mes restes de volonté pour me retenir de lui retirer cette robe ignoble. Je voulais la retrouver, *elle*.

— Tu fais souvent ça ?

— Sortir avec un mec bien ? me rappela-t-elle sournoisement.

— Embrasser un homme et aller dîner avec un autre ?

— Encore cette jalousie suintante, dit-elle en souriant, victorieuse, en posant la main sur mon torse.

— Tu n'as pas répondu à ma question : sommes-nous toujours amis ?

Mon regard se braqua sur ses lèvres. J'avais envie de l'embrasser, de la serrer contre moi, de sentir cette pointe de culpabilité me pincer l'estomac. Il y avait quelque chose de masochiste dans ma relation avec Maddie. Quelque chose de masochiste, de puissant et d'irrésistible. Je ne pouvais pas l'embrasser, je ne pouvais pas l'avoir, mais comme à la patinoire, comme au bar le premier soir, à cet instant précis, il n'y avait plus qu'elle.

— Il faut que je finisse de me préparer, éluda-t-elle en s'écartant de moi.

D'un geste vif, je posai ma main contre la sienne, Maddie revenant immédiatement contre moi. Son regard, au départ confiant, se voila. En un instant, en refusant de la laisser avoir le dernier mot, j'avais repris le contrôle. J'esquissai un sourire en devinant une étincelle de panique dans ses yeux. Je pris son visage en coupe, l'approchant au plus près du mien. Sa respiration était courte, ses paupières à demi closes et sa bouche, nacrée, plus qu'alléchante.

— J'en ai envie. Là maintenant, tout de suite, je pourrais t'embrasser.

— Et je pourrais te gifler, rétorqua-t-elle faiblement.

— Pour un baiser ?

— Pour tout le reste. Je suis toujours en colère après toi.

— Markus est donc le fruit du dépit ?

Elle étouffa un rire moqueur, mais, avant qu'elle ne puisse répondre, la sonnette de l'interphone nous interrompit. Nous nous figeâmes et Maddie libéra sa main de la mienne. Elle enfila ses escarpins, prenant soin d'éviter mon regard, avant d'ouvrir la porte pour accueillir Markus. Son costume sur mesure me fit grimacer. Et le sourire vainqueur qu'il affichait en complimentant Maddie me donna une vague nausée et une puissante envie de le castrer dans la seconde.

— Markus, je te présente Connor. Mon colocataire.

Et de toute évidence, pas son ami, songeai-je avec amertume.

— Enchanté, lança-t-il en tendant la main vers moi.

Je lui adressai un regard sévère, snobant ouvertement sa poignée de main. Maddie leva un sourcil à mon intention, m'enjoignant silencieusement de faire un effort. Je l'ignorai et pris sa veste accrochée à la patère.

— Tu as tes clés ? lui demandai-je.

— Oui.

— Minuit ?

— Une heure !

Un sourire s'afficha sur ses lèvres, me ramenant aux premiers jours de notre cohabitation. Premiers jours où je prenais plaisir à la provoquer sans craindre ses réactions. Maintenant, tout avait changé, j'espérais ses réactions, j'espérais retrouver notre routine. Markus se racla la gorge et je le gratifiai d'un regard peu amène. J'aidai Maddie à enfiler sa veste, prenant volontairement mon temps.

— Notre réservation est à 21 heures au *Lobby*, nous informa Markus avec enthousiasme.

— Ding, ding, ding... Nous avons un vainqueur, m'esclaffai-je.

— Joyeuse Saint-Valentin, Connor, coupa Maddie en quittant l'appartement.

— Bonne soirée, sale gamine !

Le loft plongea dans un silence de plomb. Je me réinstallai sur le canapé et repris mon livre, tentant de me concentrer. Mais c'était impossible. Mon regard trouvait instantanément l'horloge.

A peine 20 h 30, la soirée allait être longue jusqu'à 1 heure.

Bien.

Si dans dix minutes elle n'est pas rentrée, j'appelle Austin.

Je vérifiai l'heure sur ma montre. Elle avait dit 1 heure et il était 1 h 15. Non, je ne la guettais pas, j'étais simplement victime d'une malheureuse insomnie.

Je jetai un coup d'œil en contrebas. Assis sur l'escalier de secours, je tirai sur ma cigarette. Je n'avais pas d'addiction à la nicotine, mais, à l'occasion, j'aimais en griller une. Par ailleurs, cela me fournirait une excellente explication si jamais Maddie me demandait ce que je fichais sur l'escalier de secours. Etait-ce ma faute s'il donnait impeccablement sur l'entrée de l'immeuble ?

Non, je ne la guettais pas, je voulais juste m'assurer que ce Markus n'était pas un psychopathe en puissance, vouant une haine meurtrière aux brunettes horripilantes.

J'écrasai ma cigarette contre le ciment, exhalant une dernière bouffée de fumée. Je jetai un nouveau coup d'œil vers ma montre. 1 h 20 et elle n'était toujours pas là.

Markus. Non mais c'était quoi ce prénom ? Un truc de tueur en série ? Un nom de meuble en kit ? Un vague envahisseur saxon ?

Je vais en fumer une dernière. Et je vais la savourer très lentement. Ça lui laissera le temps d'arriver.

— Tu me fais penser à ma mère, le soir de mon bal de promo, lança Maddie derrière moi.

Je tirai sur ma cigarette, souriant largement. Elle était là et, de toute évidence, nous reprenions les hostilités. Je pivotai légèrement, l'observant passer par la fenêtre pour me rejoindre. Elle s'assit près de moi, sa jambe frottant contre la mienne, avant de jeter un œil en contrebas et de faire le lien avec ma présence sur l'escalier.

Sans me demander mon avis, elle prit ma cigarette et la porta à ses lèvres. Elle poussa un profond soupir de contentement, ferma les yeux et exhala lentement la fumée.

— J'ai arrêté de fumer depuis deux ans. Ethique foireuse et culpabilisante d'infirmière, expliqua-t-elle en me restituant ma cigarette. Tu m'attends depuis combien de temps ?

— Environ huit cigarettes.

— Je suis flattée, s'esclaffa-t-elle.

Je lui tendis ma cigarette, l'observant de nouveau pendant qu'elle recrachait la fumée. Elle avait toujours ses cheveux relevés et son regard se porta au loin, sur la rangée d'immeubles de notre rue. Le malaise entre nous était toujours là, comme un mur invisible qui nous empêchait d'être nous-mêmes.

— Comment c'était ? demandai-je, piqué d'une malsaine curiosité.

Elle tira de nouveau sur ma cigarette, semblant réfléchir à la réponse qu'elle allait me faire. Elle souffla la fumée, puis pivota vers moi.

— C'est un mec bien, dit-elle en souriant. Je dirais donc que c'était... prévisible.

Elle me tendit ma cigarette, mais je secouai la tête.

— Garde-la. J'ai assez fumé.

— On se revoit la semaine prochaine.

J'encaissai la nouvelle en silence. Mon humeur faisait le yo-yo entre la satisfaction de l'avoir à mes côtés et la rage atroce qui montait graduellement en moi à l'idée de la savoir avec *lui*. Un frisson la parcourut et elle se leva avant d'écraser sa cigarette.

— Je vais aller me coucher, j'ai une garde demain soir. Merci pour la cigarette.

Elle repassa par la fenêtre, s'engouffrant à l'intérieur du loft. Je méditai quelques secondes sur la possibilité de la retenir. Que me restait-il ? Lui proposer une nouvelle cigarette ? Lui reparler de notre amitié ? Lui dire qu'elle ne méritait pas un type prévisible ? Je glissai une nouvelle cigarette entre mes lèvres, avant de changer d'avis et de rentrer à mon tour dans le loft.

— Ce n'est pas toi, lâchai-je rageusement. Cette robe, cette coiffure, ce type... Rien de tout cela n'est toi. Tu mérites... mieux.

— Connor, nous avons couché ensemble, tu m'as embrassée, avant de me... renier et de m'humilier devant ta sœur. Définitivement, « je mérite mieux ».

— Je ne t'ai pas humiliée, rectifiai-je.

— Non ? Tu m'as ignorée, tu m'as parlé comme si j'étais une enfant et tu ne m'as pas donné une explication valable à ton comportement. Tu m'as traitée comme les autres, comme une de tes proies.

— Tu n'es pas comme les autres, dis-je en avançant vers elle.

— Je refuse de l'être.

— Alors pourquoi avoir passé la soirée avec lui ? Pourquoi cette robe qui te rend... banale et cette coiffure improbable ? Tu n'as jamais été comme ça, soupirai-je. Tu es... Tu es la fille avec une incroyable résistance à la tequila. Tu es la fille avec des chaussettes roses, tu es celle qui mange son yaourt sans cuillère. Bon sang, Maddie, tu es même celle qui se fait porter par un inconnu sur une patinoire ! Tu n'es pas comme les autres, assenai-je.

Un sourire fugace se dessina sur ses lèvres. J'approchai encore d'elle, ne sachant plus vraiment ce que je voulais. Etre son ami, être avec elle et éventuellement partager une nouvelle cigarette. Mais, de nouveau, son regard s'illumina et je compris que l'affrontement n'était pas terminé.

— Avoue que tu es jaloux, lança-t-elle. Tu es jaloux qu'un type avec un comportement normal et civilisé soit à mon goût.

— Définis « normal et civilisé » ?

— Il m'a emmenée dîner !

— Mauvaise réponse, répondis-je, un sourire aux lèvres, en faisant un pas dans sa direction.

Elle me toisa et, d'un geste vif, passa à mes côtés pour fuir vers la cuisine. Elle sortit la bouteille de tequila du réfrigérateur, se servit un verre et le but d'un trait. Mon sourire s'élargit. Elle était en train de perdre le fil, de trébucher sur ses propres mensonges.

— Quoi d'autre ?

— On a discuté, murmura-t-elle.

— On discute en ce moment même. On a discuté sur l'escalier, on a même partagé une cigarette.

J'étais de nouveau face à elle, la coinçant contre le

bar de la cuisine. Elle cramponna ses mains au rebord dans une vague tentative de garder le contrôle. Dans son regard, je devinais la panique, qui se disputait à une forme de provocation presque indécente.

Techniquement, je n'avais pas le droit de la toucher.

— On s'est embrassés.

— Comment ?

— Comment ça « comment » ?

Pour être honnête, je n'avais plus envie de m'embarrasser de la technique. A cette heure de la nuit, après l'avoir attendue pendant quinze cigarettes — j'avais menti ! —, je me fichais du pacte. Il n'y avait que ce désir brut, évident entre elle et moi. Il n'y avait que son souffle court, son attitude bravache et sa bouche aguicheuse.

Je collai mon corps au sien et, après avoir posé les mains sur ses hanches, l'attirai contre moi. Elle eut un sursaut de surprise, avant de se retenir à mes bras.

— Est-ce que tu t'es cramponnée à lui comme ça ?

— Connor, murmura-t-elle. On ne devrait pas...

Sa voix s'éteignit à l'instant où mes mains remontaient sur ses flancs. Sa respiration, déjà laborieuse, s'accéléra et la légère tension dans ses muscles se dissipa. Mes paumes passèrent furtivement sur sa poitrine et mes doigts agrippèrent les bretelles de sa robe.

— A-t-il caressé ta peau ?

— Non, avoua-t-elle à voix basse.

Je fis lentement glisser les bretelles sur ses bras, dégageant ainsi totalement ses épaules. Je posai mes lèvres sur la courbe de sa nuque, sentant un voile de chair de poule gagner sa peau. Son pouls pulsait à une vitesse hallucinante, me tirant un sourire victorieux.

— Est-ce que tu as ressenti la même chose avec lui ? demandai-je sur sa peau. Ce... truc entre toi et moi.

Mes mains reprirent leur course, pianotant sur ses flancs, devinant les réactions de son corps, entre surprise et soulagement. Sa réponse fut noyée dans un gémissement. Entre mes mains, son corps s'était complètement ramolli. Des lèvres, je caressai sa peau, remontant le long de sa nuque, avant de m'attarder derrière l'oreille. Ses doigts s'enfoncèrent plus violemment dans mes bras.

Je m'écartai d'elle et pris son visage en coupe.

— Je m'excuse, chuchotai-je sur ses lèvres.

A son regard, je compris qu'elle me pardonnait. Savait-elle au moins pourquoi je m'excusais ? Pour le chalet ? Pour ce soir ? Et pour ce que nous allions devoir immanquablement affronter demain matin ?

Ses mains se posèrent sur mes hanches et, finalement, je l'embrassai. Contrairement à ce qui s'était produit à la patinoire, j'avais tout à fait conscience de ce que j'étais en train de faire. J'avais conscience de la culpabilité qui me broyait déjà l'estomac, j'avais conscience que j'allais trop loin. Mais elle était là. Et c'était comme empêcher les vagues de s'écraser contre le sable. Mais ce n'était plus le désir qui me guidait, c'était l'envie, plus urgente, plus pressante de la savoir à moi. De savoir que son corps ne réagissait ainsi qu'au contact du mien et de retrouver cette sensation spectaculaire et marquante de notre première nuit.

Ses lèvres avaient encore le goût de la tequila, amère et puissante. Sa bouche s'entrouvrit, m'offrant la permission que j'attendais. Notre baiser devint plus violent et je grognai en sentant Maddie tirer mon T-shirt pour me l'enlever. Je souris sur ses lèvres, avant de m'écarter et de retirer mon vêtement.

Maddie passa les mains sur mon torse et je capturai de nouveau ses lèvres. Elle gémit contre moi, gagnée par le même désir irresponsable et brûlant que le mien. Je la voulais. Maintenant et tout de suite. Et normalement, après ça, tout s'évanouirait. Le désir, l'envie, le crépitement, mes cigarettes de frustration... Tout disparaîtrait.

Je la soulevai pour la poser sur le bar, récoltant un petit cri de surprise.

— Est-ce comme ça qu'il t'a embrassée ? m'enquis-je.

— Non.

Je m'installai entre ses jambes, sa robe remontant sur ses cuisses. Pendant que je dévorais la peau de son cou, mes mains passèrent sous le tissu, frottèrent sur le nylon, avant de découvrir, ô surprise, le toucher velouté de sa peau.

— Tu avais mis des bas ?

— Oui.

— Tu avais mis des bas pour sortir avec ce type ?

— J'ai mis une nuisette il n'y a pas si longtemps, tu n'y as même pas touché ! riposta-t-elle.

— Mais je ne compte pas non plus toucher à ces bas. Tu n'as pas idée de l'effet que ça me fait, ajoutai-je dans un murmure à son oreille.

— Montre-moi !

Je l'embrassai de nouveau, avec une rage et une envie décuplées. Bordel, elle avait mis des bas ! Pourquoi cela m'excitait-il autant sur elle ? Je mordis légèrement sa lèvre, picorai son cou, puis son décolleté. Je dégageai un de ses seins de sa robe.

— Connor, souffla-t-elle.

Je le pris délicatement, ignorant tous les signaux d'alarme de mon corps. Le pacte. Austin. Maddie. Ma sœur. Et demain… Que ferions-nous demain ?

De mon pouce, je titillai la pointe durcie de son sein. Parfait. Absolument parfait.

— Connor !

Elle se redressa et me repoussa violemment, me faisant tituber. Elle sauta du bar, remonta sa robe, rangea son sein parfait et passa les doigts sur ses lèvres.

— Qu'est-ce que…

— La porte. Quelqu'un frappe à la porte ! gronda-t-elle.

— Je ne vois pas en quoi cela nous arrêterait... Tu as des bas !

— Bien. Le temps que tu te remettes de tes... émotions, je vais aller ouvrir. A cette heure-ci, ça ne peut être qu'une urgence.

— Mon érection est une urgence ! râlai-je.

Elle leva les yeux au ciel, avant de se diriger vers la porte. Je la suivis du regard, soupirant en admirant son délicieux postérieur. Quand elle ouvrit la porte, je compris que mon maudit karma me jouait encore un tour. Sûrement qu'on me punissait par anticipation pour ce que je m'apprêtais à faire avec Maddie.

C'était mal. Très mal. Très très mal.

D'un autre côté, elle avait des bas. Et des seins — enfin, au moins un — parfaits. Divins même.

— J'interromps quelque chose ? demanda Ashley en dévisageant Maddie.

— Non. Absolument pas.

Le karma est farceur et applique la théorie de l'iceberg : la partie émergée ne représente que la moitié de la surface immergée. Cette nuit-là, Ashley représentait la partie émergée.

— J'ai été virée de chez moi. Vous pouvez m'héberger ?

Sa valise était la partie immergée.

J-136

Note pour moi-même : travailler mon timing.

Chapitre 6

S'il était une plante ?
Une feuille de vigne. Pour cacher... enfin, vous voyez quoi !

Dans la plupart des comédies romantiques, l'héroïne se voit flanquée d'une meilleure amie. Cette meilleure amie est la voix de sa conscience, elle donne de bons conseils et vous offre un pot de glace.

La meilleure amie est l'épaule sur laquelle pleurer, elle est de votre côté quelles que soient les circonstances, elle parvient à vous faire croire que les hommes sont une espèce à abattre et que, de toute évidence, « l'héroïne est bien mieux toute seule ».

De fait, la meilleure amie est invariablement ultra-sympa, rarement vulgaire et sait qu'elle doit rester dans l'ombre de l'héroïne. C'est ainsi, c'est la règle et, pour la première fois depuis longtemps, j'aurais aimé que ma vie — je suis l'héroïne — colle à cet effrayant cliché.

— Ashley, sors de cette salle de bains ! hurlai-je en tambourinant à la porte.

Pour toute réponse, j'entendis sa voix, chantant qu'elle avait « *the time of my life* » avec Patrick Swayze. Elle avait déjà bien amputé le « *time of my* douche » et j'étais à deux doigts d'appeler Austin pour défoncer la porte.

Ashley, depuis son apparition sur le seuil de la porte du loft, prenait un malin plaisir à saboter ma vie. Elle ne répondait plus vraiment aux critères de la meilleure amie. Y avait-elle, au demeurant, jamais répondu ? Ashley lâchait un juron toutes les deux phrases, envahissait mon espace vital et, chaque matin, squattait ma salle de bains en écoutant une compilation de musiques de film.

Par égard pour vos oreilles, je vous épargnerai sa version très personnelle et scandaleuse de *All By Myself.* Chanson, qui, selon elle, vantait les vertus de la masturbation.

— Ashley ! râlai-je.

J'aurais dû la laisser moisir sur le palier. J'aurais dû laisser Connor finir ce qu'il avait entrepris avec moi sur le bar de la cuisine. Maintenant, j'étais non seulement frustrée — je n'avais pas croisé Connor depuis — mais, en plus, agacée par Ashley et son mépris des règles de la colocation.

L'arrivée d'Ashley avait tout anéanti. Je jonglais entre mes cours, mes gardes et mes services au restaurant. Connor était trop occupé par son travail. Nous ne nous étions presque pas vus et, dans tous les cas, Ashley avait toujours été là pour polluer une éventuelle conversation. Quand je lui en avais parlé, elle avait simplement éclaté de rire.

— Tu veux que je vous laisse seuls pour discuter ? Pour discuter ? avait-elle répété, hilare.

Bon, j'admets. Peut-être que discuter n'était pas tout en haut de la liste des activités que je voulais pratiquer avec Connor. Peut-être aussi que je ne savais pas vraiment ce que je voulais avec lui. Et de toute évidence, je ne savais pas du tout où nous en étions.

Est-ce que des amis se sautent dessus dans une cuisine ?

Est-ce que des amis s'embrassent ?

Est-ce que des amis se déshabillent mutuellement ?

Etait-il normal que je me mette à chanter *All By Myself* en pensant à lui ?

Il fallait se rendre à l'évidence, Connor et moi n'étions pas amis. Du moins, pas au sens strict du terme. Mais définir notre relation était impossible. Nous passions d'un extrême à l'autre, d'un sentiment à un autre, à nous chercher, à nous trouver, pour mieux ensuite nous reperdre. Dans ce grand jeu de cache-cache, restait à déterminer qui était le chat et qui était la souris.

En désespoir de cause et prise par le temps, j'abandonnai Ashley à Patrick et me décidai à trouver un plan B. Austin dormait encore, il suffisait de tendre l'oreille pour le savoir. Quant à Connor, vu son rythme et l'heure, il devait déjà être au restaurant à cette heure-ci. Je ne risquais rien à emprunter sa salle de bains.

J'entrai dans la chambre de Connor. Son lit était fait, ses lunettes reposaient sur son chevet, auprès d'un nouveau livre d'Agatha Christie. Sur son bureau, un carnet noir, assez épais, et sur la gauche une quantité astronomique de livres de cuisine. Je me surpris à sourire en découvrant une photo d'Austin et lui, le jour de la remise des diplômes, et, juste à côté, une autre photo, de Sophia et lui enfants.

Voilà donc à quoi se résumait le monde de Connor : la cuisine, sa sœur et son meilleur ami. De nouveau, un sourire attendri s'étira sur mes lèvres. On pouvait effectivement reprocher à Connor son attitude avec les femmes, mais je savais qu'envers Austin et Sophia il était d'une loyauté sans faille.

Ce n'est qu'en faisant coulisser la porte de la salle de bains que je compris que Connor était à l'intérieur.

Je me figeai, stupéfaite, devinant le bruit de la douche. L'eau coulait à flots, frappant contre le mur de verre. Je devais partir. J'aurais dû partir. Mais j'étais tétanisée, ma poitrine se comprima et mon ventre se ratatina sur lui-même. Connor me tournait le dos, son sublime fessier asséchant ma gorge.

Mr Boombastic sous la douche : aussi excitant qu'une triple dose d'adrénaline en plein cœur et plus enivrant qu'un triple shot de tequila. Je ravalai péniblement ma salive — et essuyai la bave au coin de mes lèvres — et reculai, à pas de velours, en direction de la porte.

C'est à l'instant où j'atteignis la porte que je l'entendis. Lui, sa voix, son souffle, son gémissement.

Mon prénom.

Je me statufiai de nouveau, m'inquiétant d'éventuelles hallucinations. Mais, de nouveau, mon prénom s'échappa de ses lèvres, à peine couvert par le bruit de la douche. J'étais figée sur place, incapable de sortir de cette pièce, envoûtée par le son rauque de sa voix.

Je fis un pas en avant, puis un second. La vapeur de l'eau envahissait peu à peu la pièce. Une chaleur moite m'enveloppait. Je me rapprochai de la paroi de verre, tous mes sens en alerte. Je voulais l'entendre de nouveau, je voulais l'entendre gémir mon prénom et sentir mon corps s'enflammer. Plus encore, j'aurais aimé le sentir, comme je l'avais senti sur le bar de la cuisine. Le frottement de nos corps, la rage de ses baisers, ses mains conquérantes et, surtout, le timbre chaud de sa voix qui vibrait contre ma peau. Le souvenir de notre nuit dans la voiture resurgit dans l'instant : nos corps s'étaient trouvés facilement, instinctivement. Notre étreinte fugace me hantait parfois, mais j'en chassais toujours les images : à ce moment-là, avec Connor, je n'avais été qu'une proie. Maintenant, nous étions... autre chose. Quelque chose d'indéfinissable, de compliqué et d'addictif. Quelque chose qui m'avait menée à sa voiture, quelque chose qui nous avait conduits sur le bar de la cuisine, quelque chose qui me retenait ici, au milieu de cette salle de bains pleine de buée.

Un frisson de désir me parcourut et ma respiration devint plus lourde.

— Maddie, gémit-il.

L'instant suivant, une de ses mains se plaqua contre la paroi, me faisant sursauter, et son corps à demi voûté se tourna vers moi. Mes muscles se contractèrent et, lentement, mes yeux détaillèrent Connor : son visage penché en avant, ses épaules carrées, le dessin de ses pectoraux et sa main. Sa main sur son sexe érigé, couvert de mousse, sa main qui coulissait parfaitement sur son membre, à un rythme lent, sa main qui commandait ses gémissements.

J'aurais certainement dû partir à ce moment-là. J'aurais dû le laisser à ce moment... d'intimité, j'aurais dû quitter l'humidité de la pièce pour fuir à toutes jambes. Mais je ne parvenais pas à détacher mon regard de la main de Connor. Il était en plein abandon et j'étais autant fascinée par les murmures de mon prénom que par son attitude. Avec moi, Connor n'était jamais « décontracté », il avait toujours une pique, une remarque, une mauvaise blague à mon intention. Mais là, le relâchement de sa nuque allié à sa nudité le rendait presque vulnérable.

Nous étions en guerre, contre nous-mêmes et contre nos réactions irréfléchies, comment aurions-nous pu nous sentir libres et détendus ?

Je déglutis lourdement, analysant mes possibilités.

Partir était la meilleure option. La plus sûre, la plus logique, la plus... Maddie.

Rester était l'option intermédiaire. La plus tentante, la plus facile, la plus... spectatrice.

La troisième option était définitivement la moins intelligente, celle qui amènerait notre relation, déjà tortueuse, dans une autre direction. La plus excitante, la plus prometteuse, la plus...

— Maddie, grogna-t-il en tapant contre la paroi.

Je relevai les yeux vers son visage et, en une seconde, mon corps tout entier se mit à trembler. Ses iris sombres me fixaient de façon indécente, comme pour me mettre au défi de rester. Je frissonnai, mon cœur frappant à toute vitesse dans ma poitrine. Le souffle court, je fixai son regard noir d'encre plongé dans le mien.

La petite voix d'Ash résonna à mes oreilles : gril-lée, prise en flagrant délit de matage de son colocataire.

Sa main caressait toujours son sexe, dans un rythme plus effréné. Le creux de mon ventre s'enflamma, mon sang pulsa dans mes veines et une chaleur inédite s'empara de ma poitrine. Cette salle de bains devenait un brasier insoutenable.

La bouche sèche, mon regard passa de son visage à sa main. Son sexe durcit un peu plus et ses gémissements redoublèrent. A cet instant, il ne restait plus que la troisième option. Et il le savait. Son sourire plein d'arrogance et de promesses apparut sur ses lèvres. J'ouvris la cabine de la douche et me faufilai à l'intérieur. A peine y avais-je posé un pied que Connor me plaqua contre la paroi de verre, m'arrachant un cri.

— Chut, chuchota-t-il en posant deux doigts sur ma bouche. Je ne veux pas qu'on soit dérangés.

Des larmes d'eau roulaient sur son visage, tombant de ses cheveux trop longs.

— Bonjour à toi aussi !

— Serions-nous enfin seuls ?

— Ashley chante sous la douche et Austin dort, murmurai-je. Cela dit, tu n'as pas l'air d'avoir réellement besoin de moi.

Il esquissa un sourire, avant de dégager quelques mèches humides de mon visage. Son index parcourut la ligne de ma mâchoire, glissa sur mon cou, passa entre mes clavicules, avant de plonger en direction de mon décolleté, les pans de mon peignoir s'écartant facilement.

— Tu as donc deux seins, dit-il finalement.

Son index s'égara sur mon sein gauche, tourbillonnant autour de sa pointe, pendant que son regard sombre sondait le mien.

Les amis ne font pas ça. Ils ne prennent pas de douche ensemble, ne se caressent pas de façon aussi intime et ne provoquent pas l'étincelle de désir qui enflammait tous mes sens à cet instant. Ma peau picotait agréablement, attisée et réveillée par ce simple contact.

Son index quitta mon sein et continua son parcours plus bas, vers mon estomac, avant de s'arrêter à mon nombril.

— Deux seins et un nombril.

— L'anatomie pour les débutants ? ironisai-je.

— Encore une provocation de ce style et je ne réponds plus de moi.

Je levai un sourcil. Nous reprenions notre jeu. Le chat et la souris, version Connor et Maddie. Je m'écartai légèrement de la paroi et, d'un geste que j'espérai nonchalant, je fis tomber mon peignoir trempé au sol.

— Tu disais ? lançai-je, provocante.

Sa mâchoire se resserra un peu plus fort et, pendant une trop longue seconde, son regard navigua sur moi.

— Sale gamine, gronda-t-il avant de m'embrasser rageusement.

Il mordit ma lèvre, avant de descendre lentement le long de mon cou. Il effleura mes seins, puis remonta sur mon épaule pour la picorer.

— Que fais-tu ici ? demandai-je, à bout de souffle.

— C'est ma douche. Que fais-tu, toi, ici ?

— J'admire le paysage, dis-je en souriant.

Je posai les mains sur son dos, glissant lentement sur sa peau. Il grogna mon prénom, puis attrapa une de mes mains et la posa sur son sexe. Il imprima le rythme, sa main accrochée à la mienne, allant et venant sur lui.

— Parfait, continue, murmura-t-il en libérant mes doigts. Je ne te savais pas adepte du voyeurisme, ajouta-t-il.

Sa bouche glissa dans mon cou, longea la ligne de ma mâchoire, déposa un léger baiser sur mes lèvres, avant de reprendre sa course sur mon côté gauche.

— Je ne fais jamais ça d'habitude, bégayai-je.

— Plus vite, Maddie.

J'accélérai le mouvement de ma main, le corps de Connor se tendant brusquement. Il poussa un profond soupir et m'embrassa de nouveau, plus tendrement cette fois. Ma main libre se posa sur sa poitrine, percevant le battement frénétique de son cœur. Je le sentis sourire contre mes lèvres. L'eau de la douche s'abattait sur son dos. Quand il s'écarta, il passa son pouce sur mes lèvres pendant de longues secondes. Je le mordis légèrement, récoltant un nouveau sourire de satisfaction, avant qu'il ne se penche sur moi, collant sa bouche à mon oreille.

— Je vais jouir entre tes mains, Maddie. La prochaine fois, je veux jouir en toi et avec toi. Est-ce que tu en as envie ?

— Oui, soupirai-je en sentant son membre palpiter entre mes doigts.

Mon prénom s'échappa de ses lèvres et il colla sa bouche contre la mienne à l'instant où il jouissait entre mes doigts. Son corps tendu se décontracta dans l'instant et il se retint d'une main à la paroi de la douche. Essoufflé, il plongea son regard dans le mien. Toujours ce noir profond qui trahissait son désir. J'étais moi aussi à bout de souffle.

— Tu fais ça souvent ? demandai-je.

— Inviter des filles sous ma douche ?

— Ne pas rendre la politesse, ripostai-je.

— Frustrée ?

— Affamée, corrigeai-je.

— Tu m'en vois tout à fait... satisfait !

Encore ce sourire arrogant et pénible. Et ultra-irrésistible. Quand il se tourna pour se rincer, il me fallut réunir toute la sérénité d'un monastère bouddhiste au grand complet pour résister à l'envie de lui pincer les fesses.

— Je sais que tu regardes ! s'esclaffa-t-il en me jetant un coup d'œil par-dessus son épaule.

— Je dois avoir un billet de cinq dans mon sac à main.

— Seulement cinq ?

— Je suis affamée, rappelle-toi. Quand on y pense, c'est plutôt dramatique, vu ton métier.

Il se tourna pour me faire face et me tendit la pomme de douche.

— Je suis cuisinier, pas pompier ! Bonne douche !

Médusée, je vis Connor quitter la douche sur un clin d'œil horripilant. Il s'enroula dans une serviette, sifflotant un air familier. Je demeurai un moment interdite, la pomme de douche entre les mains, avant de reconnaître la chanson.

— *All by myself*, fredonnai-je d'un air pensif.

Définitivement *all by myself*.

Dix jours après cette douche, je connaissais *All By Myself* par cœur. Je la chantais en canon, dans sa version tchèque — une vraie pépite ! —, je la sifflotais au réveil, la rythmais avec mon stylo à l'hôpital et m'y déhanchais presque en rentrant chaque soir à l'appartement.

Mais Connor était une véritable fille de l'air. Hyper-matinal, stakhanoviste du travail, boulimique de cuisine. La seule fois que je l'avais croisé, il dormait bouche ouverte, comme un bienheureux sur le canapé, son carnet de notes ouvert sur son estomac.

Connor avait honoré son pari de la patinoire : je travaillais chaque week-end comme serveuse dans son restaurant. Les pourboires étaient conséquents et, même si je refuserai jusqu'à la mort de l'avouer, découvrir mon colocataire en costume de chef, hurlant ses ordres et aboyant sur sa brigade, avait quelque chose de... sexy. Un sourire par-ci, un regard par-là, et j'étais devenue aux yeux de l'ensemble de l'équipe la préférée du chef.

J'arrivai donc au restaurant pour mon service du samedi soir avec une bonne heure d'avance. Connor me tournait le dos, occupé à découper des légumes sur le plan de travail en inox. À ses côtés, une petite enceinte diffusait une chanson des années 1990.

Le calme avant la tempête du service. En particulier celui du samedi soir, toujours survolté et imprévisible. Tout en retirant ma veste, je me dirigeai vers le piano de cuisson, louchant avec envie sur la sauce à l'odeur délicieuse qui mijotait. Délicatement, je repoussai le couvercle et plongeai mon index dans la marmite.

— Prends une cuillère, m'ordonna Connor en me tapant vivement l'avant-bras.

— Tu as été ninja dans une vie antérieure ?

— Prends une cuillère, répéta-t-il en rétrécissant le regard.

— Ce petit côté autoritaire est très sexy, commentai-je en grimpant sur le plan de travail près de lui.

— Ma cuisine, mes règles. Descends.

Définitivement très sexy, songeai-je en m'exécutant.

Connor était concentré sur sa planche à découper, détaillant en cubes une malheureuse courgette. J'avais la désagréable sensation d'être invisible, j'errai quelques instants dans la cuisine, espérant égoïstement que Connor abandonne sa maudite courgette pour moi.

Car oui, passer après une courgette ne galvanise pas un ego. Passer après une courgette est même assez humiliant. Passer après une courgette, après ce qu'Ashley avait surnommé le « *All by myself* douche tour » était tout bonnement... mortifiant.

— Celui-ci doit être à ta taille, lança-t-il dans mon dos.

Brutalement, je fus tirée en arrière, un tablier rose vif calé à hauteur de mes hanches. Les mains de Connor passèrent au-dessus de mon estomac et me firent pivoter. Je me retrouvai collée contre son torse, ravalant un hoquet de surprise.

— Bonjour à toi aussi, murmura-t-il avec un sourire ravageur.

— Cela me rappelle quelque chose !

— Laisse-moi deviner, chuchota-t-il.

Il crocheta ses mains dans le creux de ma taille, m'attira un peu plus contre lui, son torse ferme s'écrasant contre ma poitrine. De nouveau, un halètement m'échappa et mes mains trouvèrent automatiquement le haut de ses bras. Il inclina son visage, effleurant de ses lèvres la ligne de ma mâchoire, avant de caresser la peau de mon cou.

— C'était chaud et humide, non ?

Sa voix vibra contre ma peau, un voile de chair de poule trahissant ma perte. Je n'étais pas une débutante dans les relations hommes-femmes, mais je devais admettre que Connor avait fait de la séduction une science technico-sensorielle tout à fait convaincante.

Il maîtrisait mon corps, jouant de mes cinq sens pour attiser toujours plus mon désir.

— C'était... satisfaisant, me rappela-t-il.

— C'était frustrant et criminel.

Je l'entendis rire, avant que son regard ne retrouve le mien. Il braqua les yeux vers ma bouche, se pencha vers moi, prêt à me conquérir avec le mouvement de ses lèvres contre les miennes.

C'est ce qui était le plus savoureux avec Connor : lui faire comprendre qu'il ne serait jamais un dominant avec moi. Avec les autres — et avec les courgettes —, il jouait au coq ; avec moi, gardienne de son pitoyable secret des prénoms au creux de la main, il ne pouvait pas se le permettre.

Du moins, je ne le laissais pas faire.

Je posai l'index et le majeur sur sa bouche, le forçant à s'arrêter. Il fronça les sourcils, ses yeux trahissant sa surprise, puis il recula dans un soupir, me libérant de l'emprise de son corps.

— Ce n'est pas le moment. Ni l'endroit, ajoutai-je.

— C'est toujours le moment ! s'amusa-t-il en retournant à son plan de travail.

Mesdames et messieurs, le retour tonitruant de la courgette, dans son grand rôle de star ! Connor savait comment me faire sentir minable en une seconde. Minable et transparente, si je me fiais au bruit saccadé du couteau sur sa planche. Je poussai un soupir, me fustigeant de vouloir à tout prix le beau rôle. Si je ne l'avais pas repoussé, la courgette végéterait toujours dans son cageot.

— Tu viens m'aider ou tu restes plantée là ? demanda-t-il sans prendre la peine de se tourner.

— Je... Connor... Je n'ai pas la moindre idée de...

— Viens par là.

Il s'écarta du plan de travail, me laissant me glisser

entre son corps et la planche à découper. Le couteau me paraissait gigantesque et la lutte contre ma malchance légendaire était parfaitement inégale. Connor prit le couteau et, instinctivement, j'eus un mouvement de recul. Il se positionna derrière moi et coinça le menton sur mon épaule. Je me crispai un peu plus, le désir prenant le pas sur ma peur.

— Je suis très maladroite, expliquai-je à Connor.

— Je n'y crois pas une seule seconde. J'ai d'ailleurs eu une preuve du contraire récemment !

— Sale pervers, répondis-je en riant.

— Dit la fille qui tortille son fessier contre moi !

Je ne me tortillais pas, je m'installais confortablement afin de réunir toutes les conditions nécessaires à une découpe parfaite de la courgette. Je me raclai la gorge, posai les mains sur le plan de travail et murmurai un faible « prête ».

— Saisis le couteau, au plus proche de la lame.

Je refermai les doigts autour du manche, la main de Connor couvrant ensuite la mienne. La chaleur de sa paume me rassura. De sa main libre, il saisit une courgette et la posa devant moi.

— La position de ta lame ne bouge pas. Toujours devant toi. C'est ce que tu découpes qui doit avancer. On va d'abord la couper en deux, puis la détailler en julienne.

Je hochai la tête, assimilant au fur et à mesure ses indications.

— Tu n'as pas compris un traître mot, n'est-ce pas ?

— Pas le moindre, mais continue, tu es fascinant !

Je le sentis sourire contre mon cou, puis son corps se resserra un peu plus contre le mien. Il prit mon autre main dans la sienne, la posa sur le pauvre légume et positionna mes doigts derrière les siens pour les protéger.

— C'est un mouvement de vague. La lame glisse sur la planche et la pointe reste toujours fichée.

L'instant suivant, la pauvre courgette — dont je n'enviais plus le premier rôle — était découpée en deux, puis en longues lamelles. J'étais en train de couper une courgette. Et je souriais de manière inexplicable, à m'en faire mal aux joues.

— C'est parfait, Maddie. Tu vois que tu es très douée, murmura-t-il.

— Tu as fait tout le travail ! pondérai-je. Et un gamin de cinq ans va plus vite que moi !

Je poursuivis ma découpe, détaillant avec une déconcertante habileté de longues et très fines lamelles de courgette. Un silence prolongé s'installa entre Connor et moi, à peine troublé par le bruit de ma respiration trop rapide. Malgré toute l'attention que je portais au domptage des courgettes, le corps de Connor, pressé contre le mien, m'empêchait d'être totalement concentrée.

Je n'arrivais plus à définir s'il s'agissait de désir, amplifié par une galopante frustration. Ou s'il était question d'autre chose. Depuis notre rencontre au bar, Connor avait provoqué cette étrange fascination. Evidemment, il y avait cette attraction physique, ce magnétisme inédit et ces luttes pour avoir l'ascendant sur l'autre, mais, depuis quelques jours, je percevais autre chose. J'appréciais sa compagnie, j'appréciais même parfois nos silences quand nous regardions un film. Travailler avec lui, même s'il pouvait se révéler tyrannique avec ses troupes, était agréable.

Paradoxalement, le Connor que j'appréciais le plus était celui qui portait des lunettes en lisant du Agatha Christie. La situation était donc dramatiquement ridicule et prodigieusement agaçante ; mais je devais me rendre à l'évidence, j'étais en train de tomber dans le panneau et je m'enfonçais dans les ennuis.

Je ne devais pas tomber amoureuse de lui. C'était hors de question.

— Regarde tes doigts, m'intima Connor d'une voix douce.

— Et on fait quoi ensuite avec tout ça ? m'enquis-je.

— Des paillassons de légumes.

— Tu me fascines de plus en plus, gloussai-je stupidement.

Lentement, je relâchai le couteau et me libérai de l'étau formé par le corps de Connor et le plan de travail. Me plaçant sur sa droite, j'admirai sa dextérité et sa concentration. De nouveau, cela me tira un inexplicable sourire.

— Quel est ton secret ? demandai-je.

— De quoi tu parles ?

— La cuisine et toi. Je n'ai aucun souvenir de cette passion quand tu habitais encore Morton.

— Tu étais trop jeune, souffla Connor en me jetant un regard. Vraiment trop jeune, ajouta-t-il. Tu ne dois pas te rappeler que j'ai été serveur chez *Molly's*.

— Je me souviens des milk-shakes qu'Austin me rapportait en douce, dis-je en souriant. Caramel...

— ... latte, finit-il pour moi. Crème fouettée, vanille et sirop de caramel, débita-t-il en s'attaquant à la découpe d'une carotte.

— C'était toi ?

— Coupable ! Je n'ai jamais compris comment tu pouvais en ingurgiter autant sans être malade ! J'ai une mémoire olfactive, j'associe toujours la vanille à cette période. Ensuite, M. Goldsmith... Tu te souviens de lui ? m'interrogea-t-il en tournant le visage vers moi.

Je secouai la tête, incapable de capturer ce nom dans mes souvenirs de Morton.

— Tu es vraiment trop jeune, soupira Connor. Il était professeur d'histoire au lycée. Il m'a aidé à obtenir un stage et une bourse pendant les vacances. C'était la première fois que j'entrais dans une vraie cuisine. J'ai adoré ça : le bruit, la frénésie, l'adrénaline.

Pendant un court instant, son visage se para d'un voile de mélancolie heureuse. Il replongeait dans ses souvenirs comme on buvait un lait chaud : avec délectation et aise. Je me tordis les mains, incapable de rester de marbre face aux émotions qu'il transmettait. Il continuait de trancher des légumes, mais son corps était animé d'une joie communicative. Je ne regardais plus ses mains, seulement son visage, son sourire presque enfantin, ses yeux plissés de plaisir.

— Et tu associes quelle odeur à ce stage? demandai-je, curieuse.

— Le curry. Bon sang, ça fait des siècles que je n'ai pas fait un curry de légumes!

— Et tu as fini ici?

— En effet. Et j'espère ouvrir mon propre restaurant d'ici quelques semaines.

— Toujours à Chicago?

— Non. Houston.

— Houston? Au Texas?

— Un problème avec le Texas?

— Austin est au courant?

— Contrairement aux apparences, je ne suis pas marié à Austin. Il est au courant, il est même un des investisseurs.

— Bien. Cette fois, je suis vraiment fascinée, soufflai-je dans un murmure admiratif.

Connor étouffa un rire, puis posa son couteau avant de s'essuyer les mains dans son tablier. Il rassembla les fines lamelles de courgette dans un saladier et les pressa pour en retirer le jus. En silence, il rinça le premier saladier et en sortit un second.

— Tu sais casser un œuf?

J'opinai et, dans l'instant qui suivit, je me retrouvai avec trois œufs à battre en omelette. Connor observait de loin et passa à mes côtés pour se saisir d'un flacon.

— Curry de Madras, annonça-t-il en le décapsulant.

Il le passa sous mon nez, l'effluve piquant et puissant m'étourdissant presque. Je clignai plusieurs fois des yeux, refoulant des larmes de picotement.

— Curcuma et piment, essentiellement.

Soudain, son regard s'illumina et je le surpris à fureter autour de lui. Quand finalement il tomba sur son carnet noir, il passa près de moi et y jeta quelques notes. Il arborait un visage satisfait, épanoui, comme s'il avait enfin trouvé la solution à une équation complexe. Le ravissement lui allait bien.

Et voilà que je souriais encore stupidement. Passez-moi une courgette, qu'on en finisse !

— C'était juste là, marmonna-t-il en secouant le flacon de curry. Juste là ! Tu peux m'aider ? demanda-t-il en jetant un coup d'œil dans ma direction.

J'avais repris mon matraquage des œufs, espérant ne pas leur faire trop de mal. Connor fronça les sourcils, puis avança vers moi et, d'un geste vif, repoussa le saladier.

— Oublie ça. On va faire de la vraie cuisine.

— Fascine-moi, déclarai-je pour l'encourager.

Et voilà comment je me retrouvai devant un amas de langoustines vivantes, qui cherchaient de toute évidence à fuir une mort imminente. Connor mitonnait un bouillon et, quand il ouvrit le flacon de curry, il eut un sourire victorieux.

— Juste une pointe pour aromatiser le bouillon. On fera ensuite un rappel dans le curry de légumes.

— Tu m'as perdue à... « pointe », m'esclaffai-je. Je crois que je vais juste te regarder faire pour cette fois.

— Comme tu veux. Tu peux t'asseoir, si tu veux,

proposa-t-il en me montrant le plan de travail sur lequel je m'étais posée en arrivant.

— Vraiment ?

— Sale gamine !

— Fascine-moi encore, gloussai-je en grimpant sur l'inox. Et surtout, donne-moi la vraie version de ta soudaine passion de la cuisine.

— Je te l'ai donnée !

— Ça ne marche pas avec moi ! Ton job de serveur, le rôle déterminant du prof... Non, ça ne colle pas avec toi. Cela dit, ça pourrait coller avec n'importe qui, un type bien par exemple ou...

— Une fille, me coupa-t-il. Je l'ai fait pour une fille.

Tellement prévisible. J'attrapai la main de Connor, retenant un fou rire tonitruant. Je la tournai en tous sens, avant de la lui rendre, presque déçue.

— Je cherchais son prénom, expliquai-je en haussant les épaules.

— Très drôle. C'était au lycée et c'était la fille de Goldsmith. Elle me plaisait vraiment.

— Connor Miller, amoureux ? Brune, blonde ?

— Donne-moi une langoustine ! Brune !

— Et ça a marché ?

— Maddie ?

— Oui ?

— Je cuisine.

Et sans prévenir, il se pencha vers mon visage et embrassa doucement mes lèvres, me faisant taire dans la seconde.

Et à cet instant, mes espoirs de rationalité s'envolèrent : j'étais vraiment amoureuse de lui. Bon sang !

— Sale gamine, murmura-t-il sur ma bouche.

— Crétin, chuchotai-je en retour.

Pendant l'heure qui suivit, j'eus la sensation d'être la spectatrice privilégiée d'un moment rare. Ou peut-être était-ce seulement la joie enfantine de découvrir Connor dans une situation intime. Pour la première fois depuis mon aménagement, nous étions parvenus à rester dans la même pièce sans avoir envie de nous jeter des vacheries au visage : une bulle parfaite d'anormalité apaisante dans notre relation étrange et tourmentée.

A la fin du service, je rentrai au loft avec Connor. Je fantasmais déjà sur la petite robe noire que j'allais m'offrir grâce aux pourboires de la soirée, tandis que Connor, un bras enroulé autour de ma taille, me promettait un voyage dans le passé, milk-shake à la clé. Délicieusement régressif et bien trop adorable pour Connor.

— Tu bosses demain ?

— J'ai une garde demain soir, soupirai-je.

— Tu pourrais les limiter, les pourboires compenseraient, commenta mon colocataire en ouvrant la porte du loft.

— J'adore travailler à l'hôpital, Connor. J'aime l'ambiance, j'apprécie mes patients et nous sommes une super équipe.

— Tu me vois ravi de l'apprendre, fit une voix sur ma gauche.

Mes yeux se braquèrent sur l'homme assis au bar de la cuisine, puis sur Connor et enfin sur Ashley qui m'adressait un petit signe de la main. Connor retira aussitôt sa main de ma hanche et s'écarta de moi.

— Markus, soufflai-je, stupéfaite. Mais... Enfin... Qu'est-ce...

— Je viens de finir ma garde, je me suis dit que j'allais passer te voir.

— N'est-ce pas une *merveilleuse* idée ? s'exclama Ashley-la-perfide.

Je l'atomisai du regard, lui souhaitant une mort douloureuse et lente. Mais ma meilleure amie — du moins ex-meilleure amie depuis dix secondes — souriait largement.

— Il n'est pas un peu tard ? fis-je remarquer.

— Ashley m'a dit que tu assurais le service du soir et que tu n'allais pas tarder à rentrer. Elle m'a autorisé à attendre ici.

— Dans *ma* cuisine ? s'étonna Connor.

— Markus, tu te souviens de mon colocataire, enchaînai-je rapidement.

— Connor. Bien sûr, je n'oublie jamais un visage.

— Ce qui est plutôt une bonne chose pour un futur neurologue, siffla Ashley.

Connor et Markus se serrèrent la main, le regard pétillant d'Ashley virant à la jubilation. Je me dandinai sur mes pieds, incapable de réfléchir convenablement. Que fichait Markus ici ?

— Serveur, c'est ça ? demanda Markus.

— Cuisinier, corrigea mon colocataire. Etudiant en médecine, donc ?

— C'est ma dernière année de spécialisation.

Connor libéra finalement la main de Markus, ce dernier esquissant une vague grimace tout en agitant les doigts. Un silence pesant s'installa dans la cuisine, finalement rompu par la sonnerie du micro-ondes.

— Pop-corn pour tout le monde ? demanda joyeusement Ashley.

Donnez-moi une courgette, que je l'assomme !

J-119

Symptômes : crise de panique aiguë, perte des capacités intellectuelles, paranoïa envers la famille des cucurbitacées.

Pronostic vital : le coma artificiel semble une alternative acceptable.

Chapitre 7

Si elle était un phénomène naturel ?
Un séisme. Genre le big one.

Je suis devenu bipolaire. J'oscillais entre une volonté farouche de tenir le pacte, coûte que coûte ; et une lucidité accablante : le pacte était sur le point d'exploser. Et je craignais l'onde de choc qui suivrait. J'étais donc officiellement dans une merde noire. D'autant plus noire que j'étais l'instigateur du pacte et qu'il n'était pas censé se retourner contre moi : le pacte me devait fidélité et loyauté.

Depuis notre séance de cuisine, je m'étais lancé dans un processus raisonné et raisonnable visant à éliminer Maddie de ma vie : limiter nos rencontres, restreindre nos échanges, ne plus regarder sa bouche, cuisiner, sortir, ne plus dormir sur le canapé avec elle, cesser de penser constamment à ses seins, me rappeler qu'elle est bien trop jeune pour moi.

Mais, malgré toute ma bonne volonté, cela ne fonctionnait pas. Maddie me revenait constamment à la mémoire, je la cherchais du regard, je l'attendais pour sortir et je faisais tout pour être avec elle. Tomber nez à nez avec Markus avait au moins eu cet effet : il m'avait rappelé à quel point Maddie et moi ne devions pas être ensemble.

— Cesse de maltraiter ce crumble ! lança Ben à mes côtés. Qui donc es-tu en train de tuer ?

— Longue histoire, marmonnai-je. Quelle heure est-il ?

— Il nous reste une heure avant le service. Un nouveau test ?

— Crumble de potiron.

Ben eut une moue dubitative, pendant que je continuais à pétrir la pâte. Je secouai la tête, chassant l'image de Maddie dans cette même cuisine. Je devais l'oublier.

— Tu sors après le service ? reprit Ben.

— Oui. Une soirée avec l'équipe d'Austin. J'ai besoin de me vider la tête.

— Tu crois que ça l'ennuierait si je venais ?

— Lui, non. En revanche, ta petite amie possessive et un tantinet hystérique risque de ne pas voir ça d'un bon œil.

Ben haussa les épaules, puis détourna les yeux vers un groupe de serveuses. Je me surpris à tendre le cou, puis dans l'instant à vouloir m'étriper pour avoir cherché Maddie. *Concentre-toi, Connor !*

— J'ai besoin de me vider la tête moi aussi, lâcha-t-il finalement.

— Un problème avec la femme de ta vie ?

— Aucun. Maddie n'est pas encore arrivée ?

— Elle avait un cours en fin d'après-midi. Elle ne devrait plus tarder, commentai-je en reprenant mon massacre du crumble. Donc, tu veux sortir avec tes semblables ?

— Boire un verre ou deux, histoire de me détendre. Butternut ou du vrai potiron ?

— Butternut. Peux-tu cesser de faire des feintes-doubles feintes, râlai-je, et me dire ce qu'il se passe avec Jenny ?

— Elle est au courant pour le ski.

— Et tu es donc en plein remake d'*Apocalypse Now* à la maison ?

— Nous sommes en pleine ère glaciaire à vrai dire. Comment fais-tu avec Maddie ?

— Maddie et moi sommes simplement amis, objectai-je rapidement. Qu'avons-nous à la carte des desserts ce soir ?

— Feinte-double feinte, ironisa-t-il. Et par pitié, cesse de massacrer ce crumble !

Je regardai mes mains, plongées rageusement dans le mélange à base de noisettes et de pecorino. J'étais en effet en train de malaxer comme un fou furieux cette maudite pâte.

— Tu couches avec elle ? reprit-il.

— Elle a dix ans de moins que moi. Donne-moi du sel !

— Elle te plaît, affirma-t-il en me donnant la salière.

— C'est la sœur d'Austin. Je ne dois pas l'approcher. Je ne *peux* pas l'approcher. Elle est affreusement pénible et, de toute évidence, nous n'avons rien en commun.

— Hormis un appartement !

— Ben, ta tactique pour faire diversion ne fonctionne pas. Nous en étions à ta petite amie et à sa collection de camisoles !

— Pour une tactique qui ne fonctionne pas, je la trouve pourtant super-efficace : moi, je n'ai pas vidé une salière dans mon crumble !

Je poussai un profond soupir, constatant que j'avais passé les dix dernières secondes de notre conversation à saler consciencieusement ma nouvelle recette. Je jetai la salière au sol, avant de me débarrasser de ma décoction, désormais immangeable, dans l'évier.

— Bordel de merde, grondai-je.

Concentre-toi, Connor, concentre-toi.

— Briefing ! criai-je aux équipes éparpillées en cuisine et en salle.

Ils s'agglutinèrent autour de deux tables. Ben discutait avec une serveuse. Je cherchai Maddie du regard, sans la trouver.

— Bien. Ce soir, nous avons des raviolis aux langoustines, légèrement épicés au curry. Pour les carnivores, vous pouvez proposer le carré d'agneau avec des légumes braisés. Ben, si on te dérange pendant ton speed-dating, n'hésite pas à nous en faire part !

Quelques rires éclatèrent et Ben me fusilla du regard.

— Dis-nous plutôt ce que tu proposes en dessert !

— Ile flottante à la mandarine et un parfait glacé à la fève tonka.

Des exclamations fusèrent, et Ben bomba le torse et afficha un sourire fier. Il avait raison de l'être : c'était l'un des meilleurs pâtissiers de la ville.

— Ben va prochainement revenir sur le marché des célibataires, mesdames.

— Enfoiré ! s'esclaffa-t-il.

— Pâtissier et élégant, un produit rare sur le marché !

Il y eut de nouveau des rires, mais je captai distinctement deux ou trois regards réellement intéressés. Ben leva un sourcil appréciateur, hochant la tête de gratitude.

— Connor m'a appris sa finesse légendaire, commenta-t-il.

— Et le strip-poker, renchéris-je.

Ben me lança une serviette que j'esquivai adroitement. J'entendis de nouveau des rires et décidai de reprendre les rênes du briefing. Cette soirée était vraiment importante pour la suite de ma carrière.

— Bien, bien. Quelqu'un d'autre a besoin d'aide pour sa vie sex...

— Désolée pour le retard ! hurla Maddie en slalomant entre les tables pour nous rejoindre. Mon prof de biolo... Quoi ? demanda-t-elle en remarquant les rires étouffés de l'équipe.

— Maddie est infirmière en devenir et adore chanter *All By Myself* sous la douche, la présentai-je.

— Connor est un crétin pathologique qui note le nom

des filles avec lesquelles il couche dans le creux de sa main, répliqua-t-elle aussitôt.

— Balle au centre, commenta Ben.

— Bien, reprenons, dis-je après m'être raclé la gorge. Ce soir, plus que jamais, j'attends de votre part de la rigueur. Ce qui veut dire, pas d'erreur dans les commandes et un service impeccable.

Maddie discutait avec un des nouveaux serveurs. Je lui lançai un regard noir pour la faire taire, sans succès.

— Ce qui veut aussi dire qu'on écoute mes instructions jusqu'au bout, dis-je d'une voix forte.

Ma colocataire m'adressa un regard surpris, avant de murmurer de faibles excuses.

— Merci de m'accorder de ton précieux temps, ironisai-je. Ce soir, nous recevons un critique culinaire. Jim, installe-le dans la zone d'Eric. Je ne veux aucun faux pas ! assenai-je avec autorité.

Un portable sonna et Maddie se mit à fouiller frénétiquement dans son sac. Pour une raison que je ne comprenais pas, j'étais soudainement en colère contre elle. Elle éteignit finalement son téléphone, prenant soin de ne pas croiser mon regard.

— Comme d'habitude, faites attention à vos tenues. Maddie, tu penseras à attacher tes cheveux.

Elle s'exécuta dans l'instant, m'offrant au passage un regard noir.

— Nous attendons au minimum cinquante couverts pour ce soir. Coordonnez-vous en salle pour les mises en place.

J'entendis Ben et Maddie étouffer un rire et je les fusillai du regard dans l'instant.

— Quelque chose que vous souhaitez partager ? demandai-je.

— Non, je...

— Ou peut-être que Ben poursuit son speed-dating ?

les coupai-je. Méfie-toi, Ben, Maddie est très... prisée en ce moment.

La stupéfaction se peignit sur le visage de Maddie, pendant que le regard de Ben passait de ma colocataire à moi. Ma colère reflua un instant, avant de revenir, bouillonnante et presque incontrôlable. Je détestais ce qu'elle était en train de faire de moi. Je devenais un de ces types ridiculement jaloux et possessifs. Maddie avait le droit de rire avec Ben. Alors pourquoi ça m'agaçait autant ?

Maddie leva un magistral majeur dans ma direction, me faisant sourire. Elle me revenait, je redevenais intéressant à ses yeux.

— Donc du professionnalisme, repris-je. De l'implication, de l'attention et du sourire !

Je coulai un regard vers Maddie, qui semblait plutôt renfrognée, prête à mordre le premier gibier venu.

— Et pour finir, notre palmarès « dégâts ». En troisième place, Josh pour avoir détruit un plateau de trois assiettes. En deuxième place, votre serviteur, annonçai-je avec une petite courbette, pour avoir laissé brûler le fond d'une marmite la semaine dernière. Et enfin, en première place, Maddie, pour avoir liquidé une bouteille de margaux sur le sol de la cuisine. Evidemment, j'ai ajouté une note pour la performance artistique et le superbe gadin, façon triple lutz, avec atterrissage sur le postérieur.

L'équipe s'esclaffa à l'unisson, pendant que Maddie me pulvérisait des yeux. Je soutins son regard, cherchant à gagner ce nouveau combat silencieux. J'avais le contrôle de la situation, je tenais les rênes et, bientôt, Maddie ne serait plus qu'un lointain et ridicule souvenir. La fille qui allait me faire changer mes habitudes n'était pas encore de ce monde.

Puis, très lentement, un sourire carnassier s'étira sur ses lèvres. Le genre de sourire qui vous fait comprendre que votre crime ne restera pas impuni.

Soit. J'assumais. J'assumais ma colère, j'assumais ma hargne, j'assumais mes provocations multiples. C'était ainsi que nous fonctionnions, quelles que soient les circonstances : je la cherchais, elle me trouvait, je la titillais et elle me bottait les fesses. Appelons ça une « douce » routine.

Douce routine que personne, ni Ben et encore moins Markus, ne pouvait troubler. Ce jeu-là n'appartenait qu'à nous.

— Je crois avoir tout dit, on peut...

— Connor offrira un magistral dîner à tout le monde s'il obtient son excellente critique, lança Maddie à l'instant où l'équipe allait se disperser.

Il y eut un silence stupéfiant, suivi d'un rire tonitruant de Ben. J'ouvris la bouche, mais j'étais tellement estomaqué et surtout épaté par son aplomb que rien ne me vint. Quand Maddie était fâchée, elle ne lésinait pas sur sa revanche.

Et c'était en particulier pour ça que j'aimais être avec elle : pour son sens de la repartie, pour son culot monstre, pour m'avoir ouvertement dragué dans un bar après m'avoir taxé de prétentieux.

— Vraiment ? fit finalement un de mes commis.

Et à l'instant où il me donna une grande claque confraternelle dans le dos, je compris que j'étais cuit. Si je leur disais maintenant que je refusais, ils allaient me saccager ma soirée.

— Je régalerai, promis-je. D'un magistral dîner donc.

Le briefing se termina sous des applaudissements nourris de la part de toute l'équipe.

Hormis Maddie, bien sûr, qui savourait mon malaise avec une jubilation palpable. Offrir un dîner à vingt-cinq personnes me ruinerait certainement. Je fis une courbette imperceptible de la tête, reconnaissant ainsi ma défaite.

Une de plus dans la liste. Maddie savait toujours retourner la situation à son avantage.

Mes collègues s'éparpillèrent, chacun gagnant son poste. Je m'approchai de Maddie, occupée à réunir ses cheveux dans un chignon lâche.

— Je n'en ai pas fini avec toi, sale gamine, murmurai-je.

— Rassure-toi, de mon côté, je n'ai pas encore commencé.

Son ton cassant et sa façon inhabituelle de ne pas me faire face me surprirent. J'agrippai son bras doucement, l'attirant à l'écart des quelques oreilles qui rôdaient. Elle me suivit et nous gagnâmes les vestiaires, plongés dans une semi-obscurité.

— Tu es arrivée en retard.

— Tu venais à peine de commencer le briefing !

— Ça fait presque deux heures que tous les autres se démènent ! râlai-je.

— Et ça valait les dix minutes d'humiliation gratuite devant tout le monde ?

Elle recula contre la porte, me fixant avec intensité. J'avançai vers elle, posant ma main à gauche de sa tête. Je la gardais ainsi près de moi et surtout empêchais quiconque de rentrer dans la pièce pour nous déranger.

— Ce n'est pas professionnel de ta part, soulignai-je.

— Ne me parle pas de professionnalisme après ta remarque déplacée sur ma vie privée.

— Déplacée ? m'amusai-je.

— C'était soit déplacé, soit intéressé, riposta-t-elle. Dans les deux cas, ça ne te donne pas le beau rôle.

— Parce que je suis soit un goujat, soit...

— Jaloux, finit-elle pour moi avec une lueur victorieuse dans le regard.

Je compris que je n'y arriverais pas. Que de me répéter sans cesse que Maddie n'était pas pour moi ne suffirait pas, qu'être ami avec elle ne me suffirait pas plus.

Elle avait raison : j'étais jaloux. Jaloux qu'elle partage avec un autre ce que nous partagions ensemble. Jaloux que notre relation bizarre soit à la portée du premier venu.

Le contrôle que je pensais avoir sur la situation était porté disparu depuis notre première tequila, notre amitié avait explosé dans la douche. Ne restait plus rien.

Plus rien, sauf nous, essoufflés dans ce vestiaire à tenter de comprendre ce qui nous animait.

— Pourquoi serais-je jaloux d'un type comme lui ?

— Parce que j'ai couché avec lui ?

Je sondai son regard, à la recherche d'une lueur de vérité. L'imaginer avec lui m'acheva, anéantissant mes dernières barrières de retenue. Je la voulais. Je la voulais pour moi et uniquement pour moi.

— Et c'était comment ? demandai-je.

— Il a su rendre la politesse, répondit-elle avec provocation, un sourire aux lèvres.

J'approchai un peu plus d'elle, mon corps pratiquement collé au sien. Dans son regard, je vis une pointe de panique pure. Elle pensait rendre coup pour coup, pourtant je savais qu'elle mentait. Je savais qu'elle simulait la résistance, je savais comment elle gémissait contre ma bouche, comme elle se cramponnait à moi.

Et je savais qu'elle était *elle* dans ces moments-là. Elle était abandon et désir, elle était à moi.

J'approchai ma bouche de son oreille, devinant sa respiration un peu trop rapide. Elle posa les mains sur mon torse, m'éloignant légèrement d'elle.

— Il me semble me souvenir que tu as exigé du professionnalisme, chuchota-t-elle dans un halètement.

— Tu n'as pas été engagée pour ta capacité à remplir la fiche de poste.

— J'ai réellement couché avec lui.

— Et j'ai joui dans ta main, lui rappelai-je. Et je jouirai en toi, bientôt, comme je l'ai déjà fait.

— Va te faire foutre !

— Avec plaisir, j'ai encore dix minutes avant le début du service.

— Tu es réellement jaloux, s'étonna-t-elle dans un rire. Je n'arrive pas à y croire.

Un court silence s'imposa, à peine troublé par le mouvement des serveurs derrière la porte. Je n'arrivais pas à y croire non plus !

Maddie poussa un soupir et se décala sur le côté pour se libérer de la cage de mes bras. Je reculai, lui laissant un peu plus d'espace.

— Est-ce que je te verrai plus tard ? m'enquis-je finalement.

— On vit ensemble, tu risques donc de me croiser.

— Tu sais ce que je veux dire.

— Non, justement, je ne sais pas. Je ne sais pas ce que tu attends de moi. Tu es... plutôt perturbant. Il y a encore quelques semaines, j'étais trop jeune et tu voulais que je me trouve un mec bien. Et maintenant... maintenant tu me demandes si on va se voir plus tard en étant persuadé que je comprends ton mode de réflexion.

— Tu es venue sous la douche avec moi, je sais que tu comprends donc *complètement* mon mode de réflexion.

— Connor, sors de là, on a besoin de toi en cuisine ! hurla Ben derrière la porte.

— J'arrive, répondis-je en retour. Alors, est-ce que je te verrai plus tard ? demandai-je de nouveau à Maddie.

— Tu es irrécupérable. Bonne chance pour ce soir, lança-t-elle en ouvrant la porte du vestiaire.

Je la suivis du regard, l'observant saluer ses collègues avec chaleur. De nouveau, cette sourde colère refit son apparition, elle bouillonnait sous ma peau, me faisant serrer le poing.

Il y avait une chose que je n'avouerais jamais à Maddie. Même sous la torture, même en échange d'une nouvelle douche, même en contrepartie d'une nuit torride... *Je déteste quand elle a raison : je suis foncièrement irrécupérable*, songeai-je en fixant avec envie son adorable fessier.

Je n'eus pas l'occasion de reparler à Maddie pendant le service. Nous échangeâmes des regards, parfois des sourires, mais quelque chose avait changé. Peut-être était-ce notre conversation que je rejouais incessamment dans ma tête, peut-être était-ce mon inexplicable colère contre elle, peut-être était-ce le pacte qui me revenait à la figure à la manière d'un boomerang géant et incontrôlable.

Aussi, quand Ben me rejoignit sur le parking à la fin du service, ma tête bourdonnait désagréablement et mon corps était engourdi. Les serveurs avaient pour habitude de boire un verre ensemble dans un pub face au restaurant. Je ne fus donc pas étonné de voir leur petit groupe réuni. La soirée avait été excellente, nul doute que les pourboires trouveraient facilement leur utilité. Maddie était avec eux, jetant de temps à autre des coups d'œil dans ma direction.

— On y va ? proposai-je à Ben.

— Et Maddie ?

— Elle va sûrement aller boire un verre au pub.

A cet instant, j'entendis son rire, léger et communicatif. Je serrai le poing et la fixai, espérant vaguement qu'elle se sente observée. En vain : elle m'ignorait.

— Il n'y a vraiment rien entre elle et toi ? demanda Ben en se dirigeant vers ma voiture.

— Il y a le pacte, murmurai-je.

— Je cherche encore à déterminer qui, d'Austin ou de toi, est le plus crétin.

— Peut-être celui qui ment à la femme de sa vie pour aller faire du ski ?

— J'admets, concéda Ben dans un rire. Admets de ton côté qu'elle te plaît vraiment.

— Toutes les femmes me plaisent.

— Pas comme elle. Tu la regardes, tu lui souris. Tu n'as même pas flirté avec Tori ! s'exclama-t-il en ouvrant la portière.

— Qui est Tori ?

— Qu'est-ce que je disais !

— D'habitude, tu me reproches de ne pas m'attacher, et maintenant tu me reproches de ne pas draguer une nouvelle ?

— Euh... oui. Je crois que je m'inquiète pour toi. Comme si tu étais... détraqué. Ou alors tu es en train de passer du côté obscur.

— Tu es très flippant en Maître Yoda.

— Tu es amoureux d'elle.

Il monta dans la voiture, ne me laissant pas le temps de répondre. Le bourdonnement de mon cerveau reprit. Mes yeux se braquèrent sur Maddie. Elle jeta la tête en arrière, animée d'un fou rire. Quand finalement nos regards se trouvèrent, mon corps tout entier se tendit. Elle m'adressa un sourire provocant, m'invitant à relever un défi qu'elle seule comprenait.

Elle porta finalement son attention vers une jeune femme rousse, notre lutte silencieuse prenant ainsi fin. Je m'installai au volant de ma voiture, Ben triturait la radio.

— La première tournée est pour moi, lançai-je.

Je démarrai la voiture et passai à vive allure près du groupe de serveurs. Dans le rétroviseur, le seul regard que je captai fut celui de ma colocataire.

Ma bouche était en carton, ma jambe gauche pendant mollement du lit, ma tête était prise dans un étau douloureux et mon bras droit était bloqué par une créature brune à la poitrine dénudée.

Je grimaçai et fis claquer ma langue plusieurs fois contre mon palais. De toutes les cuites que j'avais prises, celle-ci rentrait facilement dans le top 3. Trop de tequila, trop de bière, trop de musique. Mon estomac se rebella, se tordant sur lui-même. J'étais trop vieux pour ce genre de bêtises. Beaucoup trop vieux.

Je relevai péniblement la tête, ravalant un couinement de douleur : ma nuque était raide et contractée. Ma partenaire de la nuit tourna la tête, révélant un visage ruiné par le maquillage. Des traces noires maculaient ses joues, et sa coiffure, certainement travaillée la veille, ressemblait à un nid d'oiseau.

— Grosse soirée, marmonnai-je.

Un coup d'œil à mon chevet me révéla la première information d'importance : j'avais eu suffisamment de conscience pour mettre un préservatif. La seconde information était notée dans le creux de ma main. Certains automatismes survivraient à une guerre nucléaire.

Tout doucement, sans réveiller mon acolyte, je parvins à retirer mon bras, puis à me redresser. Le lit grinça sous mon poids, mais ne la réveilla pas.

Sur la pointe des pieds, je gagnai ma salle de bains. Un coup d'œil au miroir révéla l'ampleur du désastre. Mes yeux parvenaient tout juste à s'ouvrir, mes lèvres étaient gercées par l'alcool. Je passai la main sur une griffure au niveau de ma mâchoire.

— Très grosse soirée.

Tout en me brossant les dents, je tentai de percer les zones d'ombre de la soirée. J'avais clairement le souvenir d'avoir offert une première tournée à Ben, à Austin et à deux de ses coéquipiers. Je me souvenais de la serveuse, que Ben avait honteusement draguée à coups de « je suis pâtissier » et « je peux te faire connaître les vertus insoupçonnées de la chantilly ». Le reste n'était que flashs et images floues.

Sans un bruit, après avoir enfilé un boxer, je sortis de la chambre. Le sujet « Erika » serait traité après un café salvateur. Et une double dose d'aspirine.

Maddie était dans la cuisine, plongée dans un livre et dans ce que je supposai être des notes de cours. L'affronter ce matin, après notre étrange conversation de la veille et avec une gueule de bois, était une véritable épreuve de survie. A l'issue, de toute évidence, il n'en resterait qu'un et je ne partais pas favori !

— Hey, soufflai-je en me dirigeant vers elle.

Un ronflement sonore me stoppa net. Ben, nu comme un ver, dormait sur le canapé. Je grimaçai, songeant au moment de honte absolue qu'il ressentirait à son réveil.

Je devrais peut-être prendre une photo. Un cliché suffisamment compromettant pour lui faire nettoyer les réfrigérateurs de la cuisine du restaurant jusqu'à la fin de ses jours.

— Je crois qu'il a essayé de s'enrouler dans le tapis avant de s'endormir, commentai-je en voyant un bout du tapis du salon coincé sous ses fesses.

Maddie ne répondit rien, toujours penchée sur ses cours. Elle m'ignorait donc encore et je n'avais pas l'énergie pour me confronter à elle ce matin. Une délicieuse odeur de café frais me parvint et je louchai jalousement sur son mug. J'analysai rapidement les possibilités :

1) Demander du café à Maddie, la voir lever les yeux, provoquer un sourire, entendre un « oui, bien sûr », boire mon café sans avoir à décortiquer notre relation bizarre. Tentant, mais, soyons honnête, totalement improbable.

2) Demander du café à Maddie, la voir lever les yeux, provoquer un sourire, entendre un « oui, bien sûr », recevoir le mug sur la tête et voir Maddie faire la danse de la victoire autour du bar de la cuisine. Réaliste et hautement possible.

3) Ne pas demander du café à Maddie, tenter d'attirer son attention — j'étais déjà en caleçon, que pouvais-je faire de mieux ? —, entrer en guerre contre le percolateur, obtenir finalement trois gouttes d'un café infect, faire comme s'il était bon et tenter de convaincre Maddie des vertus insoupçonnées de la chantilly sur ce bar. Si

on oubliait le fantasme de la chantilly, c'était l'option la moins douloureuse et la plus détestable : une fille dormait dans mon lit.

— Tu veux du café ? m'interrogea-t-elle finalement.

Merde, merde et remerde. Un guet-apens. Réfléchis, Connor, réfléchis. Et surtout, ne le fais pas en regardant ses seins.

— S'il te plaît, répondis-je, incertain. Tu révises ?

— J'ai révisé l'anatomie grâce à Ben, dit-elle en souriant juste avant qu'il ne ronfle de nouveau.

— Cuite post-séparation.

Elle me tendit un mug rempli de café et je jure qu'à cet instant précis j'aurais pu lui baiser les pieds de gratitude. Ma tête était lourde et menaçait d'exploser d'une minute à l'autre. Maddie me fixait, fraîchement douchée, un soupçon de gloss sur les lèvres, désirable comme jamais.

— Je suis trop vieux pour ce genre de choses, soupirai-je en posant mon front sur le bar frais de la cuisine. Vraiment trop vieux.

— Je dois y aller, murmura-t-elle.

Je relevai vivement la tête. Trop vivement à en croire la sensation de triple vrille inversée qui me donna la nausée. Maddie enfilait sa veste et nous avions à peine parlé. Je savais pourtant que nous *devions* parler, que nous *devions* percer cette bulle de malaise et de colère qui flottait entre nous.

— Maddie, s'il te plaît.

— J'ai un cours, Connor. Je ne suis pas à ta disposition quand cela te chante !

— Je sais. Ecoute, au sujet d'hier soir...

— Tu avais raison en fait.

— Ah bon ? m'étonnai-je. Non pas que je m'étonne d'avoir raison, mais que tu sois d'accord avec moi est totalement... inédit.

— Je mérite un mec bien, lâcha-t-elle finalement.

En une seconde, ma gueule de bois disparut. A la place, j'eus la sensation de prendre un uppercut violent et de me faire ratatiner par Maddie. Elle gagna la porte, me lançant au passage un regard assassin. Cette fois, nous y étions. Cette fois, c'était la fin.

Une porte grinça derrière moi, m'indiquant que la colère de Maddie allait trouver un nouveau motif pour s'enflammer. Elle se statufia sous mes yeux, la stupéfaction prenant le pas sur sa rage. Elle prit ma main dans la sienne et la retourna pour trouver le prénom de ma conquête.

— Tu es pitoyable, souffla-t-elle.

— Je suis libre, rétorquai-je. J'ai toujours fonctionné ainsi, Maddie, il n'y a aucune raison que cela change.

— Aucune raison ? Vraiment ?

— Vraiment. En particulier avec toi. Je t'ai déjà dit que tu méritais un type bien et je ne suis pas un type bien, Maddie. Je prends, je jette. Aussi simple que ça.

— Alors, c'est moi la plus pitoyable de nous deux.

Elle quitta l'appartement dans l'instant, descendant l'escalier à vive allure. Je fus tenté de la suivre, mais j'étais physiquement à bout de forces. Pendant un court moment, Maddie avait été d'accord avec moi et je regrettais déjà cet instant d'entente parfaite.

Je n'avais pas vu Maddie depuis deux jours. Elle se cachait. Elle dormait sûrement à l'hôpital. Du moins, je l'espérais. Je refusais de croire qu'elle puisse dormir avec Markus.

Je refusais de croire qu'elle puisse faire autre chose que dormir chez Markus. Cette simple idée me ravageait et m'empêchait de penser de manière cohérente. J'avais des difficultés à cuisiner et même la superbe critique que le restaurant avait obtenue ne m'avait pas réjoui.

J'aurais aimé qu'elle soit là. Parce que, pour une raison

étrange, elle me manquait. Je n'avais plus personne pour me faire mon café. Je n'avais plus personne pour me contredire, plus personne pour me dire que j'étais un crétin, plus personne avec qui dormir sur le canapé.

Elle me manquait.

Et elle me manquait d'autant plus qu'Austin faisait une fête grandiose dans le loft : bière, filles, musique à vous tuer les oreilles et environ dix de ses coéquipiers qui beuglaient.

Oui, elle me manquait : je n'avais personne de civilisé avec qui parler dans des moments comme celui-là.

Maintenant, je cherchais une solution... civilisée justement pour tenter de renouer le lien. Ou le semblant de lien. Peut-être que j'avais cru que nous avions un lien... Sophia disait que notre relation était étrange. Je préférais dire qu'elle était unique, que Maddie était unique. Dieu merci d'ailleurs. Avec deux Maddie, l'univers ne s'en serait sûrement pas remis.

La seule question que je me posais réellement était : sommes-nous au moins encore quelque chose ? Nous n'étions même plus des colocataires, je n'osais donc croire que notre amitié — étrange elle aussi au demeurant — était toujours à l'ordre du jour.

J'aurais dû aller me chercher une bière, mais je n'osais plus quitter ma planque. La dernière fois que j'avais pris le risque de quitter l'escalier de secours, les coéquipiers d'Austin étaient tous en caleçon à chanter *YMCA*. J'adorais Austin, mais parfois ses goûts musicaux me laissaient dubitatif. Par ailleurs, ils étaient tous agglutinés autour du bar : la seule perspective de m'y frayer un chemin m'épuisait. De toute façon, j'avais encore le souvenir de ma dernière gueule de bois et je m'étais juré solennellement de limiter la dose d'alcool dans mon organisme.

— Tu fais ça souvent ? fit une voix familière derrière moi.

— Fuir la fureur et la folie furieuse de ton fêtard de frère ? ironisai-je sans prendre la peine de me détourner.

— Ne pas rappeler une amie après deux jours de silence radio !

Je l'entendis descendre l'escalier puis, sans même me demander mon avis, elle s'assit à mes côtés en me tendant une bouteille de bière. J'y jetai un coup d'œil soupçonneux.

— Mort-aux-rats ? m'enquis-je.

— Je viens en paix, répondit-elle.

— Parfait. Maintenant, j'ai vraiment la trouille, m'esclaffai-je.

Je pris néanmoins la bouteille qu'elle me tendait et la portai à mes lèvres. La bière était fraîche, mais c'était la présence de Maddie qui me faisait curieusement plus de bien. Je l'observai du coin de l'œil, cherchant à anticiper ses réactions, mais elle utilisait cette capacité pénible à tenir un masque impassible.

— Merci pour la bière. Comment l'as-tu eue ?

— Austin a fait de très grandes provisions. J'ai rapporté ça aussi, rit-elle en dégainant deux mignonnettes de tequila.

— Le bar était cerné par une cohorte de danseurs de macarena à moitié nus, il y a à peine dix minutes.

— J'ai fait diversion et, si mes souvenirs sont bons, ils n'étaient plus à moitié nus. Juste complètement nus.

Je grimaçai d'effroi, pendant que Maddie buvait un peu de sa bière. Elle fixait un point devant elle, prenant soin, comme depuis le début de notre conversation, de ne pas croiser mon regard.

— Il va falloir que tu me refiles l'adresse de ta planque, déclarai-je.

— Quelle jolie manière d'amener la chose !

— Tu étais chez Markus ? m'enquis-je finalement avec curiosité.

— Est-ce que cela change quelque chose si je dis « oui » ?

— Ça devrait ?

— Pour ma santé mentale, certainement pas. J'ai

décidé d'accepter l'idée que tu étais pathologiquement irrécupérable et que m'acharner à comprendre notre... relation était absolument inutile.

— Et fatigant, renchéris-je. Sophia dit que notre amitié est étrange.

— Et que dis-tu, toi ?

— Qu'elle est unique, murmurai-je.

— Je prends « unique ». Ashley dit qu'elle est « singulière ».

— Et que dis-tu, toi ? demandai-je, suspendu à sa réponse.

— Je dis que j'ai ce que je veux : une vie moins ordinaire. Avec ou sans toi, ajouta-t-elle dans un chuchotis.

Elle tourna finalement son visage vers moi, un faible sourire ornant ses lèvres. Pendant un court instant, elle sembla vulnérable et émue. Maddie ne montrait jamais ses failles. Généralement, sa colère prenait le dessus sur toutes ses émotions, comme un ouragan qui balaie tout sur son passage.

— Je prends « moins ordinaire », admis-je avec sincérité.

— Tu prends le « avec » ?

— Je croyais être irrécupérable ?

— J'ai une théorie ! lança-t-elle finalement en détournant le regard. Sur toi et ton comportement avec les femmes.

— Un truc freudien ?

— Tu as déjà été amoureux. Ça a forcément dû t'arriver ! Et je crois que cette fille t'a brisé le cœur. Je dirais même qu'elle t'a trompé. Tu as été dévasté et tu trimballes ton traumatisme depuis des années en séduisant toutes les femmes que tu croises.

— Intéressant, commentai-je.

— Mais totalement à côté de la plaque, c'est ça ?

— Parfaitement.

— Tu n'as jamais été amoureux ? Même pas de la fille de ton prof ?

— Même pas ! Jamais. On vit très bien sans, je t'assure.

— On vit beaucoup mieux avec, objecta-t-elle. Tu ne veux même pas essayer ?

— Avec toi ? m'étonnai-je en recrachant une partie de ma bière.

— Merci de ravaler ce petit air dédaigneux et méprisant de ton visage !

J'éclatai de rire et vis Maddie enfin sourire. Depuis le début de notre conversation, c'était son premier véritable sourire. Nous retrouvions finalement un peu de notre complicité : quelque chose de facile et en même temps d'indéfinissable. Une relation étrange, unique, singulière et vraiment pas ordinaire.

Nous.

En silence, nous sirotâmes nos bières, la musique du loft résonnant jusqu'à nous. Pris d'un élan inédit, je l'attirai contre moi, enroulant mon bras autour de ses épaules. Elle se laissa aller, sa tête reposant contre mon épaule.

— Tu ne veux toujours pas me dire comment tu as eu les bières ?

— J'ai montré mes seins, avoua-t-elle finalement en se dégageant de mon emprise. Tu avais raison, ce sont mes meilleurs atouts, commenta-t-elle en les regardant avec fierté.

J'éclatai de rire, l'imaginant en train de soulever son T-shirt pour se frayer un passage jusqu'au bar. Cette fille était incroyable.

— Et pour la tequila, j'ai menacé Ben de diffuser une photo de lui où il ronfle nu sur le canapé.

— Tu as pris une photo ? demandai-je, stupéfait.

— Dieu seul sait combien elle va me rapporter quand il sera un pâtissier célèbre !

Un silence s'imposa, à peine troublé par le bourdonnement des basses et les hurlements scandés des coéquipiers d'Austin. Elle se cala de nouveau contre moi, la tête toujours sur mon épaule. J'embrassai doucement sa tempe.

— Maddie, il serait tellement facile de tomber amoureux de toi, avouai-je. Tellement facile.

— Je n'étais pas chez Markus, chuchota-t-elle. Trop ordinaire pour moi, ajouta-t-elle en se libérant de mon étreinte pour se redresser. Je boirais bien une autre bière.

Elle tendit la main vers moi, m'invitant ainsi à la suivre.

— Tu fais ça souvent ? demandai-je.

— Etre magnanime avec le crétin que tu es ?

— Etre unique.

Nous regagnâmes le loft, le son de la musique nous assourdissant dans la seconde. Je parvins à récupérer deux bières au bar, pendant que Maddie, devant moi, cherchait un endroit pour nous installer. Je fus englouti par la foule, portant mes deux bouteilles haut au-dessus de ma tête pour les protéger. Je cherchai ma colocataire du regard, envisageant de lui proposer de retourner sur notre escalier de secours.

Oui, le nôtre. Ce n'était même plus le mien désormais.

Soudain, alors que mon regard naviguait sur la foule, Maddie réapparut devant moi. Elle était à bout de souffle, ses yeux papillonnant partout. Quand finalement ils trouvèrent les miens, elle agrippa le col de ma chemise et m'attira contre elle.

— Embrasse-moi, m'intima-t-elle.

— Quoi ?

— Embrasse-moi.

Dans l'instant, ses lèvres furent contre les miennes, douces et chaudes. Sa langue passa sur ma lèvre inférieure, atomisant mon premier instant de stupéfaction. Ses mains glissèrent sur mes côtes, s'arrêtant sur mes hanches. Mon corps se détendit brutalement, enclenchant une phase de reddition. Sentir sa bouche bouger contre la mienne me faisait tout oublier. Même le bruit n'était qu'un lointain murmure, la foule devint floue et mes deux précieuses bières s'écrasèrent au sol.

Je posai les mains sur ses joues, attirant sa bouche un peu plus contre la mienne. Sa langue caressa la mienne, électrisant tout mon corps d'une vague incontrôlable de désir. Je ravalai un grognement indécent, mes mains glissant lentement sur son cou. Notre baiser, au départ heurté, devint plus langoureux et lent. Je pris une de ses mains et la posai contre ma poitrine.

J'espérais qu'elle le sente, qu'elle sente ce battement frénétique qu'elle provoquait. Elle gémit contre ma bouche, ses doigts se resserrant contre ma chemise. Quand finalement ses lèvres quittèrent les miennes, elle haletait. Je soudai mon front au sien, cherchant une explication au fond de son regard azur.

— Ça, ça n'avait rien d'ordinaire, murmurai-je.

Son sourire s'élargit, et sa bouche rejoignit la mienne pour un nouveau baiser. Mes mains accrochèrent sa taille, se régalant du satiné de sa peau révélée par son T-shirt un peu trop court. J'étouffai un grognement, repoussant Maddie contre le mur. Il n'y avait qu'elle. Que son corps soudé au mien, que ses doigts perdus dans mes cheveux et ce gémissement de contentement qui lui échappa quand mes lèvres frôlèrent le carré de peau sous son oreille. La musique faisait vibrer tout l'appartement, mais je sentis distinctement le frémissement de son corps contre le mien.

Je relevai le visage vers elle, risquant un sourire. Les yeux clos, l'air serein, elle n'avait jamais été plus désirable qu'à ce moment précis d'abandon absolu. Quand elle rouvrit les paupières, un léger sourire para sa bouche, avant qu'un voile de terreur ne ternisse son regard.

Soudain, mon corps fut propulsé en arrière. J'atterris lourdement sur les fesses, un sifflement de douleur m'échappant. Puis, dans l'instant qui suivit, alors que je cherchais à me redresser, mon visage sembla se disloquer. Je portai les mains à mon nez, entendant vaguement Maddie hurler.

Le silence se fit dans le loft : plus de musique, plus un murmure. Et quand finalement je parvins à rouvrir les yeux, combattant une migraine fulgurante et dévastatrice, je perçus tout juste la silhouette de Maddie. Une main de fer broya mon avant-bras et je décollai du sol, pour glisser en avant, sur le ventre, vers le canapé.

Après un dernier hurlement de Maddie, je me sentis flotter, pendant qu'un voile noir m'enveloppait.

J-110

Note pour moi-même : travailler ma technique d'autodéfense.

Chapitre 8

S'il était un phénomène naturel ?
La foudre. La foudre, oui.

Après deux jours d'exil, je m'étais décidée à rentrer au loft, profitant de la fête organisée par Austin. Les lits de l'hôpital sont les plus inconfortables du monde et surtout, avec le recul, je trouvais la situation ridicule.

Je n'avais aucune raison d'en vouloir à Connor : il avait raison, il prenait et jetait les femmes, comme toujours. Nous étions amis — enfin, ce qui ressemblait à de l'amitié — et nous ne nous devions rien.

Et surtout, il me manquait. Le retrouver sur cet escalier de secours, siroter une bière avec lui, discuter, le sentir près de moi... tout cela m'avait manqué. En temps ordinaire, je l'aurais maudit pendant deux ou trois vies. Mais avec Connor, dès que nous nous retrouvions, nos automatismes idiots reprenaient. Même ses macaronis me manquaient. J'étais définitivement irrécupérable et faible dès qu'il s'agissait de lui.

L'apparition de Markus à la soirée d'Austin n'était pas prévue. Mais elle m'avait donné un formidable prétexte pour embrasser Connor et faire d'une pierre deux coups. Pour me débarrasser définitivement de Markus — bien trop fier pour passer l'éponge sur un simple baiser — et tester ma relation avec Connor. Je voulais savoir si j'avais raison de revenir, si j'avais raison de croire que notre relation pouvait aller au-delà d'une simple amitié bancale.

J'avais alors eu les réponses que j'attendais :

— j'étais vraiment amoureuse de lui ;

— il ressentait lui aussi quelque chose, je l'avais senti quand il m'avait repoussée contre le mur.

Ce que je n'expliquais pas, c'était la réaction de mon frère. Je n'avais pas prévu qu'il écrase son poing contre le visage de Connor et qu'il s'acharne sur lui.

La bonne nouvelle, c'était que j'étais parvenue à maîtriser Austin dans son déchaînement inexplicable de violence.

La mauvaise, c'était qu'il me faudrait bientôt annoncer à ma mère qu'Austin ne ferait jamais d'elle une grand-mère.

Un de ses coéquipiers avait accepté de m'aider à porter Connor jusqu'à la voiture, pendant que mon frère, recroquevillé au sol, se tenait l'entrejambe en gémissant. Un sanglot lui avait échappé à l'instant où j'avais claqué la porte en le maudissant.

Mais qu'est-ce qui lui avait pris de frapper son meilleur ami avec une telle rage ? Sur le siège passager, Connor dodelinait de la tête, sa chemise maculée de sang. Son poignet gonflait à vue d'œil et j'osais à peine regarder son visage tuméfié.

— Connor ?

Pour toute réponse, je n'obtins qu'un vague grognement de douleur. Mes doigts pianotèrent sur le volant, attendant que le feu passe au vert. Je secouai la tête, cherchant à comprendre. Austin n'avait jamais fait preuve de violence gratuitement. Encore moins envers Connor, meilleur ami, colocataire et complice de beuverie. Tout cela n'avait aucun sens.

Le feu changea de couleur et je fonçai sur l'avenue en direction de l'hôpital. Je n'avais pas pris le temps de demander des explications à mon frère ; vu l'état de Connor, il était plus qu'urgent de filer à l'hôpital. Mon colocataire était sonné, mais, dès qu'il reprendrait connaissance, je ne doutais pas que la douleur serait difficilement supportable.

Je me garai sur le parking du personnel, incapable d'avoir la patience nécessaire pour trouver une place sur le parking visiteur. Courant jusqu'à l'entrée des urgences, je réquisitionnai un fauteuil roulant et retournai à mon véhicule.

— Connor ? Connor ? Tu m'entends ?

Il grogna de nouveau, avant d'ouvrir ses paupières bleues et gonflées. Il tenta de sourire, mais son visage se crispa et il abandonna.

— On est à l'hôpital, expliquai-je. Austin t'a frappé.

— Je sais. Je le mérite, articula-t-il à voix basse.

— Grimpe dans le fauteuil, je t'emmène voir un médecin. Je pense qu'il t'a cassé le nez et très certainement le poignet.

Une nouvelle grimace tordit son visage alors qu'il bougeait lentement pour s'effondrer ensuite dans le fauteuil. Je verrouillai la voiture, avant de pousser Connor en direction des urgences. La foule était plutôt éparse dans la zone d'attente. Je repérai Ashley dans un des couloirs et me précipitai vers elle.

— Il faut que tu me trouves une chambre, haletai-je. Je suis ici avec Connor.

— Il y a un hôtel en face me semble-t-il...

— Austin lui a cassé le nez, la coupai-je, peu encline à faire de l'humour avec elle. Il est sonné et il a vraiment besoin de voir un médecin.

Ashley se pencha, jetant un coup d'œil vers Connor qui reprenait doucement connaissance. Je pivotai à mon tour, plissant du nez en constatant que son œil gauche gonflait anormalement.

— J'ai une place aux urgences pédiatriques.

— Je prends.

Je ne pris pas le temps de remercier Ashley et repartis en direction de Connor pour l'emmener à son box. Un juron lui échappa quand, dans ma hâte, je heurtai une porte, lui massacrant ainsi le tibia. Je m'excusai rapidement, parcourant les urgences pédiatriques à la recherche d'Ashley. Quand enfin je la repérai, en train de tirer un large rideau beige occultant, je courus presque en poussant le fauteuil.

J'aidai Connor à se soulever, avant de l'allonger sur la table d'auscultation.

— Je vois des éléphants, murmura Connor.

J'étouffai un rire, rangeant le fauteuil roulant dans un coin de la pièce. Je tirai le rideau, nous offrant un peu d'intimité, troublée toutefois par des cris d'enfants et un hurlement de bébé.

— Et des girafes, ajouta-t-il en tournant le visage vers moi.

— On est dans la zone pédiatrique, expliquai-je.

Je passai une main sur son front, dégageant des mèches de cheveux. Connor soupira, puis tourna la tête, mettant ainsi fin à mon geste. Désarçonnée, j'eus un mouvement de recul et les mots sortirent de ma bouche, incontrôlables.

— Est-ce que tu sais pourquoi Austin a fait ça ?

— Oui.

— Tu ne comptes pas me le dire ?

— Non, s'esclaffa-t-il. Surtout pas à toi. Je tiens à ton amitié, Maddie. Je ne veux pas perdre ça, ni te perdre toi.

— Austin a dû frapper sacrément fort : tu as déjà des séquelles neurologiques !

Un rire lui échappa, mais il le ravala aussitôt, rattrapé par la douleur qui devait lui vriller le crâne. Connor prit ma main et, dans un geste inédit, la porta à ses lèvres couvertes de sang pour l'embrasser doucement. Après sa rebuffade précédente, cet élan de tendresse me stupéfia.

— Merci de m'avoir amené ici. Tu peux rentrer si tu veux, je prendrai un taxi.

— Et me priver d'une nuit en ta compagnie ?

— Tu profites honteusement de la situation.

— J'en profiterai vraiment quand tu enfileras la fabuleuse blouse de l'hôpital, annonçai-je.

— Pourquoi m'as-tu embrassé ?

— Pourquoi Austin t'a-t-il frappé ? ripostai-je.

Connor libéra ma main et Ashley entra à cet instant précis dans notre zone, poussant un chariot de soins. Ses yeux passèrent de Connor à moi, devinant l'évidente électricité qui crépitait entre nous.

— Le médecin ne devrait pas tarder, lança-t-elle. En attendant, je vais nettoyer ton visage et désinfecter les plaies.

— Je vais m'en occuper. Merci, ajoutai-je pour la congédier.

Elle s'éclipsa aussitôt, tandis que j'enfilais une paire de gants en latex. Connor me fixait de son œil valide, une lueur d'inquiétude y brillant. Je l'aidai à s'asseoir, puis, sans rien dire, j'entrepris de défaire le premier bouton de sa chemise.

— Je peux le faire, murmura-t-il en repoussant ma main.

— Avec ton poignet cassé ?

Il abdiqua dans un soupir et lentement, un à un, je défis les boutons de sa chemise. Ma main gantée passa sur son torse, repoussant le tissu sur ses épaules, avant de la retirer délicatement. Connor ferma les yeux, réprimant une nouvelle vague de douleur.

— Pardon, soufflai-je. Je vais désinfecter ton visage.

Le cœur battant la chamade, j'imbibai une compresse. Je m'installai entre ses jambes, avant de tamponner son arcade sourcilière. Connor posa sa main valide sur ma hanche, m'attirant un peu plus contre lui. Je me concentrai sur ma tâche, nettoyant la coupure qui barrait son sourcil.

— Tu vas avoir besoin de points, indiquai-je.

— Ça me fera un souvenir, railla-t-il. Depuis quand veux-tu être infirmière ?

— Toujours, sûrement. Mon père aurait préféré que je sois médecin. Mais je crois que je préfère être proche des patients.

— Dois-je préciser que je suis vraiment heureux de ton choix de carrière en ce moment ?

— Et je suis heureuse du tien. Surtout quand tu prépares des macaronis au fromage. Tu as mal ? m'enquis-je en sentant sa main se resserrer sur ma hanche.

— C'est supportable.

Je préparai une nouvelle compresse, la passant sous son nez, puis sur sa lèvre enflée. Connor se tendit, les yeux braqués sur moi. Je déglutis lourdement, mon visage balayé par son souffle court. Je me redressai prudemment et retirai mes gants. La tête de Connor tomba lourdement contre ma poitrine, un profond soupir lui échappant.

Si on oubliait l'odeur piquante de l'hôpital, son visage en sang et le grincement intempestif de la table d'auscultation en similicuir, le moment était parfait. Du moins, parfait pour notre relation bizarre.

— Explique-moi, murmurai-je en passant la main dans sa chevelure. Pourquoi a-t-il fait ça ?

— Parce que j'ai brisé la règle.

— Quelle règle ?

— C'est une longue histoire. Et ça risque de te mettre en colère pour de bon contre moi, soupira-t-il en redressant la tête pour sonder mon regard.

— Ça ne sera pas la première fois.

— Je crains plutôt que ce ne soit la dernière.

De sa main valide, il détacha la mienne de ses cheveux et me repoussa doucement. Ces allers-retours entre moment de tendresse et rejet commençaient à me donner une vague nausée. J'avais passé les deux derniers jours à l'hôpital, espérant naïvement qu'il finirait par craquer, fleurs à la main, pardon aux lèvres pour me supplier de revenir.

Force était de constater que ma vie n'était toujours pas une comédie romantique. Connor n'était jamais venu, j'avais passé l'éponge — comme toujours, malgré moi — et nous avions repris notre amitié bizarre.

Je suis amoureuse d'un crétin, l'anti-prince charmant, président des lâches et responsable présentement d'un début de migraine. Moche au possible et imprévisible.

— Vivre avec toi est un enfer, commenta-t-il.

— Ce n'est que provisoire.

— Ça ne rend pas la chose plus simple, au contraire. Je vivais très bien avant toi, maintenant, je ne suis plus certain de pouvoir vivre sans toi.

— Sans moi ou sans mon café ? m'enquis-je en trouvant finalement son regard.

— Toi. Définitivement toi. Tu es devenue mon enfer personnel. Celui que j'essaye de fuir à tout prix.

Un hurlement d'enfant me fit sursauter. J'activai mes quelques neurones encore vaillants : ceux qui n'étaient pas énamourés de mon colocataire, ceux qui avaient résisté à la bière et ceux qui n'avaient pas été grillés par les baisers de Connor. Je cherchai une explication, un lien, une logique à cette conversation.

— T'embrasser est un enfer, poursuivit-il.

— Tu n'es pas certain de pouvoir vivre sans ? m'étonnai-je dans un rire.

— Exactement.

Mon rire mourut dans l'instant, dispersé par son air sérieux. Il se leva de la table, pendant que, tétanisée, je le fixais. Il approcha de moi, félin et l'air plus déterminé que jamais. Une vague de panique creusa mon estomac, qu'allait-il encore faire ?

Il prit mon visage en coupe avec sa main non blessée et son regard insondable plongea dans le mien. Mon cœur frappait dans ma poitrine, menaçant d'exploser, mes jambes tremblèrent et finalement sa bouche effleura la mienne, la caressant avec douceur.

— Te repousser est un enfer. J'aime ta présence, j'aime ce que nous sommes.

— Ce que nous sommes ?

— Le truc pas ordinaire, dit-il en souriant. J'aime ça.

Connor souda son front au mien, sa main libéra mon visage et risqua un faible sourire. J'en esquissai un à mon tour, une bouffée de joie m'envahissant dans l'instant.

Alors, c'était donc ça, les comédies romantiques : le héros indécis, l'héroïne amoureuse, la déclaration romantique aux urgences, le nez cassé, les macaronis. *Je prends. Je prends tout !*

— C'est pour ça qu'Austin m'a frappé, avoua-t-il dans un murmure à peine audible. Je... Maddie, ce que nous faisons, ce n'est pas... autorisé. Je n'ai pas le droit de te désirer, ni de te toucher.

Il s'écarta, me laissant hébétée au milieu de la pièce. Connor recula, scrutant ma réaction, puis retourna s'asseoir sur la table d'auscultation.

— Comment ça, « pas autorisé » ?

— Austin est mon meilleur ami, mon plus vieil ami, la rare personne au monde qui me comprend.

— J'ai peur de ne pas saisir.

— Sans lui, je n'aurais jamais quitté Morton, je n'aurais jamais été cuisinier. J'ai juré à Austin que je ne te toucherais pas. Que je resterais loin de toi.

Je battis des paupières, refoulant les larmes qui menaçaient. Je fis de nouveau un pas en avant, fixant avec colère le visage tuméfié de mon colocataire.

— Tu n'étais pas... prévue, reprit-il. Tu étais tellement jeune. Jamais je n'aurais cru que ce pacte...

— Jeune ? Je suis arrivée au loft il y a deux mois. Et de quel pacte parles-tu ?

— Maddie, j'ai fait cette promesse à Austin il y a plus de dix ans ! C'était une promesse en l'air à l'époque. Il s'agissait de Sophia et de lui, je ne voulais pas qu'il touche à ma sœur.

— Alors vous... vous avez fait...

— Un pacte.

J'étais ahurie, terrassée par un mélange de stupéfaction et de colère insidieuse. Ma poitrine se comprima douloureusement, et je ne parvenais pas à saisir si j'étais triste ou soulagée par son aveu.

— On ne touche pas aux sœurs, précisa Connor. Il ne touche pas à Sophia et... je reste loin de toi. C'est la règle.

— La règle ? ricanai-je. Vous ne vous êtes pas dit qu'un jour ou l'autre nous aurions peut-être notre mot à dire sur le sujet ?

— Je voulais protéger ma sœur !

— La protéger de quoi ? Tu sais à quel point Austin adore ta sœur ! Il a le béguin pour elle depuis des années !

— Austin enchaîne les filles, il ne retient même pas leurs prénoms ! s'emporta-t-il.

— Ne compte pas sur moi pour te féliciter de cette répugnante différence entre vous deux. Tu écris leur nom dans le creux de ta main !

— Pas le tien, fit-il remarquer.

— Et je dois me sentir flattée ? criai-je. Tu as passé ton temps à me fuir et j'ai passé le mien à me demander ce qu'il se passait. Pourquoi ne m'en as-tu pas parlé avant ?

— Parce que je me doutais de ta réaction ! Parce que tu n'étais pas prévue, parce que depuis que tu as débarqué au loft je suis incapable d'avoir un raisonnement cohérent. Peut-être même que ça date d'avant, de notre première nuit.

J'éclatai d'un rire amer et dur, toisant Connor du regard. Maintenant, tout prenait sens : sa réaction au chalet, ses variations d'humeur, la façon dont il me repoussait. J'étais tellement en colère contre lui, contre Austin.

— Parce que tu es lâche, ajoutai-je. Je n'aurais peut-être pas dû arrêter Austin, finalement.

— Il avait raison de me frapper. Maddie, j'ai déjà trahi plusieurs fois ma promesse envers lui. Chaque fois que je t'embrasse, chaque fois que tu me souris, et même chaque fois que je te regarde, je trahis Austin et notre promesse.

— On a déjà couché ensemble, lui rappelai-je.

— C'est vrai. Et si j'avais su qui tu étais, ça ne se serait jamais produit !

Je ris de nouveau, stupéfaite de son raisonnement. Le choc de la révélation laissait maintenant place à l'amertume et à une montée violente de rage. Je fermai les poings, reprenant mon souffle.

— Est-ce que tu le regrettes ?

— J'aimerais bien. Ça me faciliterait la tâche !

— Pourquoi me parles-tu de ce pacte maintenant ?

— Parce que je ne veux pas que tu t'en prennes à Austin. C'est moi qui suis à l'origine de cette idée.

— Ce n'est pas la plus brillante que tu aies eue.

— Je protège Sophia et je refuse de trahir de nouveau Austin. J'aime être avec toi, Maddie, j'aime t'embrasser — j'adore ça —, j'aime te sentir contre moi, j'aime savoir que nous avons ce truc improbable entre nous, mais chaque fois, après coup, je me sens minable et déloyal envers Austin.

— Vivre avec moi est un enfer, murmurai-je.

— Mon enfer, acquiesça-t-il. Chaque moment avec toi me rend à la fois heureux et triste. Et même maintenant, ricana-t-il, j'espère que tu vas me pardonner, j'espère que tu vas comprendre et à la fois, j'espère que non.

— Ça rendrait les choses tellement plus faciles, conclus-je. Parce que je mérite *tellement* mieux, raillai-je.

— En effet.

— Est-ce que je suis une proie ? demandai-je finalement.

— Tu n'as jamais été une proie. Tu es intelligente, brillante et pénible, n'importe quel homme serait ravi de sortir avec toi. Tu as raison, tu mérites mieux. Beaucoup mieux.

Je passai une main sur mon visage, tentant de réfléchir calmement à la situation. J'avais envie de gifler Connor et encore plus envie de retourner au loft pour émasculer définitivement Austin. De quel droit avait-il pris cette décision ? Comment avait-il pu croire que cela fonctionnerait ?

Ah, oui, je n'étais pas prévue. Piètre excuse qui sonnait atrocement faux.

Je devinai le regard de Connor sur moi, guettant une réaction appropriée. J'aurais pu crier, l'insulter, le frapper, voire même l'achever, mais j'étais clouée de stupéfaction, plantée dans cet hôpital à me dire que toute cette histoire n'était que cruauté et bêtise.

— Vous avez terminé ? fit la voix d'Ashley derrière le rideau.

— Oui, soupirai-je.

— Pour l'instant, ajouta Connor pendant qu'Ashley faisait irruption dans la pièce.

— C'était très divertissant comme conversation, commenta mon amie.

— La ferme, Ash, sifflai-je, cinglante.

Connor s'allongea sur la table et tourna le visage vers le mur. De toute évidence, il cherchait à éviter la poursuite de notre discussion. Personnellement, je m'interrogeais : devais-je vraiment rester ici, à contempler le désastre et à me complaire dans le rôle de l'idiote docile ? L'idée de déguerpir et de laisser Connor au milieu des éléphants et des girafes était tentante.

Mais je refusais de lui faciliter la tâche. J'allais rester pour être certaine de finir notre conversation.

— Alors, Connor, fit une voix masculine de derrière le rideau. On me dit que tu t'es fait mal à la tête ?

Markus apparut dans la pièce, le nez plongé dans un dossier papier, n'ayant absolument pas remarqué que son patient avait digéré sa puberté depuis quelques années. Connor émit un gémissement de désespoir pendant que je lançais un regard consterné à ma meilleure amie.

Ex-meilleure amie serait plus juste.

— Surprise ! chantonna-t-elle avec une joie forcée.

Markus leva finalement les yeux vers moi, la stupéfaction se peignant sur son visage. Il me détailla rapidement : mon visage blafard, mon T-shirt maculé de bière, mon pied gauche tapant furieusement au sol.

— Bonsoir, Madeline, lança-t-il poliment.

— Bonsoir, répondis-je, mal à l'aise et surprise de le voir ici.

Il risqua un sourire, mais masqua mal son dédain. Quelles étaient les règles de courtoisie envers un ex-petit ami ?

Petit ami aurait été plus juste : officiellement, nous n'avions pas rompu.

— Qu'est-ce que... Tu étais à la soirée d'Aus...

— J'ai été bipé pour une collision massive sur l'autoroute. Ce qui a donc ruiné ma soirée. C'était presque aussi désagréable que de voir ma petite amie embrasser un autre homme.

Markus était loin d'être idiot et, à voir son regard passer de Connor à moi, je sus qu'il savait.

— Un fabuleux spectacle, ironisa-t-il. Et voilà que je retrouve Connor. En pédiatrie, ajouta-t-il en jetant un regard désapprobateur à Ashley.

— C'était une urgence, lançai-je en avançant vers Markus. Elle m'a rendu service.

— Comme lui t'a rendu service aussi ? répliqua-t-il sèchement.

Je savais que Markus nous avait vus, c'était le but de ce baiser fiévreux avec Connor. Et pendant que je m'étais débattue avec Austin et avais maudit tous les feux rouges de la ville, Markus avait tranquillement répondu à son biper. Vu sa passion pour la course automobile — justification officielle de l'achat de sa nouvelle Porsche —, il avait dû faire en dix minutes ce que j'avais péniblement parcouru en trente avec mon tacot.

Ashley se dandinait, mal à l'aise. Connor nous dévisageait l'un après l'autre et je devais admettre une certaine jubilation à l'entendre maudire son karma. Bien qu'imprévue, l'arrivée de Markus avait un petit goût de vengeance. Ce dernier s'approcha de mon colocataire et sortit une lampe de la poche de sa blouse.

— Fixe, titi, ordonna-t-il en désignant un porte-clés accroché en haut de sa blouse.

L'amusement se peignit sur son visage pendant que Connor, en bougonnant, se redressait péniblement sur la table. Il me jeta un regard consterné, avant de s'exécuter. Markus examina ses yeux. Un silence parfait se fit, finalement troublé par le biper d'Ashley.

— C'est la réa, soupira-t-elle.

— Allez-y, Ashley. Madeline m'aidera pour les soins.

Je me retins de le corriger sur mon prénom. L'atmosphère était déjà suffisamment suffocante. Je lançai un regard à Ashley, qui réajustait son stéthoscope autour de sa nuque.

— N'hésitez pas à me rappeler pour le second round, lança-t-elle joyeusement en quittant notre zone.

Ashley venait de gagner un nouveau titre honorifique : elle serait officiellement Ashley-l'ex-meilleure-amie-sans-domicile-fixe à la fin de sa garde.

Markus reprit son examen, étudiant la plaie sur l'arcade sourcilière, puis le nez de Connor. Il passa son pouce et son index sur l'arête, vérifiant la gravité de la fracture.

— Prépare-moi un kit de suture, s'il te plaît.

— C'est vraiment nécessaire ? s'enquit Connor, peu convaincu.

Markus ne prit pas la peine de répondre, pendant que j'ouvrais le kit. Il tira un tabouret devant la table et enfila une paire de gants. Je désinfectai de nouveau la plaie, récoltant un faible sourire de mon colocataire.

— Il faut trois points.

— Je croyais que tu étais étudiant ? s'étonna Connor.

— Je serai diplômé dans trois mois et je suis ta meilleure option à cette heure-ci.

Markus attendit une réponse de Connor, mais rien ne vint. Leurs deux ego s'affrontaient silencieusement, Connor vissé sur cette table d'auscultation, Markus les yeux rivés sur lui, une aiguille stérile à la main.

— Allonge-toi, conseillai-je à Connor. Je vais mettre un champ, le temps de la suture.

Le visage partiellement masqué, mon colocataire finit par se détendre. Markus prit un temps infini pour examiner la plaie, rapprochant les bords avant de faire le premier point. Connor étouffa un juron et sa main valide broya la mienne. Malgré le champ, je devinais que son visage se tordait de douleur.

— Je vais anesthésier, proposai-je.

— Inutile, il ne s'agit que de trois points, m'arrêta Markus.

— Il souffre !

— C'est un patient, Madeline ! Prends du recul ! s'emporta-t-il avec violence.

J'encaissai, choisissant de m'en tenir au lien hiérarchique entre Markus et moi. Je serrai la main de Connor, me félicitant finalement d'être restée avec lui.

— Je ne savais pas que tu étais en pédiatrie, dis-je finalement pour apaiser la situation.

— C'est mon dernier stage, je ne compte pas faire carrière.

— Tu as définitivement opté pour la neurochirurgie ?

— Définitivement, s'esclaffa-t-il. Et me voilà à faire une suture... Où dois-tu faire ton stage ? s'enquit-il en nouant le deuxième point.

— Oh... euh... Californie, murmurai-je en jetant un coup d'œil à Connor.

Au même instant, sa main lâcha la mienne. Un nouveau juron lui échappa, justifié par le dernier point que Markus réalisait.

— Dans deux mois, c'est ça ?

J'acquiesçai, incapable de prononcer le moindre mot. Un sourire s'afficha sur les lèvres de Markus et je compris finalement qu'il était satisfait des effets de sa torture. J'avais la vague sensation d'affronter le peloton d'exécution.

— J'ai besoin d'un pansement, ordonna-t-il en tendant la main. Vas-tu m'expliquer ce qu'il s'est passé ?

— Je... Enfin...

Markus retira le champ, admirant son travail minutieux avant d'apposer délicatement un pansement. Mon colocataire me lança un regard et j'y détectai une pointe de fureur : je n'avais pas encore eu l'occasion de lui parler du stage. Du stage en Californie.

— Alors ? reprit Markus. Il a trébuché avant d'atteindre le lit ?

Mon regard passa de Markus à Connor. C'était le moment où je devais assumer, où je devais me montrer plus mature que mon colocataire. La voix de ma conscience — ou peut-être était-ce Ashley derrière le rideau — me disait que la situation ne pouvait pas être pire. Par ailleurs, Connor m'avait demandé une explication à mon comportement par trop amical, autant la lui fournir avec détachement et sérénité.

— Ou peut-être a-t-il tenté de te prendre contre le mur ?

— « Il » est là, lui rappela Connor.

— Moi aussi, j'étais là ce soir, rétorqua Markus. Même si, de toute évidence, je suis parti avant le grand final.

Les yeux de Connor se braquèrent sur moi et, aussitôt, il fit le lien. Détachement et sérénité avaient pris la poudre d'escampette, pourchassés par panique et mortification. Connor savait pourquoi je l'avais embrassé. Au regard qu'il me lança, je devinai plus de l'amusement que de la colère. Les hommes et leur testostérone !

Markus passa de nouveau son index et son pouce le long de l'arête du nez de Connor, ce dernier grimaçant de douleur. Je poussai un profond soupir, lasse de ce jeu ridicule entre nous trois.

— Tu m'as surprise, expliquai-je.

— Surprise ? Et donc, tu as bondi sur ton colocataire ? La fracture n'est pas déplacée, commenta-t-il. Elle se consolidera seule.

— Génial, marmonna Connor.

— Il faudra éviter tout contact un peu trop... chaleureux, recommanda Markus en me lançant un regard.

— Je vais tâcher d'être moins irrésistible, se moqua Connor.

Markus examina ensuite son poignet, décrétant qu'une attelle suffirait. Il l'installa aussitôt, Connor râlant et pestant comme seuls les hommes savent le faire.

— Il faut garder les points quatre jours, et il faudra revenir ici pour les retirer. Sauf si, par une heureuse *surprise*, Madeline souhaite s'en charger...

— C'est Maddie ! éructai-je avec agacement.

— Pour le poignet, il faut compter un bon mois.

Il se leva de son tabouret et retira ses gants dans un claquement sonore. Je retirai ma main de celle de Connor et m'empressai de suivre Markus dans le couloir.

— Si tu ne voulais plus me voir, il suffisait de me le dire, cracha-t-il. Tu as finalement préféré te servir de ton colocataire comme alibi ?

— C'était plutôt toi, l'alibi, ricanai-je.

— Que se passe-t-il au juste entre vous deux ?

— La question à un million de dollars ! Je ne sais pas, soupirai-je. Personne ne sait et je doute de le savoir un jour, ajoutai-je en repensant à la révélation du pacte entre mon frère et Connor.

— Il n'est pas un peu vieux pour toi ?

— La ferme, grognai-je en retournant auprès de Connor.

— De rien, Madeline ! s'exclama-t-il avant de partir dans un rire tonitruant. Je vous libère !

Quand je retrouvai Connor, il était debout et tentait

d'enfiler sa chemise. Il grimaça et, après une dernière et vaine contorsion, abandonna.

— Laisse-moi t'aider, proposai-je.

— Tu n'es pas censée être fâchée contre moi ?

— On en reparlera plus tard, éludai-je en lui mettant son vêtement. Comment te sens-tu ?

— Idiot.

— Je ne vais pas te contredire.

— Pourquoi fais-tu ça ? demanda-t-il pendant que je boutonnais sa chemise.

— Laisse-moi le plaisir de savourer quelque chose que personne avant moi n'a jamais fait.

— J'hésite : marchander deux bières contre une paire de seins, me traîner aux urgences, assister à mon agonie...

— T'habiller. La majorité des femmes doit te déshabiller, c'est donc un privilège. Mais je suis toujours en colère contre Austin et toi. Et je vais devoir appliquer des sanctions drastiques.

Connor me suivit alors que je sortais des urgences. Il n'était pas loin de 5 heures du matin, Connor semblait éreinté — et passablement esquinté —, j'étais fatiguée et en colère et pourtant, voir l'aube se lever au-dessus des buildings nous tira à tous les deux un sourire.

— Au sujet de ces mesures drastiques, annonçai-je après avoir démarré la voiture : tu es privé de café pendant un mois.

— Quoi ? Mais...

— Pas de filles !

— Vu mon état, je ne me faisais pas d'illusions !

— Ménage dans l'appartement et un plat à mon intention chaque soir de garde ! Et tu me dois une soirée de grande cuisine à la soupe populaire !

— Quand je pense que tu as abusé de moi !

— Si tu oses dire que tu n'as pas apprécié, je te réserve le même destin de castrat qu'à Austin, le menaçai-je.

— Tu fais ça souvent ?

— Punir des hommes ?

— Faire de ma vie un enfer !

Nous échangeâmes un sourire, ma colère contre lui s'estompant progressivement. Même avec le nez cassé, même avec ce pansement horrible, c'était Connor. Je montai le son de l'autoradio, un rire incontrôlable m'échappant alors que résonnait *Mr Boombastic.*

A notre retour à l'appartement, tout n'était que dévastation et désordre. Des bouteilles au sol, des chips écrasées, un coéquipier d'Austin nu et ivre mort sur le canapé et une odeur douteuse, mélange de transpiration et de pizza quatre fromages.

— La première partie de ta punition est à effet immédiat, rappelai-je à Connor.

Le dimanche qui suivit, après avoir enchaîné un service avec Connor et une garde éprouvante, je rentrai à l'appartement dans un état semi-comateux. Je n'aspirais qu'au repos, au calme et au silence absolu.

Officiellement, je boudais toujours Connor et Austin.

Surtout Austin : Connor ayant le grand talent de préparer un délicieux parmentier de canard et de se dandiner torse nu dans l'appartement. Je suis faible dès qu'il s'agit de nourriture... et de Connor. Ce dernier appliquait néanmoins à la lettre ses punitions. Après l'aveu théâtral à l'hôpital, il avait opté pour une nouvelle stratégie : il ne cessait de me rappeler que « je n'étais pas prévue ».

Ce qui, dans son esprit tordu, devait signifier que cela rendait cette histoire de pacte moins ridicule. Mais elle l'était. Elle était non seulement ridicule, mais aussi rétrograde, misogyne, injuste et frustrante. Sans mention inutile à rayer dans cette liste. Je détestais ce pacte et je détestais encore plus que Connor ait fait allégeance à cette promesse idiote.

Je n'avais pas encore eu l'occasion de parler à mon frère, aussi, quand je tombai nez à nez avec lui, habillé d'un peignoir dans la cuisine, je pris conscience que je ne trouverais pas un meilleur moment pour me confronter à lui et lui dire ce que je pensais de ce pacte à la noix. Entre deux matchs, il pouvait bien m'accorder cinq minutes.

— Hey ! le saluai-je tout en posant mon sac à dos sur le bar de la cuisine.

— Salut, sœurette. Garde difficile ? demanda-t-il après un rapide coup d'œil à mon visage marqué par la fatigue.

— Oui. Connor est passé pour faire retirer ses points.

Mon frère se tendit et se saisit d'une bouteille d'eau. Il eut un petit sourire, comme s'il se régalait du souvenir de son poing s'écrasant sur le visage de son meilleur ami.

— Ça lui fera un souvenir, dit-il en souriant.

— C'est aussi ce qu'il a dit. Lui as-tu parlé dernièrement ?

— Pas depuis la soirée, avoua-t-il sans honte. Je lui ai laissé jusqu'à la fin du mois pour quitter l'appartement.

— Tu plaisantes ?

— Ai-je l'air de plaisanter ? Il a deux semaines pour décamper.

— Pour m'avoir embrassée ?

— Tu ne peux pas comprendre, éluda-t-il.

— Je suis au courant pour le pacte et c'est tout bonnement ridicule. C'est moi qui l'ai forcé, c'était juste pour faire comprendre à Markus que...

— Markus ? Qui est Markus ?

— Un brillant participant à ma dernière nuit de débauche !

Austin poussa un profond soupir, avant de contourner le bar pour se diriger vers sa chambre. Il prenait la fuite ! Je le suivis, l'attrapant par la ceinture de son peignoir. Il se retourna, me lançant un regard furieux.

— Je n'ai pas terminé, dis-je avec détermination.

— Moi, si. Connor partira d'ici la fin du mois, fin de la conversation.

— Pour une promesse ridicule qui remonte à plus de dix ans. Il y a prescription !

— Connor est à l'origine de cette promesse, je suggère donc que tu lui dises à quel point tu la trouves ridicule.

— Je le lui ai déjà dit. Et lui au moins l'admet !

— Il l'admet parce qu'il cherche à te mettre dans son lit ! s'écria Austin. Connor n'a pas le droit de te toucher. Il l'a juré. Connor n'est pas un type bien, il collectionne les filles.

Son regard s'adoucit et, brusquement, le souvenir d'Austin me protégeant de tout et me sauvant de n'importe quoi quand j'étais enfant me revint. Pourtant, quelque chose ne collait pas : Austin semblait déterminé à finir au plus vite cette conversation.

— Je ne vois pas en quoi son comportement avec les femmes est moins acceptable que le tien !

— Je n'ai pas dit qu'il l'était. Je dis juste que tu es ma sœur et que tu mérites mieux que Connor.

— Comme Sophia mérite mieux que toi ? le provoquai-je.

— Il ne s'agit pas d'elle, mais de toi.

— Tu as pourtant toujours le béguin pour elle, affirmai-je avec conviction.

— Possible, avoua-t-il. N'approche pas Connor, me recommanda-t-il.

— Ne le force pas à partir d'ici.

— Ce n'est pas négociable. Il savait qu'en te touchant il prenait un risque.

— C'est injuste de lui faire quitter l'appartement. Vire-moi, moi ! Je suis à l'origine de ce baiser...

— N'approche pas Connor. Tu t'y casserais les dents : il est incapable d'avoir une relation avec quelqu'un !

— Tu as une relation avec lui, fis-je remarquer.

— Incapable d'avoir une relation avec quelqu'un qui a un vagin, précisa-t-il. C'est dans sa nature ! De toute façon, il est beaucoup trop vieux pour toi !

— Il n'est pas *si* vieux que ça !

— Maddie, il s'envoyait les deux filles du pasteur de Morton que tu avais encore des couches !

Je grimaçai. Parler de notre différence d'âge en évoquant ma période baveuse et babillante était injuste. Et imaginer Connor avec les deux filles du pasteur était insoutenable.

— Il est vieux à ce point, renchérit Austin en me voyant faire la moue. Crois-moi, Maddie, tu mérites mieux !

Il ouvrit la porte de sa chambre, mettant ainsi fin à notre conversation. J'eus un moment d'hésitation, cherchant à trouver la faille dans l'argumentation de mon frère. Austin plaçait la loyauté au-dessus de tout et ne supportait pas qu'on brise sa confiance. Plaider la cause de Connor ne servait à rien.

Il entra dans sa chambre et, à l'instant où il s'apprêtait à refermer la porte, un mouvement furtif, une ombre peut-être, accrocha mon regard. Malgré la fatigue et ma conversation orageuse avec mon frère, je compris.

Je poussai violemment la porte, profitant de l'effet de surprise.

— Salut, fit timidement Sophia.

En sous-vêtements dans la chambre de mon frère, elle récupérait méthodiquement ses habits éparpillés au sol. Austin passa une main nerveuse sur sa nuque, avant de pivoter vers moi.

— Je vais t'expliquer, lança-t-il, pendant que, sous le choc, je reculais vers la porte.

— Je ne suis pas certaine de vouloir savoir ! soufflai-je en les désignant tour à tour de mon index.

— Maddie ! s'écria mon frère alors que je me dirigeais vers ma chambre.

— Austin, c'est non ! Je ne veux rien savoir, ni sur toi ni sur Sophia. Couchez ensemble, mentez à Connor autant que vous voulez, mais ne me demandez pas de lui cacher la vérité.

Je pivotai finalement vers mon frère, une sourde colère menaçant de me faire perdre le peu de contrôle qu'il me restait. Comment osait-il me faire la morale ? Comment osait-il me mentir aussi facilement ?

— Tu lui as cassé le nez ! m'énervai-je finalement. Tout ça pour quoi ? Préserver ta précieuse couverture et lui mentir sans sourciller ?

— Il ne comprendrait pas, Maddie !

— As-tu tenté de lui expliquer ? m'enquis-je alors que Sophia apparaissait derrière mon frère, boutonnant maladroitement son chemisier. Tu es amoureux d'elle ?

— Tu l'as dit toi-même, j'ai toujours eu le béguin pour elle.

— Je ne te parle pas d'un simple béguin. Est-ce que coucher avec elle est un motif suffisant pour ruiner une amitié de plus de quinze ans ?

Devant le silence éloquent de mon frère, Sophia prit les devants, agrippant la main d'Austin dans la sienne. Le regard qu'elle lui lança aurait collé une overdose à Cupidon même.

— Nom de Dieu ! jurai-je.

— Ne lui dis pas, s'il te plaît, supplia Sophia. Austin a raison, Connor ne comprendrait pas.

Au concours du plus lâche, il y avait trois ex æquo. De la part de Sophia, cela me stupéfia. Elle me semblait si indépendante, si franche, si honnête — en particulier avec son frère — que la prendre en flagrant délit de mensonge brouillait mes repères.

— Connor ne part pas d'ici, affirmai-je.

Sophia m'offrit un sourire, comprenant que leur secret était sauf. Mais le ridicule absolu de la situation ne m'échappait pas.

— Vous avez un mois pour tout lui dire, sinon, je le ferai.

Ils se figèrent de surprise, muets. Sans attendre leur réaction, je me réfugiai dans ma chambre. Je m'effondrai sur le lit, trouvant un livre sur mon oreiller. Connor avait déposé un vieil Agatha Christie, estampillé d'un « Ce soir : toi, moi et le canapé ». Il jouait de nouveau la carte de l'amitié. De nouvelles excuses, sous une nouvelle forme, un simple geste d'affection qui me fit sourire. J'étais vraiment amoureuse d'un crétin.

Désormais, ma relation bizarre avec Connor prenait un nouveau tournant ; pas vraiment un retour à la case départ, pas vraiment une avancée, juste une bifurcation supplémentaire.

— Parfait, maintenant, on va faire selon *mes* règles, murmurai-je.

J-106

Pathologie : mythomanie aggravée.

Pronostic vital : tout va bien, tout va bien...

Chapitre 9

Si elle était une qualité ?
La confiance. Surtout en moi.

— Ton plan de financement me semble correct, commenta Sophia en compulsant le dossier devant elle.

— Que penses-tu du montant des investissements ?

— Tu as raison de mettre un montant élevé. Dans tous les cas, on pourra le réviser quand tu auras fait ta contre-visite.

Sophia et moi étions debout, examinant méticuleusement les documents administratifs et financiers que j'avais posés sur une des tables du restaurant. Nous étions en milieu d'après-midi et la salle était vide. Une serveuse déposa nos cafés sur la table, nous faisant lever le nez. Elle m'offrit un petit sourire avant de s'éloigner lentement. Bon sang, mais quel était son prénom déjà ? Impossible de m'en souvenir !

— Concentre-toi, murmura Sophia en frappant mon avant-bras.

— Elle me drague ! me défendis-je.

— Elle est encore étudiante, me rappela ma sœur.

— Argument infondé et non vérifié !

— Tu es vieux ! Encore quelques mois et tu finiras dans la catégorie « vieux beau » !

— Dit la femme dont les ovaires se tiennent par la main pour se sentir moins seuls !

— Un mot de plus et je te brise l'autre poignet, menaça-t-elle en me fusillant du regard. Il faut que tu augmentes ton fonds de roulement, au moins les premiers mois.

Je fixai le visage de ma sœur, concentrée sur les chiffres devant elle. Elle prit quelques notes sur un carnet, avant de sortir son portable de la poche arrière de son jean. Un léger sourire apparut sur ses lèvres, avant de disparaître aussitôt. Elle me jeta un regard, se souvenant brutalement de ma présence, avant de ranger son téléphone.

— Donc, ton fonds de roulement, reprit-elle. A mon avis, tu risques d'être juste pour les premiers achats et... Quoi ? fit-elle finalement, agacée par mon regard toujours sur elle.

— Tu sors avec quelqu'un.

Elle s'empourpra dans l'instant et j'eus quasiment une attaque. Sophia n'était pas le genre de fille qui rougissait. Sophia ne pleurait pas devant les films, elle ne perdait pas son cerveau dès qu'elle croisait un poupon et elle n'utilisait pas des mots comme « mignon » ou « horloge biologique ».

Je tirai une chaise et m'assis, digérant le choc : ma sœur était en pleine métamorphose et devenait... une fille.

— Quelqu'un que je connais ? demandai-je.

— Pas vraiment.

— Sophia, soit je le connais, soit je ne le connais pas. Le « pas vraiment » n'est pas possible !

— Cette serveuse, celle qui a apporté le café, tu la connais ? demanda-t-elle en plantant son regard rageur dans le mien.

— Sophia, ce...

— Tu la connais ? répéta-t-elle avec plus de hargne.

— Pas vraiment, admis-je à contrecœur.

Ma sœur leva un sourcil victorieux avant de croiser les bras sur sa poitrine. Bien, elle avait marqué un point, mais cela ne résolvait pas l'énigme de la transformation de Sophia.

— Tu comptes me le présenter ? enchaînai-je.

Elle éclata de rire, se régalant d'une blague que je ne comprenais pas. A son tour, elle s'assit sur une chaise et, tout en secouant la tête, reprit l'étude des documents.

— Connor, tu es hilarant, mais je crois que nous devrions reparler de ton besoin en fonds de roulement.

— Ma petite sœur sort avec un homme et... Attends, c'est bien un homme ? m'enquis-je soudainement.

— C'est un homme, confirma-t-elle. Je n'ai pas très envie d'en parler, c'est compliqué.

— Marié ?

— Il vit avec quelqu'un.

Je poussai un profond soupir. Sophia était la fille la plus intelligente du monde. Brillante, drôle, sublime, ma sœur attirait les regards. Mais, concernant sa vie amoureuse, elle attirait toujours la crème des crétins et cela finissait invariablement dans des larmes et une séance intensive de kick-boxing.

— La situation ne va pas durer, il doit lui parler.

— Dans combien de temps ?

— Bientôt, répondit-elle alors que je soupirais de nouveau. Je sais ce que tu penses et je n'ai pas besoin que tu me fasses la leçon ! Je suis amoureuse de lui, murmura-t-elle.

— C'est vraiment sérieux alors ?

— Oui. Je... Ecoute, je sais que tu es persuadé qu'aucun homme n'est suffisamment bien pour moi, mais je t'assure que c'est vraiment un mec bien. Je sais que ça peut fonctionner et je suis certaine que tu l'apprécieras.

— Alors quoi, c'est le genre relation exclusive avec fiançailles dans un an ? ironisai-je.

— La dernière fois que j'ai vérifié, il ne s'agissait pas d'une maladie contagieuse ! rigola-t-elle à son tour.

— Dieu merci !

— Ça t'arrivera un jour, tu sais !

— Peux-tu, s'il te plaît, cesser de balancer des insanités dans *mon* restaurant ?

Nous rîmes de concert et je décidai de ranger mes documents. J'avais la tête lourde des révélations de ma sœur, des bilans comptables et des projections financières sur lesquelles nous avions travaillé. Je jetai un coup d'œil à ma montre, remarquant l'heure déjà avancée.

— Un rendez-vous ? demanda ma sœur en enfilant son manteau.

— Une punition, corrigeai-je. Maddie a appris pour le... pacte entre Austin et moi.

— Ah, oui. Le fameux nez cassé ! J'espère que tu as eu mal !

— Merci de ta compassion légendaire. Oui, j'ai eu très mal. Mais je l'ai mérité. J'ai rompu le pacte.

— Y a-t-il quelque chose entre Maddie et toi ?

— Oui. Un mur mitoyen. Je dois y...

— Attends. Tu es certain qu'il n'y a rien entre Maddie et toi ?

— Laisse-moi réfléchir : il y a le pacte. Oh ! et le mur donc !

— Tu veux dire que sans le pacte...

— Sans le pacte, Austin se serait jeté sur toi. Maddie m'a embrassé pour rendre son mec jaloux. Point barre.

— Ce pacte est débile, renchérit ma sœur. Comment a-t-elle réagi ?

— Je suis puni : puni de café et puni de filles !

— Si j'étais lesbienne, j'épouserais cette fille, s'esclaffa ma sœur. Elle a tout à fait compris ton mode de fonctionnement.

— Absolument pas, elle se contente juste de me

contrarier autant que possible. Je dis noir, elle dit blanc. Et si je dis blanc, elle va finir par répondre gris. Elle est exaspérante !

— Combien de temps doit-elle encore vivre avec vous ?

— Encore quelques semaines, ensuite elle part en stage. Je compte les jours !

Sophia s'esclaffa de nouveau, alors que nous gagnions la sortie du restaurant. Je remisai mon dossier dans un sac à dos et enfilai une veste. A l'extérieur, l'air frais de mars était piquant, à peine troublé par les ondes d'excitation qu'annonçait la soirée de la Saint-Patrick. Pour l'occasion, j'avais fermé le restaurant : durant ce genre d'événement, nous ne faisions que peu de couverts et les bars alentour régalaient en bière et autres burgers les fêtards de la journée.

— Tu t'en sors bien, commenta ma sœur. A sa place, je te ferais une guerre sans merci !

— Je me suis excusé, plaidai-je. En revanche, je crois qu'elle est très en colère contre son frère. Après tout, Maddie n'était pas prévue dans ce pacte !

— C'est ça ton excuse ? Qu'elle n'était pas prévue ? Cette histoire est de plus en plus ridicule !

— Il t'a permis d'échapper au comportement déviant d'Austin !

— Tu veux vraiment qu'on débatte de « comportement déviant » ?

Elle me lança un regard empli de défi que je décidai d'ignorer. Je m'installai au volant de ma voiture. Ma grande chance, c'était que Sophia avait toujours été au courant du pacte. Elle ne l'aimait pas, le trouvait stupide et sans intérêt. Mais si elle avait appris son existence, comme Maddie, au cours d'une conversation visant à justifier mon comportement bipolaire, j'aurais certainement subi un châtiment médiéval long et douloureux.

— Il faut que j'y aille, Maddie m'attend pour la distribution de soupe populaire.

— Tu vas louper la Saint-Patrick ? s'étonna ma sœur en camouflant mal son sourire.

— J'irai boire une bière après. On reparle de cette histoire de fonds de roulement plus tard ?

Elle opina et je sortis ma voiture du parking pour rejoindre l'adresse que Maddie m'avait communiquée. La circulation était dense, perturbée par les multiples déviations et aménagements prévus pour les festivités. La ville se parait de vert, dans toutes les nuances possibles, et c'était certainement mon moment préféré de l'année. Je parvins à l'entrepôt après plus d'une heure d'embouteillages. Une longue file de bénéficiaires serpentait déjà sur le trottoir.

— Tu es en retard, attaqua Maddie en me voyant arriver.

— Il y a des embouteillages monstrueux. Et je suis diminué, lui rappelai-je en lui montrant mon poignet toujours blessé.

Maddie leva un sourcil, peu convaincue par mon explication. A vrai dire, mon poignet n'était plus vraiment douloureux et c'était plus l'attelle elle-même qui me gênait que ma blessure.

Ma colocataire dressait deux longues tablées, poussant un chariot devant elle. Elle avait un tablier rouge vif et ses cheveux étaient remontés dans un chignon emmêlé.

— Viens m'aider, ordonna-t-elle.

Je passai les deux heures suivantes à lui obéir religieusement. J'appliquai ma punition à la lettre, en espérant qu'ainsi ma relation avec Maddie devienne moins chaotique. J'avais prévu, à la fin de la soirée, de lui faire découvrir la ville. C'était une mauvaise excuse pour passer du temps avec elle et cela me rappela le mensonge éhonté auprès de ma sœur.

Oui, je comptais les jours, mais c'était dans la crainte de la voir partir.

Maddie faisait partie de ma vie désormais, elle hantait

mon quotidien, préparait mes cafés et squattait mon canapé. Austin aurait pu m'anéantir que cela n'aurait rien changé.

Je voulais être avec elle.

Je la voulais.

J'espérais que ce soir marquerait un nouveau départ à notre relation.

Curieusement, je trouvais un certain plaisir à cuisiner ici. Peut-être était-ce le rire de Maddie derrière moi, ou l'ambiance chaleureuse entre les bénévoles. Quand la soirée toucha finalement à son terme, Maddie réapparut, tout sourires.

— Merci, murmura-t-elle. Je crois que tu as bien mérité ta bière, ajouta-t-elle en en dégainant une devant moi.

Elle me jeta un regard, entre défi et amusement. J'emballai deux monstrueuses portions de macaronis dans des bols en plastique et récupérai des bières.

— Allons-y, proposai-je en enroulant mon bras autour des épaules de ma colocataire.

— Où allons-nous ? demanda-t-elle en agrippant ma taille.

— Tu verras. J'ai une surprise pour toi.

A notre arrivée devant l'immeuble où nous habitions, elle fronça les sourcils. Je garai la voiture, pris les quatre bières qu'elle nous avait dégottées, puis sortis de la voiture pour ouvrir sa porte.

— Tu sais, je m'inquiète vraiment pour les séquelles de ta petite altercation avec Austin, se moqua-t-elle.

— Il y a quelque chose que je veux te montrer.

— A moi ?

— En particulier à toi. Suis-moi, dis-je en prenant sa main entre la mienne.

Nous prîmes l'ascenseur jusqu'au dernier étage, avant de grimper une volée de marches jusqu'au toit. Maddie me suivait en silence, pendant que le trac me gagnait de plus en plus. Je n'avais jamais amené personne ici. Même

Austin n'était pas au courant de ce refuge. Je posai les bières près de la porte.

— Ferme les yeux ! ordonnai-je à Maddie.

— Tu n'as pas fait un truc genre une sorte de pique-nique improvisé avec des bougies, hein ? s'inquiéta-t-elle quand je posai les mains sur ses yeux.

Elle marcha prudemment, tendant les mains en avant pour conserver son équilibre.

— Tu ne vas pas me jeter du toit, hein ?

— Ne me tente pas ! Avance ! commandai-je toujours derrière elle.

Parvenu à l'autre extrémité du toit, je nous arrêtai. J'intimai à Maddie de garder les yeux fermés, courant pour aller récupérer nos boissons.

— Et ne triche pas !

— Sinon quoi, tu vas me punir ? hurla-t-elle, hilare.

Je me postai face à elle, m'amusant silencieusement de ses paupières closes. Ses cheveux volaient en tout sens, ses joues étaient roses de la fraîcheur nocturne. Un parfum d'humidité flottait dans l'air. Maddie se mordilla les lèvres d'impatience, me tirant un sourire.

— C'est bon ? s'enquit-elle.

— Tu me laisses allumer les bougies ?

Je retirai ma veste pour la poser au sol, déballai les bols de macaronis et décapsulai les bières. Quand tout fut installé, je revins vers Maddie, m'installant derrière elle. Je glissai mes doigts entre les siens, mon geste tendre étant récompensé d'un fou rire tonitruant de ma colocataire.

— C'est là que je suis censée dire : « Connor, je vole » ?

— Non, là, tu es censée ne rien dire du tout, murmurai-je. Ouvre les yeux.

Elle s'exécuta et un sourire grandiose barra son visage. Elle serra mes doigts un peu plus fort entre les siens, avant de faire un pas en avant. Devant elle, Chicago s'étalait. Les lumières de la ville illuminaient les ponts. Les rues étaient parsemées de touches de vert et la rivière s'écoulait sans un bruit.

— Je comprends maintenant pourquoi Austin n'a jamais voulu rentrer à Morton, commenta-t-elle.

— Tu n'es jamais montée en haut de la tour Hancock ?

— Jamais, non. Je n'ai pas eu le temps.

— Ça donne une vue sur le lac Michigan et sur toute la ville. Ici, nous ne sommes qu'au quinzième étage, c'est...

— C'est parfait, Connor. Tu viens ici souvent ?

— Quand je cherche l'inspiration. Installe-toi, suggérai-je en lui indiquant ma veste étalée au sol.

Elle s'assit prudemment avant de se saisir d'une bouteille de bière. Elle la leva vers moi, la faisant tinter contre la mienne.

— A la Saint-Patrick, lança-t-elle.

— A notre relation étrange, renchéris-je.

Elle fixa la ville illuminée devant elle et but une gorgée de sa bière. Je fixai son profil, remarquant de légères traces de fatigue autour de ses yeux. Ses traits étaient détendus et, pour la première fois depuis que nous vivions ensemble, je remarquai un grain de beauté sur sa nuque.

— Pourquoi la Californie ? demandai-je subitement.

— Oh... Ils ont un service spécialisé en pédiatrie, notamment sur la gestion de la douleur. Ce n'est pas encore très répandu dans le pays.

— Tu y vas donc juste pour te faire une expérience ?

— Je ne compte pas revenir par ici, si c'est ta question.

Elle avala une bouchée de ses macaronis, un léger gémissement s'échappant d'entre ses lèvres. Je ravalai un rire, pendant que Maddie, pivotant vers moi, se léchait la bouche avec gourmandise.

— Tu es vraiment très talentueux. Cela va vraiment me manquer quand je serai là-bas !

— C'est ce qu'elles disent toutes, fanfaronnai-je.

— Ton ego ne me manquera pas en revanche ! Et toi, pourquoi Houston ?

— Pourquoi pas ? Houston est une ville dynamique, expliquai-je après une courte pause.

— Chicago aussi.

— Je ne peux pas rester éternellement dans l'ombre d'Austin. Et j'avais cette opportunité là-bas. J'ai besoin de voir autre chose, de vivre autre chose.

— Quand pars-tu ?

— Dans quelques semaines, je pense.

En silence, nous mangeâmes notre plat, contemplant la vue devant nous et nous laissant bercer par le bourdonnement continu de la circulation.

— Pourquoi m'as-tu fait venir à la soupe populaire ? demandai-je finalement.

— Pour savoir si tu es réellement un crétin.

— Tu espères sauver mon âme ? m'esclaffai-je.

— J'espère la voir. J'espère voir quelque chose que personne n'a encore jamais vu.

Son visage était tellement sérieux que je ravalai mon rire dans la seconde.

— Je ne suis pas un type bien, Maddie.

— Bien sûr que si, sinon je n'aurais pas plaidé ta cause devant Austin.

— C'est grâce à toi ? C'est toi qui l'as fait changer d'avis ?

— A qui d'autre pourrais-je pourrir la vie si tu quittes le loft ?

Elle m'adressa un clin d'œil complice avant de frissonner légèrement, ses bras se parant de chair de poule.

— Tu veux qu'on rentre ?

— Non, ça ira.

— Tu as froid.

— Ce n'est pas important quand le grand cuisinier

Connor Miller vous fait découvrir le lieu où il puise son inspiration.

— La vue me calme. Je ne me l'explique pas. Quand j'ai passé une mauvaise journée au restaurant, je viens ici et, lentement, tout se remet en place. Je déconnecte d'une réalité pour retrouver la mienne. Je suis loin du bruit, loin du monde.

— Je fais ça aussi à l'hôpital. Autant te dire que la pharmacie générale est nettement moins spectaculaire ! Et comment te vient l'inspiration ?

— Si je le savais, je ne passerais pas mon temps à la chercher, dis-je en souriant. J'ai du mal à avancer sur la carte, je cuisine mais... ça ne fonctionne pas. Je ne trouve pas l'équilibre dans les plats, je ne trouve pas le détail minuscule qui fera d'une assiette quelconque un moment de perfection. Bon sang, Maddie, tu es gelée, on va rentrer.

— Non ! Non ! Je... J'aime t'écouter.

— Viens par ici alors.

Elle s'installa entre mes jambes, son dos appuyé contre mon torse. Je frottai ses bras vigoureusement de mes mains. Je penchai légèrement la tête, son parfum ne m'était pas inconnu. J'inspirai fortement, cherchant, en vain, d'où je connaissais cette odeur. Puis, brutalement, cela me revint.

— De la fleur d'oranger, murmurai-je.

— Ashley dit que je sens la brioche, marmonna Maddie.

— Ce n'est pas désagréable, assurai-je en la serrant un peu plus contre moi.

— Maintenant, je comprends comment tu fais pour séduire toutes ces filles ! rigola-t-elle. Tu les amènes ici, tu les réchauffes et...

— Tu es la première à venir ici, la coupai-je. Je ne dévoile pas une partie de mon âme à toute la ville.

— Tu fais bien. Je ne connais pas une fille qui ne

tomberait pas amoureuse de toi après une soirée pareille. La vue, les macaronis...

— Tes lèvres bleues !

— Ta façon de ruiner le moment ! rétorqua-t-elle en tournant son visage vers moi.

— Tu ne comptais quand même pas sur moi pour t'amener au *Lobby* ? Ici, c'est nettement plus toi, plus... nous !

— Le *Lobby* n'était pas si mal pour un premier rendez-vous !

— Je n'ai aucune idée de ce à quoi ressemble un premier rendez-vous !

Maddie écarquilla le regard, incrédule. Je hochai la tête, lui faisant comprendre que je ne plaisantais pas.

— Jamais ?

— Jamais. Pourquoi ferais-je un truc pareil ?

— Pour apprendre à connaître les gens, pour... vivre une relation ?

— Je ne m'attache pas, Maddie. Ce n'est pas mon truc. Ça suppose ensuite tout un tas d'obligations.

— Comme retenir son nom ? ironisa-t-elle.

— Comme être avec elle, comme... rendre des comptes !

— Tu as une vision apocalyptique de la chose. Et je ne tiens pas à te faire peur, mais ce que tu as fait ici ce soir, avec moi, ressemble dramatiquement à un rendez-vous.

Je me crispai, me rendant compte que mes intentions allaient être mal interprétées. Je m'écartai d'elle, laissant le froid nous séparer tout à fait. Je finis ma bière, qui me laissa un goût désagréable sur la langue.

— Je sais que tu as promis à Austin, murmura-t-elle.

— Maddie, même sans cette promesse, je ne peux pas...

— Je sais, je sais... me trouver un type bien. Il s'avère, Connor, que tu es un type bien.

Elle se leva et parcourut des yeux la vue devant elle. Je me levai à mon tour et, en silence, Maddie glissa ses doigts entre les miens. La lumière était faible, mais je devinai que ses yeux brillaient étrangement.

— Vivre avec toi est un enfer, déclara-t-elle finalement. Si encore il n'y avait que la promesse que tu as faite à Austin, mais il y a toi. Toi et ta façon d'appréhender les choses, toi et ta vision affreuse de...

— Maddie, je...

— Tu ne comprends pas ? On part tous les deux dans un mois et tu m'amènes ici. Ça n'a rien d'un premier rendez-vous, Connor, tu es en train de faire tes adieux à cette ville. Et à moi par la même occasion.

— Il y a quand même de fortes chances qu'on se recroise, pondérai-je.

— C'est censé me réconforter ? Tu sais quoi ? Je ne suis même pas triste à vrai dire, je suis surtout en colère parce que tu n'as même pas essayé.

— Je ne peux pas !

— Je ne parle pas de moi. Je parle de toutes les autres filles de cette ville !

— Maddie, je t'ai emmenée ici justement parce que tu n'as rien à voir avec les autres filles de cette ville. Tu es... hallucinante et imprévisible !

— Alors essaye, supplia-t-elle dans un murmure. Essaye.

— Rentrons, tu es gelée.

Elle libéra ma main et je ramassai nos bols et les bouteilles de bière vides. Maddie saisit ma veste pour la mettre sur ses épaules et ce n'est que dans la clarté du couloir que je remarquai pourquoi ses yeux brillaient anormalement. Elle m'offrit néanmoins un sourire triste, pendant que nous attendions l'ascenseur. Je jetai mes déchets dans une des poubelles, n'osant même plus ouvrir la bouche.

Le trajet dans l'ascenseur se fit en silence. Maddie sortit ses clés pour ouvrir la porte de l'appartement et me rendit ma veste dans la foulée. Elle se débarrassa de ses chaussures, les jetant, comme d'habitude, au milieu de l'entrée. De mon côté, je retirai mon attelle, soulagé d'en être libéré.

Le loft était vide : pas d'Ashley pour détendre l'atmosphère, pas d'Austin ni de sportifs à moitié nus pour nous distraire. Ce vide et ce silence étaient oppressants.

— Je suis éreintée, je vais aller dormir.

— Maddie, il n'était absolument pas question d'adieux là-haut.

— Bien sûr que si. Mais je te félicite, c'était magnifique. Et cela n'avait absolument rien d'ordinaire, tout à fait à notre image. Bonne nuit, Connor.

Elle déposa un baiser furtif sur ma joue, m'abandonnant à mes pensées chaotiques au milieu de la cuisine. Je la suivis des yeux, tandis qu'elle traversait le salon pour gagner sa chambre.

— Maddie ? Maddie, attends, s'il te plaît, dis-je en la retenant par le coude.

— Oui ? Que...

Sa phrase mourut contre mes lèvres. Elle n'eut aucune réaction, figée dans sa stupéfaction. Quand je m'écartai, je ne ressentais ni la rage ni la culpabilité habituelle. A la place, il n'y avait que le désir brûlant qui parcourait mes veines. Et au sourire de Maddie, je compris qu'elle le sentait elle aussi. Je l'embrassai de nouveau, certain, pour la première fois depuis notre étreinte dans la voiture, que c'était la meilleure décision de ma vie.

Il n'était pas question de lui faire mes adieux, bien au contraire. Je voulais la garder ici, avec moi.

Avec elle, je voulais essayer.

J-104

Note pour moi-même : abandonner toute résistance.

Chapitre 10

S'il était une qualité ?
La générosité. Surtout dans un lit.

— Ce n'étaient pas des adieux, assura-t-il, ses yeux gris acier plongés dans les miens.

— Tu as promis à Austin, croassai-je péniblement. Tu as... Tu as promis.

— Rien à foutre !

— Tu as déjà dit ça, lui rappelai-je alors qu'il triturait une mèche de mes cheveux.

— Et je le pensais déjà. Je le pense toujours, Maddie. Je me fiche de ce que pense Austin !

J'eus un hoquet de surprise, presque choquée par le regard envoûtant de Connor. Pourtant, le souvenir de la première d'une longue série de désillusions au sujet de mon colocataire me hantait encore. La sensation d'être brutalement invisible, puis le mépris et enfin le sentiment profond d'humiliation m'avaient anéantie. Je n'avais aucune envie de revivre ça.

Son pouce passa sur ma joue, avec une douceur presque bouleversante. Malgré moi, je sentis mon cœur s'emballer, cognant dans ma poitrine et fracassant la moindre pensée cohérente. Il y avait un bon millier de bonnes raisons pour ne pas succomber. Pas maintenant, pas avec lui, pas après avoir ravalé mes larmes, ma fierté et toutes mes bonnes résolutions.

— Je veux essayer, murmura-t-il.

Et mes bonnes résolutions prirent un aller simple pour Jupiter, s'écrasant à l'atterrissage et provoquant une pluie d'étincelles.

A moins qu'il ne s'agisse de l'effet des lèvres de Connor qui effleuraient doucement les miennes. Ses mains emprisonnaient mon visage, sa bouche caressait la mienne, me demandant silencieusement la permission. Les yeux clos, je me laissai aller, je n'avais plus la force de résister, ni de combattre mon colocataire. Aussi, quand il approfondit son baiser, mon corps réagit enfin et mes lèvres jouèrent contre les siennes.

Un grondement sourd lui échappa et il me repoussa contre une des poutres de l'appartement. Le choc me sortit de ma torpeur et notre baiser, au départ contrôlé, s'intensifia. Connor menait la danse, sa langue guidant la mienne avec autorité. Le froid, qui m'avait complètement envahie sur le toit, se dissipait peu à peu. Mes doigts engourdis se réchauffaient, mon corps transi se réveillait. Mes mains trouvèrent la nuque de Connor, se perdant dans ses cheveux.

Connor effaça l'espace entre nos deux corps, se collant contre moi, alors que ses lèvres tourmentaient toujours les miennes. Ses mains glissèrent de mes joues, passant sur mes épaules et mes bras avant de trouver le bas de mon dos. Je creusai les reins, accentuant ainsi la délicieuse friction entre nous.

A bout de souffle, il abandonna ma bouche, ses lèvres traçant un chemin brûlant vers mon cou. J'eus un petit cri en sentant ses dents mordiller ma peau.

— Tu es fraîche, chuchota Connor à mon oreille.

— On n'emmène pas une fille sur un toit en plein mois de mars, lui fis-je remarquer.

— Même pour un premier rendez-vous ?

Ses mains passèrent sous mon sweat-shirt et j'eus un bref moment de panique. Comment allais-je gérer cette histoire demain ? Mais je n'eus guère le temps de chercher une réponse : Connor retrouva mes lèvres, m'embrassant avec passion, pendant que je me perdais entre ses mains. Ses doigts traçaient des arabesques électrisantes dans mon dos, flirtant sans jamais les toucher avec mes sous-vêtements.

— Accroche-toi, m'ordonna-t-il, avant de me soulever de son bras valide pour que j'entoure sa taille de mes jambes.

De nouveau, un petit cri de surprise m'échappa. Connor fit trois pas, avant de me coincer contre la porte de ma chambre. Nous échangeâmes un nouveau baiser fiévreux, mon désir décuplant en sentant son sexe tendu frotté contre mon intimité. Ses doigts se resserrèrent fermement sur mes cuisses, me maintenant rageusement contre le mur. Toute la frustration que nous avions accumulée était en train de se libérer ici, réduite en miettes par sa langue experte contre la mienne et surtout par les grognements de satisfaction que j'entendais.

— Ouvre la porte, souffla-t-il dans ma bouche.

Me maintenant d'une main, je parvins à enclencher la poignée. La porte s'ouvrit, nous faisant lamentablement trébucher dans ma chambre. Connor me posa sur mon minuscule bureau, écartant largement mes jambes pour s'installer. D'un geste rapide, il me retira mon sweat, le faisant voler loin derrière lui.

Son regard gris vira, s'assombrissant en me découvrant à moitié nue. Haletants tous les deux, nous échangeâmes un regard, avant qu'il ne m'embrasse de nouveau. Il était plus tendre cette fois, ne cherchant plus à dominer absolument. Il finit sur un baiser chaste avant de s'écarter légèrement.

— Pose tes mains en arrière.

Il me tira en avant, m'installant dans un équilibre précaire et dangereux. Les livres derrière moi tombèrent au sol, suivis par la lampe de bureau et l'intégralité de mes cours. Connor ne parut pas y faire attention. Il caressa ma bouche de son index, avant de descendre très lentement vers mon cou. Le contact de ses doigts chauds contre ma peau gelée me tira un gémissement. Il parcourut le sillon de peau entre mes seins, me laissant dévastée par le désir, avant de cavaler jusqu'à mon ventre, puis au bouton de mon jean.

A demi allongée, je me cambrai en sentant un frisson courir sur ma colonne. Son index fit le chemin inverse, remontant paresseusement vers ma poitrine. Je fermai les yeux, incapable de soutenir son regard sombre. Son pouce caressa mon sein droit, jouant avec la pointe sensible.

Délicatement, il repoussa le tissu, faisant sortir mon sein. Il répéta le même geste avec l'autre avant de les caresser à pleines paumes. Il s'attarda finalement sur mes tétons, les faisant rouler entre son pouce et son index. Ma respiration, déjà courte, devint presque sifflante. Le froid et les doutes avaient disparu, au profit du désir et de l'adrénaline qui parcouraient mon corps.

Connor se pencha sur moi, repoussant les bretelles de mon soutien-gorge, avant de déposer un baiser dans mon cou.

— Voilà exactement ce à quoi je songeais quand j'étais sous la douche, avoua-t-il.

— A mes seins ? balbutiai-je.

— A te faire jouir rien qu'avec tes seins.

Je couinai honteusement, sentant les lèvres de Connor embrasser ma poitrine. Sa langue dardait de temps à autre, traçant des cercles autour de mes mamelons. Il prenait soin de ne pas y toucher, exacerbant mon attente. Je bougeai sur le bureau qui grinçait de désapprobation, cherchant un contact plus direct. Mais Connor ne renonçait pas. Il imposait son rythme lent et tortueux, passant d'un sein à l'autre, me faisant soupirer d'aise. Quand finalement sa bouche se referma sur une des pointes, cette seule sensation de chaleur intense provoqua un soubresaut de mon bas-ventre.

Mes mains se cramponnèrent à mon bureau et mon cœur repartit dans un véritable marathon. Connor joua avec ma pointe, l'agaçant furieusement de la langue, pendant que de sa main libre il excitait la pointe de l'autre. Je flottais dans le désir, prête à succomber à un orgasme dévastateur. Je brûlais de l'intérieur, mon corps ne réagissant plus qu'à ce contact précis entre Connor et moi. Je remuai de nouveau, mon entrejambe trouvant finalement celui de Connor.

Il grogna en me sentant contre lui et je regrettai presque de ne pas pouvoir le toucher directement. Il était encore habillé alors que je rêvais de pouvoir sentir sa peau contre la mienne. Il tira doucement sur mon téton, m'arrachant un cri et m'amenant aux portes de l'orgasme. Je me penchai un peu plus en arrière, mon corps parcouru de tremblements. Connor mordilla mon sein et, cette fois, je basculai tout à fait. Dans un cri, je tombai dans une spirale de désir. Je m'effondrai presque sur le bureau, ma respiration devint chaotique et mes joues s'enflammèrent.

— Est-ce que ça va ? demanda finalement Connor.

Je clignai des paupières plusieurs fois, reprenant pied dans la réalité. Je descendis maladroitement de mon bureau et, les jambes encore flageolantes, me dressai devant lui. Je me débarrassai de mon soutien-gorge.

— J'ai rattrapé mon orgasme de retard, dis-je en souriant.

— Tout le plaisir était pour moi.

Il saisit mon visage entre ses mains et m'embrassa de nouveau. Sa langue, puissante et possessive, se glissa dans ma bouche et un gémissement s'échappa de ma gorge. Il investissait ma bouche avec la même violence avec laquelle il m'avait plaquée contre le mur. Je passai les mains sous son sweat avant de le faire passer par-dessus sa tête.

Aussi essoufflés l'un que l'autre, nous nous toisâmes un bref instant avant qu'il ne pose son front sur le mien. Mes mains caressèrent ses pectoraux, puis son estomac, honteusement plat pour un cuisinier. Le toucher aussi librement, sans risquer qu'il me repousse, était au-delà de tout ce que j'avais imaginé. Au-delà du désir physique, au-delà de l'attirance. Il y avait toujours eu ce lien étrange entre lui et moi et, pour la première fois depuis notre rencontre, rien ne me semblait finalement aussi normal. Puissamment normal.

Connor baissa le regard en sentant mes doigts lutter contre la ceinture de son jean. Un léger sourire flotta sur sa bouche. D'un même geste, je lui retirai son pantalon et son boxer, pendant qu'il se débarrassait de ses chaussures et chaussettes.

Son sexe était tendu et je ne résistai pas à l'envie de le prendre dans ma main pour le caresser. Connor gémit lourdement, avant de poser la tête contre mon épaule. Debout, l'un face à l'autre, il me regardait le toucher, allant et venant lentement sur son érection. Mon désir réapparut, aussi dévastateur que dans les premiers instants de notre étreinte. J'avais envie de lui, maintenant.

— C'est en toi que je veux jouir, me rappela-t-il d'une voix rauque.

Je l'ignorai et accentuai ma caresse, mes doigts effleurant ses bourses. Son corps se tendit et il mordit mon épaule pour étouffer un juron.

— Je veux te sentir, reprit-il. Sentir de nouveau ton corps contre le mien pendant que je serai en toi.

Sa voix chaude me fit frissonner. Connor savait très bien comment attiser la moindre étincelle de désir. Son souffle chatouillait mon cou et, très doucement, ses mains partirent à l'assaut de mon corps. Je passai mon pouce sur l'extrémité de son sexe et fus récompensée par une magistrale litanie de jurons.

— J'ai envie de t'entendre crier, ajouta-t-il, le souffle court. Peut-être devrions-nous achever le bureau ?

— Déshabille-moi, lui ordonnai-je.

Il défit mon jean en un temps record et, une fois nue devant lui, je le fis asseoir sur le lit. J'attrapai un préservatif dans le chevet et en arrachai l'étui d'un coup de dents. Connor eut une moue appréciatrice. Sous son regard, mon bas-ventre me brûlait, une douce brûlure, agréable, voluptueuse, et à la fois l'impression que mon corps allait exploser dans la seconde.

Connor agrippa ma culotte, dernière victime de notre étreinte, et la fit glisser le long de mes jambes, ses paumes embrasant ma peau.

— Vivre avec toi est un enfer, murmura-t-il, avant de m'attirer sur ses genoux.

— Tout le plaisir est pour moi, répondis-je avec un sourire.

Sa bouche retrouva la mienne, me soutirant un nouveau baiser rageur. Son sexe frottait contre mon intimité. Ma peau brûlante glissa contre la sienne, électrisant mon corps. Mes mains se perdirent dans ses cheveux, avant de longer sa colonne vertébrale. Il quitta mes lèvres, puis agrippa ma chevelure, la tirant légèrement en arrière pour embrasser mon cou.

— Je te veux, murmura-t-il contre ma peau. Je te veux depuis que je t'ai rencontrée dans ce bar.

Je gémis lourdement, sentant le sexe de Connor glisser le long de mon intimité. Je me soulevai légèrement, taquinant l'extrémité de son sexe. En retour, il prit un de mes seins en coupe, le malaxant tendrement. Je me positionnai au-dessus de lui et descendis très lentement pour accueillir son sexe. Il me pénétra à peine et j'attendis quelques instants, jouant avec cette nouvelle et parfaite intimité en faisant levier de mes bras sur ses épaules. Connor planta son regard dans le mien et nos souffles se mêlèrent pendant que je bougeais très doucement au-dessus de lui.

— Maddie, bébé, s'il te plaît, souffla-t-il.

Les yeux clos, il se laissa faire, son sexe entrant très lentement dans le mien. Il posa les mains sur mes fesses, les serrant pour m'aider à remonter le long de son sexe avant de mieux retomber. Il bascula la tête en arrière, se laissant emporter dans son désir, pendant que j'allais et venais au-dessus de lui, mes doigts crochetés autour de sa nuque. Je me laissai envahir par les vagues de ce plaisir violent, impérieux et absolu, me délectant des sensations que Connor provoquait en moi. C'était incontrôlable et libérateur, me rappelant la frénésie de notre première étreinte dans sa voiture.

— Bordel de merde, Maddie. Continue !

J'appréciais qu'il me laisse mener la danse. Mais quand il rouvrit les yeux, je n'y vis que la frénésie. Il remua des hanches, imposant une cadence un peu plus soutenue. Ma poitrine, encore sensible, frotta contre son torse, me tirant un gémissement. Connor m'offrit un sourire éblouissant, capturant finalement un sein entre ses lèvres.

Je me cambrai à mon tour, et Connor libéra la pointe de mon sein pendant que je ressentais les prémices de l'orgasme. Mon ventre se tordit dans une première vague presque douloureuse.

— Viens pour moi, bébé.

— Connor, râlai-je d'une voix grave de désir.

— Je vais jouir en toi, bébé. Encore, continue, m'encouragea-t-il.

Il pressa le rythme, m'aidant à aller et venir sur lui. Mon souffle devint très court et mon cœur frappait douloureusement dans mes tempes. Une chaleur intense me brûlait, remontant le long de ma colonne et ravageant tout sur son passage.

— Et je te referai jouir avant le réveil, promit Connor, ses yeux fichés dans les miens.

Il repoussa les cheveux fous de mon visage, mon cou s'offrant à sa bouche. Il suçota la peau sous mon oreille, déclenchant une nouvelle vague de désir. Je glissai une dernière fois sur lui, mon intimité palpitant frénétiquement contre lui. Mon corps trembla violemment et, au même instant, Connor cria mon prénom. Pendant une seconde, je ne ressentis plus rien. Ni la chaleur, ni son corps, ni le mien. Rien... Le néant parfait pendant une toute petite seconde. Dans un dernier coup de reins, il jouit en moi.

Je m'effondrai sur lui, pantelante, pendant qu'il nous allongeait sur le lit. Sa peau, légèrement luisante de sueur, collait à la mienne. Nos respirations, au départ affolées, se calmèrent progressivement. Connor se retira de moi lentement, me laissant une désagréable sensation de vide.

Alors que mes paupières étaient en train de se fermer, mon corps terrassé par la fatigue et la violence de mon orgasme, je sentis qu'on me soulevait. Connor m'adressa un sourire avant de poser un baiser sur mon front.

— On dort dans ma chambre, dans un vrai lit, précisa-t-il.

— C'est un vrai lit, objectai-je dans un murmure.

— Trop petit pour nous deux et trop petit pour ce que je te réserve.

Aussi nu que moi, il me porta jusqu'à sa chambre, me déposant avec douceur sur ses draps froids. Je frissonnai, me recroquevillant sur moi-même. Mon colocataire s'installa près de moi, son bras glissant sous ma nuque pour m'attirer contre lui.

— Tu veux que j'aille chercher tes chaussettes ? s'amusa-t-il.

— Tout ce que je veux est là, répondis-je dans un élan de romantisme écœurant.

Ma main trouva celle de Connor et je déposai un baiser dans sa paume vierge de tout prénom. Il s'esclaffa en comprenant mon geste, avant de grimacer. Son poignet.

— Tu as mal ?

— Légèrement. Pour être honnête, je ne l'ai pas senti en te soulevant.

Il me fit doucement pivoter, m'allongeant complètement sur le matelas avant de m'embrasser langoureusement. Mon corps se réchauffait déjà. Connor s'écarta de mes lèvres, et nicha la tête dans mon cou.

— Je ne sens plus que toi maintenant. Toi et tes pieds gelés, ajouta-t-il dans un chuchotis.

— Après quelques semaines, tu n'y feras plus attention.

— Quelques semaines ?

Il me fixa intensément et je cherchai la lueur de panique ou le signe d'une nouvelle volte-face. Finalement, je m'étais préparée à le voir prendre la poudre d'escampette, pourchassé par le fantôme du poing d'Austin sur son nez ou attiré par une blonde voluptueuse.

— Tu fais ça souvent ? fit-il en dévorant la peau de mon cou.

— Te rendre dingue ? m'esclaffai-je.

— Pas mieux, admit-il en déposant un baiser furtif

sur mes lèvres. J'étais sérieux, je veux vraiment... essayer... Avec toi, j'ai envie... d'essayer.

— Mais...

— Mais j'ai besoin d'un peu de temps, pour parler à Austin.

Je me pinçai les lèvres, retenant un rire nerveux. Les règles du jeu étaient totalement faussées : c'était plutôt à Austin de parler à Connor. Je passai une main sur sa joue râpeuse, acquiesçant silencieusement. Je n'eus pas le courage de lui demander ce que nous ferions dans un mois ou dans six. Je n'avais déjà pas la moindre idée de ce que nous ferions à notre réveil.

— Tu as l'air exténuée. On devrait dormir. De toute façon, j'ai largement dépassé mon couvre-feu, me fit remarquer Connor.

— Ton couvre-feu ?

— Un truc que ma sournoise de colocataire a instauré. Elle refuse que son sommeil soit troublé après minuit trente. Sinon, elle me prive de café.

Il leva un sourcil moqueur pendant que j'éclatais de rire. Vu ma situation actuelle — allongée, nue sur un lit avec Connor en guise de couverture —, j'étais prête à revoir mes arguments. Il posa une de ses mains dans le creux de ma taille, caressant ma peau.

— Techniquement, je n'ai donc pas le droit de te faire gémir, lança-t-il en faisant remonter sa main sur mes côtes pour atteindre mon sein.

Je serrai les lèvres, un gémissement s'étranglant dans ma gorge. Un sourire victorieux s'étira sur la bouche de mon colocataire.

— Chut, tu dois rester silencieuse. Ni gémissement ni couinement, me rappela-t-il.

Ses doigts pianotèrent de nouveau sur ma peau, gagnant mon sein. Il en agaça la pointe et se régala du son incohérent qui sortit de ma bouche. Sa torture dura de longues secondes, pendant lesquelles je me tortillai sur le lit. Mes doigts accrochèrent les draps, m'y agrippant de toutes mes forces.

— Tut-tut-tut, chuchota Connor avec un air diabolique. Tu es bien trop bruyante. Je vais devoir te faire taire.

Sa bouche trouva la mienne et je profitai de cette distraction pour renverser la situation. D'un coup de reins, je le fis basculer et il se retrouva sur le dos, pendant que j'étais à califourchon sur ses cuisses.

— Et quels sont tes... rapports au juste avec ta colocataire ?

— Je dirais qu'ils sont tout à fait prometteurs, déclara-t-il en souriant. D'autant plus que c'est la seule femme au monde dont les seins valent deux bières !

— Parfait. Maintenant, j'ai bien la certitude que notre petite visite romantique sur le toit n'était qu'un hasard.

— C'était un premier rendez-vous, corrigea-t-il.

— Pas de bougies, pas de rendez-vous !

— Y a-t-il d'autres conditions obscures auxquelles j'aurais dû me plier ?

— Un endroit chaud ?

— Tu es dans mon lit !

— Un costume ?

— Tu veux que je mette un costume ? Avec une cravate ? s'écria-t-il.

— J'adore l'idée de pouvoir retirer ta chemise ensuite. Oh ! et des fleurs, bien sûr !

— Bien sûr, fit-il comme si c'était aussi évident pour lui que pour moi. Fleurs, bougies, chemise... Je pense pouvoir relever le défi.

Il prit mon visage entre ses mains et m'attira contre ses lèvres. Mes mains trouvèrent ses pectoraux, savourant le plaisir de pouvoir enfin les toucher.

— Je n'ai pas dit « oui », murmurai-je sur ses lèvres.

— Et je n'ai encore rien demandé.

— Crétin !

— Sale gamine !

Je m'allongeai sur lui, l'embrassant doucement. Je m'installai à ses côtés, entourant son ventre d'un bras possessif. Je sentis son corps se crisper, avant qu'il m'entoure finalement de son bras. Je l'entendis murmurer un « bonne nuit » et, dans l'instant, je sombrai.

A mon réveil, notre position avait sensiblement évolué. Connor était derrière moi, son corps chaud délicieusement moulé au mien. Son bras était enroulé autour de ma taille, me maintenant au plus près de lui. Mes pieds n'étaient plus gelés, grâce à ceux de Connor coincés entre les miens.

Je bougeai légèrement, aussitôt imitée par Connor qui s'adapta à ma position en grognant. Il frotta son nez contre ma nuque, sa barbe naissante picotant ma peau. Il embrassa mon cou, avant de caresser mon ventre du bout des doigts.

Je bougeai de nouveau, creusant les reins et découvrant ainsi que Connor était parfaitement réveillé. Il repoussa mes cheveux, nichant sa tête dans mon cou et retrouvant ainsi le carré de peau qu'il avait suçoté quelques heures auparavant.

— Je préfère nettement quand tu es chaude et dans mon lit, murmura-t-il.

— A l'inverse de froide et sur le bureau ?

— Je compte mettre un terme aux souffrances de ton bureau dès que possible.

— C'est très charitable de ta part.

— Je suis charitable, je ne veux que le bien de mon prochain. Et ce matin, je compte commencer par toi.

Lentement, sa main glissa de mon ventre vers mon sexe sans s'y attarder, avant de se poser sur le haut de mes cuisses. Ses doigts coururent sur ma peau, provoquant un frisson qui traversa mon corps.

— Je te veux, chuchota-t-il. Je veux te sentir trembler contre moi.

Sa main passa sur ma fesse. Il la pinça légèrement, me faisant sursauter. Puis, très furtivement, ses doigts effleurèrent mon intimité. Je remuai, m'offrant à lui un peu plus largement.

— Toute à moi, apprécia-t-il en sentant l'humidité qui gagnait mon entrejambe.

Sa torture reprit, ses doigts se baladant librement sur ma peau, attisant un feu et un désir qui me consumaient de l'intérieur. Mon corps reconnaissait instinctivement le sien, réagissant avec une vitesse déconcertante à ses attentions.

Il glissa un doigt en moi, me faisant gémir lourdement. En lieu et place du soulagement que j'espérais, il ne faisait qu'attiser mon envie. Je le voulais. Je voulais le sentir en moi, le sentir prendre possession de mon corps comme il l'avait fait la veille en me menant vers un orgasme aussi puissant que dévastateur.

Son doigt fit des allées et venues très lentes et mon corps marquait la cadence, ondulant à ses côtés. Sa bouche retrouva mon cou, mordilla mon épaule, avant que je ne tourne le visage pour qu'il m'embrasse. Derrière moi, je sentais son sexe dur et tendu. Il s'inclina et, en un instant, son sexe caressait le mien, longeant et écartant mes plis, pendant que son doigt était remonté, titillant mon clitoris.

— Touche-toi, ordonna-t-il.

— Que... Quoi ? marmottai-je en luttant contre le début d'orgasme qui montait prodigieusement en moi.

— Touche-toi, répéta-t-il. Je veux un avant-goût de ce que je verrai sur ce fameux bureau.

J'ondulai un peu plus vite, accentuant le frottement entre nos deux corps. Connor étouffa un juron dans mon épaule. Excitée et passablement étourdie par les vagues de désir qui me ravageaient un peu plus vite chaque instant, je me surpris à jouer avec mes seins, faisant rouler les pointes entre mes doigts. Je scandai le prénom de mon amant, fermant les yeux.

— Bon sang, Maddie, tu vas me tuer.

— Plus vite, soufflai-je en repoussant la couette qui nous couvrait encore.

Il pressa ma partie sensible, son sexe continuant de glisser le long du mien, me pénétrant à peine. Je tirai sur mes pointes, l'orgasme commençant à m'emporter. Connor se détacha soudain de moi, avant de revenir se coller à mon corps, son sexe couvert d'un préservatif.

— Ça va être rapide, bébé.

Et en un instant, il me pénétra, grognant de plaisir dans mon cou. Je me cambrai un peu plus, accentuant la sensation de son sexe en moi. Connor imprima un rythme vif, me maintenant contre lui en enfonçant les mains dans mes hanches. Le mélange de plaisir pur et de douleur localisée à l'endroit où ses doigts s'étaient fichés me repropulsa au sommet du désir. Connor remuait frénétiquement, se cramponnant à mon corps et m'arrachant des cris. Mon cœur frappait à une cadence folle, au bord de l'implosion.

— Putain, jura Connor, avant de jouir en moi, me plaquant violemment contre lui.

Je jouis l'instant suivant, m'effondrant entre ses bras. Le souffle court, il s'écarta de moi, se débarrassant de sa protection dans la poubelle, avant de me prendre dans ses bras.

— Je ne suis pas du matin, avoua-t-il en reprenant difficilement sa respiration.

— Moi non plus !

Nous rîmes à l'unisson, avant que le ventre de Connor ne trouble lamentablement le moment.

— Mon corps n'est pas programmé pour ce genre d'effort avant 23 heures, se justifia-t-il.

— Tu veux un café ? proposai-je en me dégageant de son étreinte pour sortir du lit.

— Pour l'instant, je veux surtout profiter de la vue, répondit-il en me détaillant.

— Pervers !

— Tu ne disais pas ça il y a cinq minutes !

J'enfilai sa chemise, rougissant presque du souvenir de nos deux corps, lui me caressant pendant que je me touchais.

— Pour être honnête, c'était sûrement un des trucs les plus érotiques que j'aie vus, reprit-il.

— Oh... Eh bien... Merci... Je suppose, marmonnai-je avec embarras.

Il se leva à son tour, royalement nu pendant que je me débattais avec les boutons de sa chemise. Il prit ma main dans la sienne et en embrassa la paume.

— Tu n'as pas à être mal à l'aise.

— C'est juste que... Tu as quand même dix bonnes années d'expériences sexuelles d'avance sur moi.

— Tu prends maintenant conscience de notre différence d'âge ? s'étonna-t-il.

— Non, je prends conscience du nombre de femmes qui ont fréquenté ton lit.

— Il y en a certainement moins que ce que tu crois !

— Et il y en aura certainement encore après mon départ.

— Maddie, tu m'as demandé d'essayer et j'essaye.

Tu m'as dit hier que tu y croyais, il faut que tu me fasses confiance. D'ailleurs, j'aimerais t'inviter à dîner.

— Un rendez-vous ?

— Tout à fait. Bougies, chemise et fleurs, énuméra-t-il, victorieux.

— Oh.

— Et la fin annoncée de ton bureau, précisa-t-il.

— Evidemment ! ironisai-je. Je pense pouvoir me libérer vers 19 heures.

— Qui a parlé de ce soir ?

Il affichait son sourire arrogant, celui qui me donnait envie de lui arracher les yeux. De toute évidence, une nuit avec lui et de multiples orgasmes m'empêchaient de réfléchir convenablement.

Ou peut-être était-ce simplement parce qu'il était nu devant moi...

Ou peut-être que j'avais juste envie de ce satané rendez-vous...

Le sexe me grille les neurones. Le sexe incluant au moins un orgasme réduit à néant mon potentiel « sarcasmes et autres vacheries ». Cela expliquait mes performances matinales — impossible de refuser quoi que ce soit à un homme qui connaît parfaitement l'anatomie féminine — et justifiait mon manque de jugeote.

Et désormais, quoi qu'il m'en coûtât, je devais rattraper l'affaire et éviter que mon vagin ne parle avant mon cerveau.

— J'ai parlé de ce soir, car je suis de garde ensuite pendant trois soirs de suite.

— Tu es sérieuse ?

— Qui est impatient maintenant ? chantonnai-je.

Son regard profond me tétanisa. Il y a encore une semaine, Connor prenait la poudre d'escampette dès que je suggérais ne serait-ce que l'idée de partager le canapé. Et voilà qu'aujourd'hui il voulait un rendez-vous avec moi et du temps ensemble.

En fait, j'avais créé un monstre, une sorte de Connor idéal qui me collait une trouille bleue tant j'appréciais le Connor imparfait et crétin. Puis cela me revint : Connor n'avait aucune idée de ce qu'était une relation de couple. Je devais au moins lui accorder le fait que, comme promis, il essayait.

— Que dirais-tu de commencer par prendre le petit déjeuner ? suggérai-je.

— Tu t'occupes du café ?

— Uniquement si tu nous fais des pancakes.

Nous sortîmes de la chambre, lui dans un short et moi dans une de ses chemises. Le loft était encore vide et, d'ici peu de temps, Ashley finirait par débarquer pour maudire les patients qu'elle avait soignés, les médecins avec qui elle avait dû travailler et la grille de mots croisés qu'elle ne parvenait pas à finir depuis deux jours. En silence et dans un ballet impressionnant de synchronisation, Connor attaqua les pancakes pendant que je nous préparais deux grands cafés.

Je m'installai sur le plan de travail, croisant astucieusement les jambes. Il me jeta plusieurs regards en coin pendant que je lorgnais sans vergogne son torse musclé. Mon colocataire grimaça en soulevant la poêle, son poignet se rappelant à son souvenir.

— Je peux le faire si tu veux, proposai-je.

— Ça ira. En plus, la vue est... fantastique, ajouta-t-il avec un regard en biais vers mes jambes.

— Tu devrais plutôt te concentrer sur ce que tu fais.

— Ou je pourrais abandonner le petit déjeuner et te faire l'amour sur le bar. Peut-être même que je te mangerais toi, suggéra-t-il. Je te trouve plutôt appétissante.

— Penses-tu à autre chose que le sexe parfois ? m'esclaffai-je.

— Pas quand tu es à moitié nue près de moi.

— Cuisine ! lui ordonnai-je en descendant du plan de travail.

Connor me rattrapa par le coude et, d'un geste étonnamment rapide, glissa la main sur ma nuque et m'attira contre ses lèvres. Son baiser était possessif et ne me laissait aucune chance de fuite. Il me repoussa vers le bar derrière moi, mon dos heurtant douloureusement le meuble et m'arrachant un grognement. Quand sa langue s'insinua dans ma bouche, je perdis pied.

Me tenant contre lui, il quitta mes lèvres et sa bouche longea la ligne de ma mâchoire.

— Je te veux dans mon lit ce soir, chuchota-t-il.

— Tu réchaufferas mes pieds gelés ? dis-je avec un rire.

— Les pieds et le reste. Je prends tout. Et je te prends toi.

Et en un instant, je tombai un peu plus amoureuse de Connor. Je n'avais aucun souvenir de comment c'était arrivé. Un beau matin, je m'étais levée, mon colocataire m'avait demandé son café et j'avais compris que j'étais amoureuse de ce crétin. Et maintenant que Connor m'embrassait, me serrait contre lui dans une étreinte possessive, mon cœur faisait ce drôle de looping, comme si je sautais d'un avion sans parachute avec la certitude de ne pas me faire mal.

— Dites-moi juste si vous êtes décents, j'aimerais rentrer ! cria Ashley de derrière la porte d'entrée.

Elle l'entrouvrit légèrement, passant la tête en gardant une main sur les yeux.

— Si on lui dit qu'on est nus, tu crois qu'elle partira ? s'enquit Connor.

— Aucune chance, l'odeur des pancakes a dû l'attirer ! C'est le même principe que les requins avec le sang.

— Je vous entends ! grogna-t-elle. Et je suis là depuis qu'il t'a proposé de faire l'amour sur le bar.

Elle écarta légèrement ses doigts, gardant cependant sa main à hauteur des yeux. Connor me libéra et je repris doucement mes esprits. Ashley entra dans l'appartement, lançant son sac sur le canapé avant de nous rejoindre.

— Tu as refusé ! s'écria-t-elle en prenant mon mug de café entre les mains. Cet homme a proposé de te faire l'amour sur le bar et tu as refusé !

— Je n'ai pas refusé ! ripostai-je. J'ai juste... temporisé !

— Amen ! fanfaronna Connor.

— Peut-on parler de ça à un autre moment ?

— De quoi pourrions-nous parler d'autre ? s'enquit Ashley. Tu es en face de moi, avec *sa* chemise, avec cette plénitude de la femme orgasmée, et tu voudrais que...

Elle s'arrêta net à l'instant où Connor passait une assiette avec un pancake sous son nez. Ses yeux suivirent la nourriture, tandis que mon colocataire m'adressait un clin d'œil complice. Je le remerciai silencieusement, étudiant rapidement la possibilité de virer Ashley du loft. Je l'adorais, mais elle pouvait se révéler très parasitante.

— C'est délicieux ! Connor, dès que tu te lasses de Maddie, n'hésite pas à me faire signe !

— J'espère que tu es de nature patiente.

Pour un peu, j'en aurais couiné de satisfaction. De toute évidence, Connor avait revêtu sa tenue de superhéros romantique ce matin. Tenue qui consistait en un simple boxer mais qui moulait admirablement son fessier.

— Est-ce que ça veut dire que je peux récupérer ta chambre ? s'enthousiasma-t-elle.

— Non ! m'exclamai-je.

— Pourquoi pas ? tenta Connor.

— Parce que j'y étudie !

— Sur ton... hum... bureau ? demanda-t-il en ravalant un rire.

— Par exemple, oui !

Il leva un sourcil, pendant que le regard d'Ashley passait de Connor à moi, sans comprendre.

— Bien, je pense qu'il y a une allusion sexuelle qui m'échappe ! conclut-elle. Tant pis, je garderai le canapé !

— Tu peux aussi chercher un appartement ! lui fis-je remarquer.

— C'est vrai, je peux. Mais sincèrement, c'est beaucoup plus drôle de vivre ici ! Et nettement plus nourrissant, ajouta-t-elle en désignant son assiette.

— Tu en veux d'autres ? proposa Connor.

Dieu du ciel, il sortait toute la panoplie du charmeur : sourire arrogant, regard de braise, voix rauque. Pendant une courte seconde, Ashley papillonna du regard et j'aurais juré qu'elle se ratatinait sur son tabouret. Et il lui avait simplement proposé des pancakes !

— Je veux bien, murmura-t-elle, envoûtée.

Et à cet instant, je sus qu'Ashley ne chercherait jamais un nouvel appartement. Elle resterait ici, hypnotisée par mon colocataire. *Qui l'en blâmerait ?* songeai-je en dévorant Connor du regard.

— Et il est à toi, commenta Ashley avec un soupir d'envie.

Connor étouffa un rire et s'appliqua à préparer une nouvelle assiette à ma meilleure amie. Le loft avait cette délicieuse odeur de sucre et Ashley en profita pour me parler de sa garde. Comme prévu, les patients avaient été imbuvables et elle avait eu la joie inégalable de travailler avec Markus.

— Et je suis de nouveau de garde ce soir et la semaine prochaine ! se lamenta-t-elle.

— Maddie sera avec toi à l'hôpital, dit Connor.

Un gémissement désespéré m'échappa. L'image d'Indiana Jones courant à toutes jambes pour échapper à une énorme pierre roulante me passa par la tête. Je n'avais définitivement pas la vaillance d'Indiana, et Ashley — alias la grosse pierre — allait trop vite.

— Je croyais que tu ne prenais pas de garde ce mois-ci, pour réviser ?

— Je... Euh...

— Fantastique ! s'exclama Connor un peu trop vivement. Tu as donc toutes tes soirées de libres ?

— Euh... oui, marmottai-je.

Il déposa une assiette de deux pancakes devant Ashley et profita de cette distraction pour se pencher sur moi. Son souffle sur ma peau me tira un frisson. Je m'inquiétais de sa réaction.

— Et après ce rendez-vous, tu seras punie, promit-il.

— Ce n'est pas...

Il déposa un baiser dans mon cou, le regard d'Ash vrillé sur nous. Elle manqua de s'étouffer avec un pancake et, en toute honnêteté, j'envisageai pendant un instant de laisser le destin lui faire un sort. Elle finit par se reprendre, me lançant un regard mauvais.

Connor termina les pancakes et, alors que nous déjeunions ensemble tous les trois, la sonnerie de la porte nous interrompit. La seconde suivante, il y eut un grand bruit et un choc sourd contre la porte.

— Un voisin, certainement, annonça Connor en se dirigeant vers la porte.

Quand il ouvrit la porte, un homme s'effondra sur notre seuil. Il releva la tête et je découvris le visage de Ben.

— Hey, chanta-t-il d'une voix traînante.

— Ben, mais qu'est-ce que tu fiches ici ? lui demanda Connor en l'aidant à se relever.

Il tituba jusqu'au canapé, le regard vide et le teint

verdâtre. Il dégageait une odeur horrible, mélange de transpiration et d'alcool qui me souleva le cœur. Mais ce qui me choqua le plus fut la couleur de ses cheveux. Ses mèches habituellement châtaines arboraient une délicieuse et détonante couleur turquoise.

— Je l'ai fait, beugla-t-il de son haleine chargée.

— Tu as fait quoi ? demanda Connor.

— C'est toi qui avais raison. En-tiè-re-ment raison ! martela-t-il de sa voix traînante.

Il lui claqua plusieurs fois la joue, comme l'aurait fait un père de famille fier de son fils. Connor plissa le nez et s'éloigna de son ami. Ben ferma les yeux et sembla somnoler quelques secondes avant de se réveiller en sursaut.

— Tu as fait quoi ? s'enquit d'une voix douce Connor en s'installant près de lui.

— Je l'ai fait, je l'ai quittée !

J'échangeai un regard avec Connor, comprenant immédiatement la situation. Ben somnola de nouveau, émettant un petit ronflement. Ashley avala rapidement sa dernière bouchée et me désigna de sa fourchette.

— Maintenant, tu n'as pas le choix, tu dois vraiment me laisser ta chambre !

J-102

Symptômes : agacement chronique, hyper-stimulation nerveuse, envie de meurtre.

Pronostic vital : aucun problème pour le mien, en revanche, je n'en dirais pas autant pour Ash et Ben.

Chapitre 11

Si elle était un péché capital ?
La gourmandise. Et j'aime ça !

Dieu créa la femme. Et juste après, parce qu'il estimait que ce n'était pas suffisant en termes de prises de tête et de nœuds au cerveau, il créa la cravate. Et enfin, pour parfaire son œuvre et en assurer la pérennité aux yeux de l'humanité, il inventa le rituel du premier rendez-vous : astucieuse conjonction entre la femme et la cravate. On ne peut pas nier qu'il y ait une forme de génie là-dedans !

Je n'avais aucun doute sur ma faculté à réussir un nœud de cravate acceptable, j'étais tout de même parvenu à dompter Maddie, donc un morceau de tissu...

Je la glissai pour la millième fois autour de mon col, songeant rapidement à la résistance impressionnante dont avait fait preuve ma colocataire. Ce qui était d'autant plus ironique étant donné que c'était elle qui m'avait mis au pied du mur au sujet d'une éventuelle relation et qui avait abordé le sujet d'un véritable rendez-vous.

Dieu, quand il créa la femme, avait dû trouver particulièrement irrésistible l'idée de perdre la notice de ces créatures énigmatiques. Personnellement, je trouvais qu'essayer de comprendre Maddie était surtout fatigant. Elle avait fini par accepter ma proposition pour un dîner, gagnée certainement par la lassitude de me voir faire le pied de grue devant sa porte.

Devant mon miroir, je triturai ma cravate, tentant de l'ajuster. Mon père m'avait pourtant appris à les nouer. Du moins, il m'avait appris à ne surtout pas défaire le nœud existant et à garder la cravate suspendue ainsi.

— J'aurais dû écouter mon père, marmonnai-je avec agacement.

— Tu veux de l'aide ? demanda Ben, me surprenant dans ma salle de bains. J'allais prendre une douche.

— Enfin ! soupirai-je.

Depuis l'arrivée de Ben au loft, j'avais assisté à un phénomène inédit : l'union de l'homme et du canapé. Ben, rayonnant de turquoise, avait débarqué ivre mort chez moi et, en dix jours, je pouvais compter sur les doigts de la main le nombre de fois où il avait accepté de se lever du canapé. La douche était loin d'être superflue.

— Je suis en pleine rupture, me rappela-t-il.

— C'est toi qui as rompu, tu devrais être en train de faire la fête plutôt que de te lamenter ici !

— Tu veux mon aide, oui ou non ?

Après un nouvel échec, j'abdiquai et pivotai vers mon second. Il risqua un sourire et je profitai de la situation pour tenter d'obtenir des informations.

— C'est moi ou c'est la plus longue conversation que nous ayons eue depuis ton semi-coma éthylique dans le salon ?

— En effet.

— Tu peux m'en parler, tu sais !

— Pour que tu me fasses part de ta brillante analyse des relations amoureuses ?

— Notamment. Et pour que je te donne l'adresse d'un coiffeur.

Il se surprit à rire, tirant sur ma cravate pour la positionner correctement.

— Elle m'a poussé à bout, déclara-t-il. Elle voulait des explications sur ma facture téléphonique, sur mon agenda. A ce sujet, si elle te demande où j'étais il y a un mois, j'étais ici à jouer au poker !

— Tu la trompes ? m'étonnai-je.

— Bien sûr que non ! J'avais besoin de temps... pour réfléchir. La connaissant, elle n'aurait jamais compris pourquoi je voulais sortir seul.

Il glissa un pan de la cravate dans une boucle, avant de tirer dessus pour refaire une seconde boucle.

— Simple ou double ?

— Euh... simple, je crois, bégayai-je en jetant un œil vers mon reflet.

— Donc, toi et Maddie ? Je croyais que tu n'avais pas le droit.

— C'est toujours le cas. Austin n'est pas au courant et évidemment ne le sera pas si tu tiens à ne pas tomber accidentellement du toit !

— Tu te rends compte que la situation est ridicule ?

— Dit l'homme aux cheveux turquoise et qui entretient une relation anormalement intime avec mon canapé ?

Ben serra ma cravate d'un coup sec, avec un petit sourire cruel qui ne m'échappa pas. Je chassai sa main dans un rire, vérifiant mon reflet dans le miroir. Je passai la main dans mes cheveux, tentant en vain de les faire tenir en place.

— Nerveux ? me demanda Ben.

— On va juste dîner !

— Correction : tu vas juste dîner avec Maddie. Tu as prévenu les casques bleus d'une éventuelle intervention ?

— La ferme ! grognai-je.

Je sortis de ma chambre, Ben sur mes talons. Apparemment, le sujet de mon dîner avec Maddie avait pris le pas sur sa douche salvatrice. J'enfilai ma veste, Ben grimaçant en détaillant ma tenue.

— C'est un rendez-vous ou un entretien d'embauche ? ironisa-t-il.

— Si on y réfléchit bien, la finalité est identique !

— Certes, concéda-t-il. Retire la veste, ça fait homme politique qui cherche à se faire élire à tout prix !

— D'accord, soufflai-je. Autre chose ?

— Tu me demandes mon avis ?

— De nous deux, tu es le plus expérimenté pour ce genre... d'événements.

— Et aussi le plus célibataire en ce moment même !

— Vas-tu enfin me raconter ce qu'il s'est passé ?

— Je ne ferai pas ça, rigola Ben.

— Pourquoi ?

— Parce qu'on ne raconte pas une rupture sanglante à quelqu'un qui a passé du temps à nouer une cravate.

— Sanglante ? répétai-je.

— Tu as vu mes cheveux ? Le turquoise n'est pas ma couleur naturelle, rappela-t-il.

— Ça te va bien, m'esclaffai-je. Est-ce que c'est définitif ou tu vas aller ramper à sa porte pour implorer son pardon ?

— C'est définitivement définitif ! déclara-t-il, serein, en s'asseyant sur le canapé.

J'adressai une vague prière au saint patron des canapés, espérant que, quelque part, un paradis des canapés existait. Il le méritait.

— Donc, toi et Maddie, est-ce que c'est... définitif ? reprit-il.

— C'est compliqué.

— Ce n'est pas ce que je t'ai demandé !

— C'est la seule réponse que j'ai. Elle m'a demandé d'essayer.

— D'essayer ? répéta-t-il sans comprendre.

— D'être avec elle, précisai-je. D'être *vraiment* avec elle.

— Comme un couple ?

— En quelque sorte.

Ben fronça les sourcils, avant de s'enfoncer un peu plus dans le canapé. Il me fixa intensément dans un curieux silence. J'étais mal à l'aise, soudain.

— Quoi ?

— Tu es passé du côté obscur. Félicitations ! Mais du haut de ma grande expérience, je tiens à te prévenir que tu commets une monumentale erreur.

— La cravate ? tentai-je pour le détourner du sujet que je ne voulais pas aborder.

— Ça fait donc deux erreurs. Mais je parlais surtout de Maddie. Pendant des mois, tu m'as répété que je commettais une erreur avec Jenny, qu'être en couple n'était pas une bonne idée...

— L'erreur, c'était Jenny ! intervins-je.

— Donc, sortir avec la sœur de ton meilleur ami, meilleur ami à qui tu as juré solennellement de ne pas toucher à sa sœur, est, d'après toi, une meilleure idée ?

— Je te l'ai dit, Austin n'en saura rien ! Et Maddie n'est pas une folle furieuse ! Jenny te rendait dingue, elle te fliquait sur tout. Je n'étouffe pas avec Maddie, au contraire.

— Elle sait que tu pars ?

— Oui. Elle part aussi.

Ses sourcils se soulevèrent jusqu'à la racine des cheveux. Je retournai dans la cuisine, espérant que Maddie finirait par se montrer. Ben avait cette capacité à suranalyser tout et n'importe quoi. Sa rupture avec Jenny le rendait amer et, surtout, bien trop pertinent.

— Tu me rassures, lança Ben alors que je me réfugiais dans le réfrigérateur à la recherche d'eau. Pendant un court instant, j'ai cru que tu envisageais sérieusement une relation avec elle. Je suis vraiment soulagé.

— Pourquoi ça serait si dramatique ? m'enquis-je avec hésitation.

— Parce que tu n'es pas fait pour ça. Autant demander à un Touareg de vivre en Sibérie !

— Je constate que tu vis très bien ta rupture, raillai-je.

— Ça n'a rien à voir, assura-t-il en se levant pour me rejoindre.

J'ouvris une bouteille d'eau et la portai à mes lèvres. Ben s'installa sur un des tabourets du bar et s'empara de mon carnet de recettes. Je le lui pris vivement des mains, secouant la tête de désapprobation.

— Tu viens de passer dix jours dans mon canapé à maudire les femmes et à palabrer avec ta bouteille de bière. Cela a donc tout à voir ! Je me sens bien avec Maddie. Elle me fait rire, elle me provoque... Je sais que je peux compter sur elle.

— Elle te mène par le bout du nez. Ou par le bout de...

— Peut-on parler d'autre chose ? le coupai-je. Tu décortiques ma relation avec Maddie, alors que tu devrais plutôt décortiquer la tienne !

— Il n'y a plus rien à décortiquer ! Je dis juste que tu avais raison : j'adore cette nouvelle liberté, j'adore ne rendre aucun compte, j'adore manger à une heure indécente !

Il sauta de son tabouret et, à même la boîte, prit une poignée de céréales pour la fourrer grossièrement dans sa bouche. La douche devenait de plus en plus urgente.

— Et tu adores être chez moi, ajoutai-je.

— Tu veux que je te paye un loyer ?

— Ne sois pas stupide !

Je balayai sa proposition d'un geste de la main. Austin était propriétaire du loft et l'argent n'avait jamais été un problème pour lui. Il n'avait pas mis les pieds à l'appartement depuis au moins deux semaines, accaparé par un stage d'oxygénation.

— Tu es en pleine dépression, conclus-je.

— Absolument pas ! Je suis enfin moi-même ! Et bon sang, Maddie a dix ans de moins que toi !

— Et ?

— Et... Je ne sais pas ! C'est bizarre ! D'ici cinq ans, elle ne jurera que par la sainte Trinité !

— La sainte Trinité ?

— Mariage, bébé et sexe une fois par mois ! énonça-t-il en comptant sur ses doigts. Tu rentres dans un monde terrifiant, Connor ! Un monde où tu n'as plus ton mot à dire, un monde où tu rencontres les parents de ta petite amie, un monde où Jurassic Park est une promenade de santé, un monde où tu finis avec les cheveux turquoise !

— Au cas où cela t'aurait échappé, je connais déjà les parents de Maddie. Je sens que tu as besoin de parler de tes cheveux, je t'écoute, proposai-je.

Il regagna le canapé et, soudain, son attitude changea. L'euphorie et sa joie exagérée se transformèrent en lassitude et en tristesse.

— Nous nous sommes disputés. Au sujet du week-end au ski, de mon travail, de toi...

— De moi ?

— De ton mode de vie ! Tu as vraiment bien choisi ton moment pour devenir un mec fréquentable ! Evidemment, j'ai pris ton parti et cela a quelque peu... dégénéré.

— Tes cheveux ?

— Elle a mis du colorant dans mon shampoing. Quand je m'en suis rendu compte, j'ai voulu rincer avec son shampoing. Mais la garce avait tout prévu et elle avait mélangé son propre shampoing avec un fixateur. Je suis donc turquoise pour au moins... deux mois !

Je me pinçai les lèvres, retenant un rire monstrueux. Ben me jeta un coup d'œil, souriant de mon attitude.

— Tu peux rire ! Je me suis vengé et j'ai scié tous les talons de ses escarpins. Y compris ses précieuses Louboutin !

— Tu as scié des Louboutin ? fit une voix.

D'un même mouvement, Ben et moi levâmes la tête. Ashley et Maddie se tenaient dans l'entrée du loft. Ashley fusillait Ben du regard. Maddie me fit un rapide geste de la main pour me saluer et ce n'est qu'à cet instant que je remarquai le téléphone collé à son oreille.

— Dans certaines sociétés primitives, on castre des hommes pour beaucoup moins que ça !

— Dans certaines sociétés primitives, les femmes n'ont pas le droit de contredire un homme !

— Tu parles des sociétés dans lesquelles le canapé n'existe pas ?

— Je parle des sociétés dans lesquelles les Louboutin ne sont que de fichues chaussures !

Mon regard navigua d'Ashley à Ben, qui échangeaient des regards sombres. Ashley, une main sur le cœur, sembla manquer d'avoir une attaque. Je me levai avec précaution, les laissant à leur cordiale et chaleureuse discussion.

— Retire immédiatement ce que tu viens de dire !

— Je suis turquoise ! protesta Ben en se redressant.

— Indéfendable ! Elle a bien fait de te quitter !

— C'est moi qui suis parti !

— Sûrement un accès de dignité lucide. Depuis quand n'as-tu pas pris de douche ?

— Il y allait justement, lançai-je pour les interrompre.

Maddie termina sa communication et avança vers moi. Elle fronça les sourcils en voyant ma tenue et je l'imitai en constatant la sienne. Elle portait cette infâme tenue verdâtre d'hôpital.

— Tu es très élégant ! me complimenta-t-elle.

— Je ne peux guère te retourner le compliment !

— Epidémie de gastro-entérite, je me suis changée trois fois. Je suis... au bord du gouffre.

Derrière moi, les éclats de voix d'Ashley et Ben me parvenaient. J'eus un sourire en devinant que leur conversation avait dévié sur la possibilité de partager une pizza devant un film. Maddie prit ma main et m'entraîna dans le couloir qui menait aux chambres. Dans l'obscurité, elle me plaqua dans un recoin et tira doucement sur ma cravate pour poser ses lèvres sur les miennes. Son baiser était doux, presque prudent. Je glissai les mains sous son haut et je la sentis sourire, avant que sa langue ne se faufile dans ma bouche. J'agrippai ses hanches, la maintenant contre moi, pendant que sa main, entortillée autour de ma cravate, me tirait un peu plus fort.

— Faites comme si je n'étais pas là, fit la voix d'Ashley, passant près de nous.

Maddie me libéra dans la seconde, soupirant lourdement. Elle posa la tête contre mon torse, marmonnant des promesses de mort imminente. A bout de souffle, je suivis Ashley du regard, pendant qu'elle gagnait les toilettes.

— Ashley cherche un appartement ? demandai-je à Maddie.

— Non. Elle dit qu'il ne lui reste plus que trois mois, elle compte sur la mansuétude de mon frère. Et Ben ?

— Ben est en pleine dépression. Je ne peux pas lui demander de partir maintenant.

— Ça fait dix jours, remarqua-t-elle.

— Je sais, murmurai-je.

Ça faisait aussi dix jours que je n'avais pas senti Maddie contre moi. J'avais trouvé que l'idée du partage de ma chambre relevait du génie ; la seule chose que je n'avais pas prévue, c'étaient les gardes de nuit que Maddie avait finalement dû prendre au pied levé. Je n'étais pas en très bons termes avec mon karma dernièrement.

Je pris le menton de Maddie entre mon index et mon pouce, lui faisant relever les yeux vers moi. Elle arborait de légers cernes, mais ses yeux bleus brillaient. Je caressai sa bouche de la mienne, descendant lentement vers son cou. Elle posa les mains sur mon torse, à l'endroit même où mon cœur frappait lourdement dans ma poitrine.

— Tu n'as pas idée comme j'ai envie de toi, chuchotai-je.

J'attirai ses hanches contre moi, m'assurant qu'elle

sente mon érection. Une de ses mains glissa entre nous et elle constata d'elle-même les prodigieux dégâts qu'elle provoquait. Même à travers le tissu, je sentais parfaitement le mouvement de sa main sur moi.

— C'est la première fois ? demanda-t-elle.

— Dix jours de sevrage ? Oui, c'est la première fois. Tu me fais faire tout un tas de choses contre nature ! râlai-je.

— Et tu aimes ça ! se moqua-t-elle.

— Oui, admis-je en me rendant compte qu'elle avait ouvert ma braguette et glissé ses doigts à l'intérieur.

J'étouffai un juron magistral dans son épaule. Comment faisait-elle pour me rendre à la fois aussi heureux et aussi... misérable ? J'avais envie de la toucher, de la sentir nue contre moi, mais notre position ne le permettait pas. Ma bouche retrouva la sienne, lui offrant un baiser violent. Je la repoussai contre le mur en face, lui tirant un cri de surprise.

Je reposai mes lèvres contre elle, un gémissement lui échappant quand mes mains passèrent sous l'élastique de son pantalon. Les yeux clos, elle se laissa aller, s'appuyant contre le mur pendant que ses jambes tremblaient. Mes doigts trouvèrent son sexe et je la caressai à mon tour, comprenant que je n'étais pas le seul à souffrir de nos dix jours de disette.

— Donne-moi une bonne raison de ne pas te faire l'amour ici dans ce couloir !

— Préservatif, murmura-t-elle.

J'insérai un doigt en elle, allant et venant très lentement. Ce changement de rythme lui fit rouvrir les yeux, l'éloignant d'un possible orgasme. Quand je retirai ma main, les yeux azur de Maddie me fixèrent, incrédules.

— Nous ne sommes pas seuls, lui rappelai-je. Et je ne partage pas, ajoutai-je en portant mon index à ma bouche.

Les yeux de Maddie s'écarquillèrent, puis elle se composa un visage presque innocent quand Ben passa derrière moi.

— Je vais prendre une douche, annonça-t-il.

— Je devrais peut-être en prendre une, moi aussi, bougonna Maddie. Maintenant que j'ai découvert que mon petit ami avait une sorte d'instinct propriétaire.

Elle me repoussa gentiment, nos deux corps moulés l'un contre l'autre se séparant finalement. Maddie avait les joues rouges et ses yeux flamboyaient d'un mélange de frustration et de rage.

— Je ne partage pas, ce n'est pas la même chose !

— Tu n'es tout de même pas en train de te transformer en dominant qui veut tout contrôler ?

— Pas tout, juste toi, corrigeai-je.

— Je crains de ne pas être très obéissante !

— Crois-moi, je le sais ! J'ai juste envie de me dire que, quand tu jouis, il n'y a que moi pour le voir.

— Quel dommage, soupira-t-elle. J'allais justement te parler de mes fantasmes exhibitionnistes !

Et pour asseoir son argument, elle retira son haut et me le lança au visage. Je découvris sa poitrine dénudée et mon désir reprit de plus belle. Cette fille était une envoyée du diable. Ses provocations et sa manière de me tenir tête me rendaient dingue. Tout en elle me rendait dingue, elle m'attirait, me subjuguait, être en sa compagnie était un véritable défi au quotidien. Mais j'étais prêt à être avec elle.

— Toujours pas ? fit-elle.

— Toujours pas. En revanche, je vais aller te chercher deux bières ! C'est bien ça le deal, non ?

— Je sais à quoi tu penses, fanfaronna-t-elle.

Séparer les blancs des jaunes, battre les blancs fermement…

— J'en doute sincèrement !

De nouveau, cette lueur de défi illumina son regard. Elle fit la moue, son regard navigua sur moi avant de s'arrêter sur mon entrejambe. Je savais que mon érection avait repris vigueur et qu'elle ne pouvait que la voir. Son simple regard sur moi déclenchait des vagues de frustration de plus en plus fortes. Je croisai les bras sur ma poitrine, optant pour une attitude détachée et neutre.

Râper le fromage, chauffer le beurre...

— Bien. Puisque ça ne te fait rien. Et puisque tu n'es pas un affreux dominant !

— Maddie ! grognai-je en la voyant glisser son pantalon de ses hanches.

— Un problème, Connor ?

Je m'entendis déglutir, refusant de lui donner raison. Je jetai un coup d'œil à la porte de ma chambre, espérant que Ben ne choisisse pas ce moment pour en sortir. Dieu seul sait ce que je pourrais alors lui faire !

Incorporer la farine, fouetter...

Le pantalon vert à ses pieds, elle en sortit gracieusement. Mes yeux parcouraient son corps presque nu. Que cherchait-elle à faire ? Elle m'adressa un sourire et je rassemblai mes derniers lambeaux de volonté pour ne pas la mettre sur mon épaule et la porter jusqu'à ma chambre. Peut-être avait-elle raison... peut-être étais-je une espèce de fou furieux dominant ?

— Si Ben te voit, je jure, Maddie, que je t'expédie dans ma chambre et que je te colle une fessée monumentale !

Ajouter le lait, porter à ébullition...

— Que cherches-tu à prouver ? demandai-je finalement.

— Je teste tes limites.

— Ça fait dix jours que Ben et Ashley se chargent de tester mes limites ! grognai-je.

— Je ne parle pas de ça. Tu récites une recette de cuisine, n'est-ce pas ?

— En effet, admis-je.

Une porte s'ouvrit — celle de la salle de bains — et une forme de panique absurde me gagna. Maddie était nue — ou presque — dans ce couloir et ce n'était pas la première fille à être nue dans ce couloir. Mais c'était elle... et cela me rendait fou furieux qu'un autre la voie.

Et soudain, cela me frappa. Elle jouait. Elle jouait à me rendre fou. Cela allait au-delà de tester mes limites. Maddie me cherchait, comme elle l'avait toujours fait depuis qu'elle vivait ici. Sauf que cette fois les choses étaient différentes. Il ne s'agissait plus de désir, ni de frustration et encore moins de sexe. Elle me testait, elle testait notre... couple.

— Ben, reste où tu es ! hurlai-je.

J'approchai de Maddie, plantant mon regard dans le sien, à la recherche de la réponse adaptée à la situation.

— Je ne veux pas qu'un autre homme te voie jouir, pas plus qu'il ne te voie nue. Tu appelles ça de la domination, j'appelle ça... *essayer*. Je ne crois pas que, dans un couple, la fille s'amuse à se montrer au premier venu. Et je ne crois pas que ma petite amie devrait faire ça. Parce que ça me rendrait foutrement jaloux et que je serais obligé de tuer Ben ensuite.

— Jaloux, vraiment ?

— Horriblement. Je ne partage pas. Ni le sexe ni nous, et surtout pas toi. Maintenant, peux-tu, s'il te plaît, aller prendre une douche, car j'ai très envie de t'emmener dans ce fabuleux restaurant que j'ai réservé.

— Remballe ton autorité, dit-elle en souriant.

— Remballe tes seins, et nous serons quittes !

Elle reprit son haut, cachant sa poitrine avant de cavaler dans le couloir. Je lui tapotai les fesses au passage, récoltant un regard amusé. J'attendis qu'elle soit convenablement enfermée dans sa chambre, regrettant presque qu'il n'y ait pas un verrou, et autorisai finalement Ben à sortir. Il arborait un sourire étrange, le sourire du chat qui a dévoré la souris.

— Ta petite amie, hein ?

— La ferme, grognai-je.

Maddie réapparut trente minutes plus tard. Elle était fabuleuse, habillée d'une robe noire sans manches et chaussée de talons vertigineux. Je me levai d'un bond du fauteuil, subjugué.

— Maddie, tu es...

— Archi-baisable, commenta Ashley à mes côtés. C'est ce que tu penses, se défendit-elle quand je lui adressai un regard noir.

— Tu es superbe, corrigeai-je.

— Code 911 ? demanda Ashley.

— Ça ne sera pas nécessaire, Ash. Je sors avec mon petit ami.

— Quel veinard ce mec, lança Ben. Si jamais tu te lasses, je te rappelle que je suis complètement célibataire !

— Et bientôt sans domicile, ajoutai-je. Laisse-moi t'aider, proposai-je en prenant sa veste.

J'enfilai ensuite mon manteau, réajustant machinalement mon nœud de cravate. Maddie se pinça les lèvres, visiblement aussi nerveuse que moi. Il y avait quelque chose d'étrangement officiel dans le rituel du premier rendez-vous. Dès que nous aurions franchi le seuil, cela rendrait notre histoire publique.

Sauf aux yeux d'Austin, songeai-je. J'allais vraiment devoir lui parler.

— Crois-moi, cette serveuse te draguait. Quoi que tu en dises, une femme ne fait pas *naturellement* ce battement de cils !

— Elle ne me draguait pas, contrai-je en ouvrant la porte du loft.

— Ah non ?

— Non, elle te maudissait. Je crois qu'elle lorgnait tes chaussures.

J'aidai Maddie à retirer sa veste, ponctuant mon geste d'un rapide baiser sur la courbe de sa nuque. Elle frissonna avant d'avancer dans la cuisine, déposant son *doggy bag* sur le bar. Je retirai ma veste et desserrai ma cravate.

— Si elle avait dû choisir entre mes chaussures et toi, je pense qu'elle t'aurait définitivement choisi !

— Cette petite pointe de jalousie dans ta voix est... très agréable, commentai-je.

— C'est de la lucidité, pas de la jalousie ! La preuve : elle a laissé son numéro sur l'addition.

— Cela t'inquiète ?

Je m'approchai d'elle, tentant de capter son regard. Au cours de la soirée, elle avait défait sa chevelure et ses mèches encadraient son visage lumineux. Elle déballa son dessert, ignorant délibérément ma question.

— J'ai jeté l'addition, déclarai-je. C'était une fausse blonde, expliquai-je.

— Ta nature de goujat reprend le dessus, constata Maddie.

— Tu aimes mon côté goujat !

Elle se décala, ouvrant un tiroir pour prendre une cuillère. Je me plaçai derrière elle, repoussant ses cheveux pour nicher ma tête dans son cou et respirer son parfum. Encore cette fleur d'oranger entêtante. Maddie émit un petit rire, avant de se tourner vers moi.

— Ash et Ben sont sortis, annonça-t-elle en lisant une petite note jaune.

— Nous sommes donc seuls ? l'interrogeai-je.

— Apparemment !

— Mes prières ont enfin été exaucées ! triomphai-je.

Je retrouvai le creux de son cou et soulevai Maddie pour l'asseoir sur le bar de la cuisine. Je remontai le tissu de sa robe sur ses cuisses, effleurant sa peau au passage. Elle passa la main dans mes cheveux, embrassant doucement mes lèvres, avant d'approfondir son baiser. Un gémissement mourut dans sa gorge et elle défit ma cravate, la faisant glisser sur mon col.

— J'ai passé une très bonne soirée, murmura-t-elle sur mes lèvres. Et j'ai très envie d'un dessert !

— Tu ne penses plus à la serveuse maintenant ?

— Non. Tu y penses ? s'enquit-elle.

— Comment pourrais-je penser à la serveuse quand tu es en face de moi ? Je n'ai pas oublié mon projet de te faire l'amour dans cette cuisine !

— Tu l'as déjà fait ici, n'est-ce pas ?

— Oui, avouai-je. Mais jamais après un premier rendez-vous ! Maddie, que se passe-t-il ? demandai-je en sentant soudain son corps se crisper.

— Rien, éluda-t-elle. J'oublie parfois ton... enfin... tes...

— Règles ? finis-je pour elle.

— Tu as des règles ?

— Quatre. Tu connais déjà l'une d'elles.

— Oh. Le pacte ! Evidemment !

Je pris une cuillère, piochai dans le gâteau au chocolat et le lui présentai. Elle gémit de plaisir en se léchant les lèvres.

— C'était très érotique, commentai-je. Je veux bien l'entendre de nouveau.

Je lui offris une nouvelle bouchée, les yeux de Maddie fixés aux miens. Elle essuya le coin de sa bouche avec son pouce avant de le fourrer dans sa bouche. Mon sexe se dressa un peu plus dans mon boxer, me faisant presque mal.

— Tu veux ma perte ? demandai-je en m'approchant un peu plus entre ses jambes.

Sa robe remonta un peu plus, révélant un sous-vêtement en dentelle noire. J'aimais de plus en plus cette histoire de rendez-vous. Elle m'embrassa langoureusement, sa langue chocolatée dansant contre la mienne, pendant que ses doigts attaquaient les boutons de ma chemise.

— Quelles sont les autres règles ?

— Profiter de la vie, annonçai-je en mangeant du gâteau au chocolat.

— Bien. J'adhère.

— Profiter des femmes. Surtout les brunes.

— Et la dernière ?

— Ne pas revenir sur les lieux du crime. Jamais.

— D'où ton petit côté goujat ! Donc, si je compte bien, j'ai déjà ruiné deux de tes quatre règles ? s'amusa-t-elle en repoussant ma chemise de mes épaules.

— En effet. Mais je ne les regrette absolument pas !

— Tu es sûr ?

— Certain. Je pensais que tu le savais.

Elle passa les mains sur mon torse, ses doigts galopant avec légèreté sur ma peau. Comme je l'avais fait plus tôt, je cherchai son regard. Je plaçai mes mains sous ses cuisses et l'attirai un peu contre moi, le bord de ses fesses flirtant avec l'arête du bar. Elle ajusta son équilibre, posant les mains sur mes épaules.

— Maddie, tu le sais, non ? Je ne regrette pas ces règles. Si elles n'avaient pas existé, tu aurais été une vulgaire proie. Je préfère nettement ce que nous sommes.

— Le truc unique et pas ordinaire ? dit-elle en souriant.

— Entre autres. Tu es inquiète parce que je n'ai pas parlé à Austin ?

Elle se figea, avant de secouer la tête. Je recherchai une explication à son comportement. Notre dîner avait été très agréable et chaleureux. Depuis que nous étions rentrés, Maddie était étrange et hésitante.

— Qu'attends-tu de moi ?

— De la confiance, murmura-t-elle.

— Tu peux avoir confiance, assurai-je. J'ai promis d'essayer et j'essaye, Maddie. Mais ça ne fonctionnera pas si tu n'y crois pas.

— Possible. Mais tu n'as pas pensé aux fleurs, dit-elle, plus détendue.

— Laisse-moi régler ce détail.

Je contournai le bar et piochai dans un des bols sur le

plan de travail. Elle éclata d'un rire sonore quand je lui tendis les seules fleurs que j'avais à disposition.

— Comme tu souhaites du « pas ordinaire », j'ai pensé que les roses ne te correspondraient pas.

— Qu'est-ce que c'est ?

— L'*Allium schoenoprasum*, répondis-je en me réinstallant entre ses jambes.

— Voilà que tu me fascines encore, sourit-elle.

— Ciboulette, expliquai-je. Normalement, on coupe les fleurs pour éviter qu'elle ne monte.

— Tu m'as perdue à « ciboulette ».

Elle posa les petites fleurs violettes près d'elle et m'embrassa doucement sur les lèvres. Ses doigts glissèrent de mes épaules à mes pectoraux avant d'atteindre la boucle de mon pantalon.

— Est-ce que ta proposition tient toujours ? demanda-t-elle.

— Laquelle ?

— Me faire l'amour sur ce bar ?

— Et si nos deux parasites préférés rentrent ?

— J'aime vivre dangereusement. Connaissant Ash, elle mettra une note artistique sur dix à l'ensemble. Tu as un préservatif ?

J'en sortis de la poche de mon pantalon, le posant sur le bar. D'un même geste, je repoussai les fleurs de ciboulette et attirai Maddie contre moi. Elle fit descendre mon pantalon et mon boxer sur mes chevilles, pendant que je me débattais avec la fermeture de sa robe. Elle s'en dégagea, sa poitrine nue se pressant contre mon torse. Elle enroula les bras autour de mon cou, pendant que j'embrassais ses lèvres, puis la ligne de sa mâchoire. Après dix jours sans pouvoir la toucher, je n'étais guidé que par le désir et l'envie.

— Tu m'as manqué, murmurai-je. Soulève-toi.

Elle s'exécuta, me permettant de lui retirer complètement sa robe, qui rejoignit mon pantalon au sol. Son sous-vêtement en dentelle tranchait sur sa peau et le faible éclairage de la cuisine rendait la scène encore plus excitante.

— Tu es magnifique, la complimentai-je.

Je l'embrassai de nouveau, mes mains caressant la courbe de ses seins. Maddie émit un gémissement de plaisir, pendant que mes lèvres couraient sur sa peau. Je passai une main dans son dos, la faisant se cambrer et s'offrir ainsi davantage à moi. Elle s'appuya sur ses avant-bras, à demi allongée sur le meuble, sa respiration courte et saccadée troublant le silence de l'appartement. Je déposai un baiser entre ses seins, descendant sur le plat de son ventre, titillant son nombril de la langue, avant de longer le rebord en dentelle.

Quand je relevai les yeux, Maddie me fixait, bouche à demi ouverte, cherchant un second souffle. Ses yeux brillaient de désir et elle passa la langue sur ses lèvres desséchées. Sa peau chaude se para de chair de poule et un frisson la parcourut, la tétanisant presque.

— Touche-moi, murmura-t-elle.

Je saisis son sous-vêtement, le faisant glisser le long de ses cuisses.

— Garde bien les chaussures surtout.

— Un dominant fétichiste ? plaisanta-t-elle.

— Tu m'as percé à jour, murmurai-je en saisissant sa cheville pour y déposer un baiser.

Maddie jura — un juron qui était extrêmement sexy, coincé entre deux soupirs — et se laissa aller sur le bar, son corps se relâchant finalement. Je remontai le long de sa jambe, parsemant des baisers le long de son mollet, dans le creux de son genou, sur la peau fine de sa cuisse pour finir à proximité de son intimité.

J'étais nerveux soudainement. Notre première nuit n'avait été guidée que par le désir et la frustration. Un acte insensé, presque fou, que nous aurions pu choisir d'oublier. Mais voir Maddie nue sur ce bar, à ma merci, ses jambes enroulées autour de moi, était un mélange de sensation entre bonheur total et culpabilité intense. C'était étourdissant.

Quand je sentis les mains de ma colocataire se perdre dans ma chevelure, la culpabilité s'effaça. L'attraction entre elle et moi, la complicité que nous avions créée, le désir ardent surgissaient violemment. Mon sexe me faisait mal ; gonflé et dur, il ne demandait qu'à s'enfouir en elle.

J'embrassai de nouveau son sexe chaud et humide, m'attardant plus longuement au creux de son intimité. Maddie remonta les jambes, crochetant ses chevilles autour de ma nuque et ne me laissant plus partir. J'entourai ses cuisses de mes mains et soufflai doucement sur son sexe.

— Connor, murmura Maddie d'une voix traînante en resserrant son emprise autour de moi.

Mon cœur frappa lourdement dans ma poitrine, tambourinant à un rythme effréné. Elle me rendait dingue, provoquant cette décharge d'adrénaline vraiment addictive. Ma langue longea son sexe, s'égarant volontiers entre ses plis. La respiration courte, je réitérai mon geste plusieurs fois, restant prudemment à la surface. Quand finalement ma langue s'enfonça en elle, Maddie poussa un cri de plaisir, se cambrant au maximum.

— Ne bouge pas, bébé, chuchotai-je contre elle.

Je la lapai, trouvant son clitoris gonflé. Je le pris entre mes lèvres, le suçotant doucement, attisant son envie. Elle gémit en rythme, avant de feuler en sentant mon index entrer en elle. Le contact simultané de ma langue et de mon doigt anéantit ses dernières barrières, et ses hanches ondulèrent à la rencontre de ma bouche. Ses mains se crispèrent dans mes cheveux et, aux palpitations de son sexe, je devinai que son orgasme était proche. Ses talons s'enfoncèrent dans mes omoplates.

Je relevai les yeux vers elle, admirant la façon dont son visage détendu se noyait dans le plaisir. La bouche semi-ouverte, elle s'abandonnait, se laissait emporter dans les vagues de plaisir qui la submergeaient. Soudain, son intimité se contracta autour de moi et je mordillai sa partie la plus sensible pour lui offrir un magistral orgasme. Son corps fut pris de tremblements et elle relâcha ses jambes, me libérant.

Mes lèvres remontèrent le long de son corps et j'embrassai Maddie. Elle gémit doucement, sentant les traces de son orgasme sur ma bouche.

— Je veux te sentir, murmurai-je. Etre en toi et te faire jouir de nouveau.

Maddie saisit le préservatif et le déroula autour de mon sexe douloureux. Je grimaçai presque en sentant ses doigts sur moi. Ma colocataire sauta du bar et déambula nue dans l'appartement. Sous la lumière tamisée des réverbères qui filtrait par les fenêtres, son corps était sublime, son visage lumineux, son sourire enjôleur.

Elle s'appuya sur un des fauteuils, les fesses tendues vers moi. Elle m'adressa un clin d'œil, pendant que je la fixais, figé, au milieu de la cuisine.

— Tu m'as manqué aussi, lança-t-elle en guise d'invitation.

— A quel point ? demandai-je, la rejoignant avant de faire glisser mon index le long de sa colonne.

— Je crois que j'ai rêvé de toi, une ou deux fois.

Je me plaçai derrière elle, les mains sur ses hanches, mon sexe glissant contre son sexe humide.

— Que racontaient tes rêves ?

— Ça parlait de ça, avoua-t-elle en remuant les fesses. De toi et moi contre ce fauteuil.

J'entrai en elle, la sensation de chaleur me tirant un grognement. Maddie gémit elle aussi, se cramponnant au fauteuil.

— Je refuse d'attendre de nouveau dix jours, chuchotai-je en me glissant entièrement en elle. Bouge, bébé. Montre-moi.

Maddie ondula, son bassin avançant et reculant en rythme. Elle menait la danse, rejetant la tête en arrière. Mais ce n'était pas suffisant pour moi. Je voulais venir en elle plus profondément et plus vite. Beaucoup plus vite.

Mes doigts s'enfoncèrent dans ses hanches, nos cris de plaisir se mêlèrent. Je ne voulais plus lâcher Maddie, je voulais que son corps imprime le mien, que son désir réponde au mien, qu'elle m'appartienne totalement.

— Reste avec moi, Maddie, chuchotai-je. Reste.

Je doutai qu'elle m'ait entendu, perdue dans son plaisir. Je jouis en elle l'instant suivant, m'écroulant sur son dos, de légères gouttes de transpiration s'écrasant sur sa peau. Après quelques secondes, le souffle court, je me retirai. Maddie se redressa, tremblant encore de notre étreinte. Je la pris dans mes bras, savourant son corps détendu et ses lèvres appuyées contre les miennes. Pour la première fois depuis qu'elle vivait ici, Maddie était en confiance. Je l'entraînai dans mon lit et, quand elle posa la tête sur mon torse, ses yeux se fermèrent. M'avait-elle entendu quand je lui avais demandé de rester ?

Je voulais qu'elle reste. Qu'elle soit avec moi, qu'elle me provoque, qu'elle me résiste.

— Reste, murmurai-je de nouveau.

J-92

Note pour moi-même : apprendre à vivre sans elle.

Chapitre 12

S'il était un péché capital?
La luxure. Et encore la luxure.

En courant très vite, en grillant les feux rouges et en réussissant du premier coup mon créneau — ce qui n'arrivait jamais, car je vivais dans le monde réel —, je pourrais voir Connor dix minutes. Dix courtes minutes où nous devrions :

1) Echapper à Ashley qui, dès qu'elle me croisait, chantait *Love is all around me* — si on oubliait son degré de pénibilité et son coefficient d'âneries, Ash était brillante; néanmoins, l'envie de la tuer me taraudait de plus en plus.

2) Eviter Ben, devenu philosophe et sosie turquoise de Maître Yoda, avachi sur le canapé du loft et se nourrissant de céréales. « En retard, tu es », commentait-il chaque matin quand il me voyait chercher frénétiquement mes chaussures; « cuisiner, il doit », me réprimandait-il quand j'osais être dans la cuisine en même temps que Connor. Ce matin, j'avais été à deux doigts de l'étrangler de mes propres mains alors qu'il proposait simplement de faire des toasts. « Te tuer, je vais », avais-je simplement menacé.

3) Faire l'amour frénétiquement, en nous racontant

nos journées respectives, tout ça à l'abri du regard inquisiteur de mon frère Austin.

Car Austin était là. De nouveaux muscles avaient fait leur apparition sur son corps puissant, ses cheveux étaient un peu plus longs et il avait accepté sans frémir la présence d'Ashley et de Ben dans son loft.

A mon arrivée à l'appartement, je ne disposais déjà plus que de huit minutes : j'avais loupé mon créneau trois fois et manqué d'arracher mon pare-chocs dans la manœuvre. Je me débarrassai de mes chaussures dans le couloir, avant de jeter un coup d'œil circulaire. Les livres d'Ashley étaient bien sur le bar, mais elle n'était pas là. Ben était sur le canapé — où d'autre aurait-il pu être ? — et m'adressa un signe de tête en guise de bonjour.

— Au supermarché, Ashley est, m'informa-t-il.

— Super ! répondis-je hâtivement, en me ruant vers la chambre de mon colocataire.

Toute dignité, tu as perdu, songeai-je, alors que j'étais à bout de souffle, flirtant avec la folie furieuse, devant la porte de Connor. Je frappai doucement, avant d'entrer sans attendre sa réponse.

— Tu es en retard, dit-il en sortant de sa salle de bains.

Une serviette enroulée autour des hanches, il déposa un baiser sur mes lèvres. Un frisson agréable courut sur mon échine et, pendant un court instant, je me demandai comment je pourrais me passer de lui. Ou du moins de l'effet qu'il avait sur moi.

Il retira la pince qui maintenait mes cheveux, passant les doigts dans mes mèches folles.

— Tu as encore loupé ton créneau ?

— Oui. Je suis nulle !

— Ne suis-je pas une motivation suffisante ? demanda-t-il avec son sourire dévastateur.

— « Suffisant » était justement le mot qui me venait à l'esprit en te voyant. Juste avant « crétin » et « prétentieux », ajoutai-je péniblement alors que Connor effleurait la peau de mon cou sans réellement la toucher.

— Tu mens très mal, chuchota-t-il d'une voix chaude.

Il agrippa mon T-shirt et me le retira sans que mon corps s'y oppose. Puis il repoussa les bretelles de mon soutien-gorge, embrassant furtivement mon épaule, et le dégrafa.

— Comment s'est passée ta journée ? s'enquit-il en déboutonnant mon jean.

— Pas mal. Et toi ?

— J'ai cuisiné. Nouvelle carte. Lève ton pied.

Il me débarrassa de mon jean, avant de crocheter ma culotte et de la faire glisser lentement le long de mes jambes. Ce rituel du déshabillage avait le don de me rendre dingue. Il ne me touchait pas et se contentait de m'effleurer, soufflant sur des braises de désir déjà bien rougeoyantes.

— Tu es satisfait ? demandai-je, nue devant lui.

— Je serai pleinement satisfait d'ici quatre minutes, annonça-t-il, confiant.

— Quatre minutes ?

— Tu étais *vraiment* en retard.

— Et je parlais de ta cuisine, précisai-je alors qu'il m'attirait en direction de la douche.

— J'ai fait mieux. J'étais un peu perturbé par les fausses notes d'Ashley. Je suis parvenu à me débarrasser d'elle en l'envoyant faire des courses avec une liste longue comme le bras.

— Tu es mon héros ! m'extasiai-je.

Connor fit couler le jet d'eau, la vapeur d'eau chaude emplissant rapidement tout l'espace. Il se défit de sa serviette et nous entrâmes dans la large cabine de douche.

J'appréciai l'eau qui frappait mes épaules, évacuant les dernières traces de stress de ma journée. Mon petit ami se plaça derrière moi, son sexe érigé frottant contre mes fesses. J'aimais ces étreintes furtives et secrètes. Dans ces moments-là, il n'y avait plus que nous, plus que la sensation enivrante de sa peau contre la mienne, plus que ses baisers fiévreux, plus que son regard gris acier perdu dans le mien.

Ashley disait que c'était la clandestinité. Je répondais que c'était juste lui et moi.

Il posa les doigts sur mes épaules et commença à les pétrir doucement. Je laissai échapper un gémissement, me laissant aller contre son torse. Un bref instant, je m'interrogeai sur ce que seraient ma vie, mes douches, mes réveils, mes nuits, sans Connor.

Ashley disait que j'étais amoureuse. Je répondais que c'était encore mieux que ça.

Sans doute que j'idéalisais, Connor et moi ne nous étions rien promis. Curieusement, j'avais pris mon parti de la première de ses règles : profiter de la vie. Le « après » était lointain, le « après » était flou, le « après » n'existait pas dans mon monde. Et surtout, le « après » était devenu un véritable problème de géographie : lui à Houston, moi en Californie. Je n'avais aucune idée de ce que je ferais après, de ce que nous ferions après. Notre relation était trop récente pour se projeter dans le futur.

Ashley disait que j'étais en pleine négation. Je répondais que Connor était le champion toutes catégories de la négation.

Il était aussi le champion toutes catégories des massages, avec une spécialisation dans la caresse érotique. Ses mains avaient libéré mes épaules et couraient maintenant le long de ma colonne, provoquant une sensation de flottement et de bien-être instantanée. Mon corps avait trouvé son maître.

— Tu perds du temps, marmonnai-je, un peu cotonneuse.

— Je trouve au contraire qu'il est très bien utilisé.

Il me fit pivoter et posa doucement sa bouche sur la mienne. Même sous le jet d'eau brûlante, je sentis ce délicieux frisson familier courir le long de mon échine. Sa langue dompta rapidement la mienne, m'imposant un rythme langoureux et intenable. J'avais besoin de plus, besoin de le sentir, besoin qu'il m'entraîne dans cette fabuleuse spirale de désir et d'envie. Je grognai contre sa bouche, son sexe caressant mon entrejambe. Quand finalement il s'écarta, j'étais pantelante et j'avais les joues en feu. Connor prit mon visage en coupe et murmura contre mes lèvres :

— J'ai très envie de toi, mais pas comme ça. Je veux prendre mon temps.

Sa voix m'envoûtait, me faisait perdre pied, et pourtant, dans le tréfonds de mon esprit hurlant à l'infamie, une voix — celle d'Ashley, sans aucun doute — serinait qu'en réalité nous n'avions le temps de rien. Ni de réfléchir, ni de parler, ni même de faire l'amour quand bon nous semblait.

— Je suis de garde demain, soupirai-je avec lassitude. Et après, je dois réviser.

— Je ne travaille pas demain, que dirais-tu qu'on dîne ensemble ? Je cuisinerai, proposa-t-il.

— Austin est là.

— Qui a dit que nous dînerions ici ?

— Je n'aime pas les dominants et, autant te le dire tout de suite, je ne suis pas non plus une grande admiratrice des « mystérieux ».

— Le concept de surprise doit bien te dire quelque chose ?

— Je ne gère pas très bien les surprises. Je n'ai jamais la réaction appropriée.

Il étouffa un rire avant de secouer la tête. Il posa de nouveau les mains sur mon visage brûlant et attira ma bouche contre la sienne. Puis, brusquement, il s'écarta de moi et son visage blêmit. Son regard passa de moi à la porte de la cabine de douche, avant de revenir sur moi.

— Connor ? fit la voix d'Austin.

L'excitation s'effaça dans l'instant, remplacée par la panique. Je m'écartai un peu de Connor — comme si me trouver dans la même douche que lui mais à cinquante centimètres de distance allait changer quelque chose — et dans le mouvement fis tomber mon gel douche. Connor m'adressa un regard sombre, se retenant visiblement de me réprimander.

— Connor ? résonna de nouveau la voix de mon frère.

Connor posa son index sur mes lèvres, puis sembla recouvrer ses esprits. Il planta son regard dans le mien et poussa un profond soupir. Ma panique redoubla d'intensité. Il n'allait pas faire ça. Pas maintenant, pas ici, pas... nu !

Je secouai frénétiquement la tête, le suppliant du regard. Ce n'était pas du tout de cette façon que j'avais prévu de faire notre coming out. D'ailleurs, était-ce vraiment utile ?

— Ne lui dis pas, murmurai-je.

— C'est le moment idéal, chuchota-t-il en retour.

— Nus sous la douche ? Tu devrais revoir ta définition ! Je croyais que mon frère te foutait la trouille ?

— Il n'oserait pas me tuer devant témoin. Et encore moins devant toi ! Il faut que je lui parle !

— Pas maintenant, grognai-je, les dents serrées.

— Quand ?

— Plus tard.

— Nous n'avons pas de « plus tard », fit-il remarquer.

— Connor ? T'es sous la douche ? refit la voix d'Austin.

Mon frère était dans la chambre, sa voix nous parvenant par la porte entrouverte de la salle de bains. Je n'étais pas prête à affronter Austin.

Et surtout, je n'étais pas prête à affronter Connor quand il apprendrait la relation entre Sophia et mon frère.

J'entourai la nuque de Connor de ma main et attirai ses lèvres contre les miennes. Je l'embrassai doucement, avant de murmurer un « s'il te plaît » à peine audible à mes oreilles. De nouveau, il exhala un profond soupir, de reddition celui-ci, avant de s'écarter de moi. Il esquissa un sourire et hocha la tête.

— Je ne suis pas seul, beugla-t-il à l'intention de mon frère.

— Ah, merde !

Connor repoussa mes cheveux derrière mes épaules, avant de nicher la tête dans mon cou. Un gémissement de plaisir interminable s'échappa de mes lèvres.

— T'avais pas mis la chaussette bleue, commenta mon frère.

Je sentis le corps de Connor tressauter de rire, avant de se racler la gorge pour reprendre son sérieux. Je levai un sourcil inquisiteur, tandis que le regard pétillant et rieur de Connor plongeait dans le mien.

— J'ai oublié.

— Vous parlez souvent sous la douche ? chuchotai-je.

— Il m'a vu nu plus souvent que toi !

— Je ne veux rien savoir de plus !

— T'as bientôt fini ? demanda mon frère.

J'étouffai un rire à mon tour, songeant que nous n'avions même pas eu l'occasion de commencer. Connor fit glisser un doigt entre mes seins avant de descendre lentement vers mon estomac. Je chassai sa main rapidement, lui adressant un regard consterné.

— Mon frère est là ! lui rappelai-je.

— Si tu veux mon avis, tu as de bien meilleurs gènes.

— Tu devrais sortir avant qu'il finisse par débouler ici !

— Pour une fille qui ne gère pas bien les surprises, je te trouve drôlement percutante !

— Sors ! lui intimai-je en le repoussant.

— Connor ? hurla Austin.

— J'arrive, laisse-moi régler un détail ! cria-t-il en retour.

Il posa sa joue contre la mienne, sa bouche à quelques centimètres de mon oreille. Mon souffle devint immédiatement court, et mon corps, retrouvant enfin le sien, se régalait de sa chaleur. Pour un peu, j'en aurais presque oublié la présence d'Austin.

— Demain soir, on dîne ensemble. Ensuite, je prévois de te faire l'amour au moins trois fois et, après ça, nous parlerons du fameux « plus tard » que tu cherches à éviter.

— Mais je...

— J'essaye, Maddie. J'essaye, murmura-t-il.

La simple vibration de sa voix contre ma peau anéantit mes faibles résistances. Connor me libéra de son emprise et sortit de la cabine de douche, me laissant tétanisée et passablement fripée. J'opinai courageusement du chef : j'avais quelques heures pour réfléchir à la situation. Comment étions-nous passés d'un Connor allergique à toute forme de relation à Connor-parlons-du-fameux-plus-tard ? Comment étions-nous passés d'une douce et orgasmique aventure à... ce truc indéterminé, incluant dîner, surprise et fleurs de ciboulette ?

— Tu voulais me parler ? fit la voix de Connor derrière la vitre.

— Tu fais dans l'infirmière maintenant ?

Je me figeai derrière la vitre, priant pour disparaître, engloutie par le siphon. Comment savait-il ? Connor avait dû s'immobiliser lui aussi, car je n'entendais plus rien. Je sentis mon cœur frapper dans ma poitrine, dopé à l'adrénaline.

— Comment le sais-tu ? demanda-t-il d'une voix sourde.

— Les vêtements dans ta chambre.

— J'aurais vraiment dû mettre cette chaussette bleue, plaisanta Connor d'une voix faible.

— Oui, tu aurais dû ! râlai-je en le maudissant.

Il y avait pire que la grande séance de révélations que je redoutais : la possibilité qu'Austin découvre le pot aux roses de manière impromptue. Je ne gère définitivement pas bien les surprises.

— Je comptais t'en parler, déclara Connor.

Sa voix trahissait son début de panique. Seule sous la douche, je pestai, incapable de pouvoir l'aider. Je réduisis le jet, m'en décalant afin de mieux les entendre. Le cœur battant, je me postai près de la porte.

— Tu comptais m'en parler ? s'étonna Austin.

— Ce n'est pas ce que tu crois. Ce n'est pas... Ce n'est pas comme avec les autres, finit-il en bégayant.

— Comment ça « pas comme avec les autres » ?

— On est... ensemble.

Un silence de plomb s'abattit entre eux. J'attendais un son, un choc, un bruit, quelque chose qui m'indiquait qu'Austin n'avait pas pulvérisé Connor d'un simple crochet du gauche. L'eau commençait à fraîchir et je n'avais aucune envie de rester plus longtemps ici.

— « Ensemble », répéta Austin comme s'il entendait ce mot pour la première fois. Plus de chaussette bleue alors ?

— Non, assura Connor d'une voix ferme.

Je fermai les yeux, me tapant doucement l'arrière du

crâne contre la vitre. Notre petit secret allait exploser à cause d'une malheureuse chaussette !

— C'est donc pour ça qu'elle vit ici, conclut Austin.

— Elle part bientôt.

— Je sais. Ashley suit le même cursus que Maddie.

Un couinement s'étrangla dans ma gorge et je manquai de m'effondrer dans la cabine de douche, terrassée par une rupture d'anévrisme. Connor se racla la gorge, son malaise s'estompant au profit de la stupéfaction.

— Je me doutais bien qu'il se passait quelque chose entre Ashley et toi, reprit Austin.

— Ah oui ?

— J'ai senti comme une forme de... courant étrange, d'attraction.

Si je devais résumer rapidement la relation entre Ashley et Connor, je dirais qu'ils adorent se détester et qu'aux olympiades des enquiquineurs ils se battent pour la première place.

— N'est-elle pas un peu jeune pour toi ?

— Elle a le même âge que Maddie, contra-t-il.

— C'est bien ce que je dis ! Combien d'écart avez-vous ?

— Dix ans.

Austin grogna de désapprobation et je l'imaginai faire une petite moue dubitative. Le soulagement me gagna, la possibilité qu'Austin me découvre — et découvre que j'étais l'infirmière — s'éloignait.

La vision d'Ashley en sauveuse de l'humanité traversa furtivement mon esprit.

— L'âge n'est pas un problème, enchaîna Connor. J'aime être avec elle. Elle est très mature.

— La dernière fois que je l'ai croisée, elle chantait *Someone Like You* à une brique de lait vide.

— Elle est imprévisible.

— J'aurais dit folle à lier. Tu es certain que...

— Certain. Je lui ai promis d'essayer, d'essayer d'avoir une relation avec elle.

— Et donc d'abandonner ta chaussette ?

Même sans le voir, je devinai la surprise d'Austin. Il partait quelques jours et son meilleur ami passait de collectionneur de filles à monstre abandonneur de chaussette. Mais je devais admettre que cela me faisait sourire. Beaucoup sourire, au point d'en oublier l'eau froide qui frappait mes chevilles.

— Ashley, j'espère que tu as conscience que toutes les femmes de cette ville vont vouloir ta mort ! hurla mon frère.

Je me pinçai les lèvres, retenant la remarque acerbe qui me venait. Connor avait fait le plus difficile et je ne voulais pas ruiner son impressionnant jeu d'acteur.

— Cesse de l'ennuyer, lança Connor. De toute façon, tu exagères !

— De la part de l'homme qui change radicalement de vie, railla mon frère. Peux-tu me prévenir pour le mariage ?

— Nous n'en sommes pas là.

— Tu ne veux pas te marier ?

— Eventuellement. Un jour, peut-être.

La voix de Connor était douce, presque un murmure. Un rougissement s'empara de mon visage et je me collai un peu plus contre la paroi. Je commençais réellement à apprécier ce jeu de cache-cache.

— Eventuellement ? répéta mon frère.

— Je ne suis pas certain qu'elle soit d'accord. Par principe, elle est souvent... en désaccord avec moi.

— Tu dis blanc, elle dit noir ?

— Je dis blanc, elle dit gris. Je dis gris, elle dit noir.

Austin siffla — ce que je supposai être une manifestation d'admiration à l'égard de Connor — et frappa dans ses mains.

— Et elle fait ça souvent ?

— Me contredire ?

— Te rendre dingue, rectifia-t-il.

— Dès que je la vois. Je... Je n'ai pas d'explication. Elle me rend littéralement dingue, mais quand elle n'est pas là, elle me manque.

— Ne me balance pas l'image du piment dans ta vie de cuisinier, rigola Austin.

— Elle n'est pas un piment, corrigea presque immédiatement Connor. Le piment peut tout anéantir. Elle est plutôt... fleur d'oranger, quelque chose qui adoucit, finit-il.

Ce jour-là, sous la douche froide, fripée comme du lin et gelée jusqu'aux os, je découvris qu'on pouvait avoir une crampe des muscles zygomatiques.

Je découvris également qu'il ne fallait jamais se réjouir trop vite et que le destin pouvait se retourner lamentablement contre vous.

— En fait, je voulais savoir si tu savais où était Maddie. Je pensais la trouver au loft, j'ai vu sa voiture garée en bas. Mal garée d'ailleurs, ajouta-t-il, provoquant un petit rire de la part de Connor.

— Crétin, murmurai-je pour moi.

— Je crois qu'elle est allée faire des courses, mentit Connor. Tu avais besoin de la voir ?

— Oui, j'ai besoin de son aide, mais ça peut attendre, éluda-t-il.

— Je lui dirai que tu es passé.

— Je vais l'appeler, elle ne va pas faire des courses toute la soirée.

Mes émotions faisaient le yo-yo. Mon sourire béat avait disparu et le tambourinement de mon cœur, reflet de ma peur panique, refit surface.

Austin me cherchait.

Austin allait m'appeler.

Mon téléphone allait donc sonner.

Téléphone qui se trouvait justement dans mon pantalon.

Pantalon qui devait être quelque part, sous le lit de Connor.

Super-vachard, quand même, ce foutu destin. Si près du but, à deux doigts de réussir ce coup magistral et alors que je me voyais déjà en train d'en rire à gorge déployée avec Connor, Austin revenait à la charge. Je m'écartai de la vitre, cherchant une solution. Finalement, je décidai de taper frénétiquement contre le carreau.

— Je crois qu'elle veut sortir, commenta Connor.

— Et ?

— Et il n'est pas question que tu la voies nue ! Sors de cette chambre, grogna Connor.

Austin protesta, mais, au son distant de sa voix, je compris qu'ils s'éloignaient. Je sortis de la cabine prudemment, m'assurant que personne ne me verrait. Je m'enroulai dans une serviette de bain, mes cheveux gouttant sur le sol. De nouveau, des éclats de voix, des rires me parvinrent, mais Dieu merci, mon téléphone resta muet.

Quand Connor toqua doucement à la porte, j'eus un soupir de soulagement.

— La voie est libre, dit-il.

— J'ai cru qu'il n'allait jamais décamper ! Je suis gelée !

— Il m'a dit qu'il allait sortir aussi. Tu as donc le temps de te préparer. Et de briefer Ashley.

— De briefer Ashley ? répétai-je sans comprendre.

— Elle est censée être l'amour de ma vie.

Cette fois, je fis réellement une attaque. Je m'assis sur le lit, fixant le sol, hagarde. Connor éclata de rire, avant de se mettre à ma hauteur, sur ses genoux, et d'entrelacer nos doigts.

— Il faut vraiment qu'on parle de ce fameux « plus tard », murmura-t-il.

Il posa ses lèvres sur les miennes, m'offrant un baiser doux et profond. Quand il s'écarta, il posa son front contre le mien et ses yeux trouvèrent les miens. Dans ses pupilles, j'avais souvent vu du désir, de l'envie, de la colère, voire de la consternation, parfois de l'agacement. Je connaissais Connor, je connaissais ses émotions, je connaissais ses regards, ses mimiques. Mon corps avait acquis une science connorienne. Mais ce que j'y vis à cet instant me déstabilisa. Son regard était sombre, puissant, presque bouleversant. Un regard unique, franc, d'une honnêteté rare, qui provoqua ce picotement dans mon estomac, mélange de peur panique et de bonheur intense.

— Tu fais ça souvent ? murmurai-je, cherchant à retrouver nos marques habituelles.

— Non. C'est une première, avoua-t-il. Je t'en dirai plus demain soir.

Puis il se redressa, me laissant décomposée et stupéfaite sur son lit. Je hochai la tête, pendant qu'il s'habillait rapidement.

— Tu dors ici ce soir ? s'inquiéta-t-il.

— Austin est là.

— J'aime vivre dangereusement. Je pensais que tu le savais.

Des images de nos deux corps enlacés sur le bar, dans la pénombre du loft, me revinrent. Que faire, hormis acquiescer frénétiquement ? Oui, il aimait le risque et moi, je l'aimais lui.

— Je serai là.

— Donc, quand Austin est dans le coin, je suis censée jouer la petite amie follement amoureuse de Connor ?

— C'est ça, opinai-je.

— Donc reprenons : Austin couche avec Sophia. Et tu le sais. Mais Connor ne sait pas que tu le sais. Cependant, Austin et Sophia savent que tu le sais. Et donc, Connor et toi, vous couchez ensemble, mais Austin ne le sait pas et, pour je ne sais quelle raison, il pense que c'est moi la petite amie de son meilleur ami.

— C'est ça, acquiesçai-je de nouveau.

— Sincèrement, les scénaristes d'un soap ne feraient pas aussi bien.

— Je sais que ça semble ridicule, mais nous n'avons pas le choix.

— Pas le choix ? Avez-vous songé à ce truc très pratique appelé « communication » ?

— Est-ce que tu le feras ? demandai-je, presque désespérée.

Ashley replongea le nez dans sa grille de mots croisés, me jetant un regard dubitatif. Je poussai un profond soupir : Austin et Connor allaient débarquer d'un instant à l'autre et Ashley devait absolument donner le change. J'étais prête à la supplier. Ben nous observait du canapé, cherchant à capter notre conversation.

— Je prends tes gardes pendant une semaine, proposai-je à voix basse, à bout d'arguments.

Elle abaissa sa grille et me contempla un bref instant, très amusée de me torturer. Finalement, elle posa son magazine. D'un geste rapide, elle défit la pince qui maintenait ses longs cheveux blonds et les arrangea pour leur donner du gonflant. Puis elle défit un bouton de son chemisier et remonta ses seins en reniflant.

— Très classe, commentai-je.

— Connor va adorer ! se réjouit-elle.

Le cliquetis du verrou se fit entendre et Ashley se leva d'un bond, prête à tenir le grand rôle de sa vie. Je la suivis d'un pas traînant, me rappelant — bien trop tard — que j'avais oublié une dernière recommandation. Connor et Austin riaient en franchissant le seuil. Son sac de sport en bandoulière, mon petit ami étouffa un cri de surprise quand Ashley lui sauta — littéralement — dans les bras, les jambes nouées fermement autour de sa taille.

— Bonjour, chéri ! l'accueillit-elle.

— Hey... chérie ! lança Connor en ravalant sa stupéfaction.

Austin entra dans le loft pendant que Connor cherchait frénétiquement où poser ses mains. Il capta mon regard désolé et finit par abdiquer, ses paumes trouvant les fesses rebondies de ma meilleure amie.

Austin, hilare, m'embrassa sur la joue, m'adressant ensuite un coup de coude en voyant Ashley bécoter mon petit ami. En une seconde, je regrettai d'avoir supplié et envisageai même de tout avouer à mon frère.

— Ça fait envie, hein ? me souffla Austin en me gratifiant d'un nouveau coup de coude.

Envie de la tuer, très certainement. Je rétrécis le regard à l'intention de ma désormais ex-meilleure amie — encore ! — mais seul Connor capta mon regard. Je le vis blêmir quand les mains d'Ashley se glissèrent dans l'encolure de son sweat.

Pétasse ! Et dire que j'avais promis de prendre sa semaine de garde.

Connor eut un mouvement de recul, frôlant la crise de panique, et la repoussa brutalement. Ashley laissa échapper un cri, avant de glisser le long du corps de Connor et de s'écraser, fesses les premières, sur le parquet.

Oui, j'avoue, je jubilais.

Austin l'aida à se relever et Ashley frotta l'arrière de son jean et une partie de sa dignité sous le regard consterné de Connor.

— Mal, tu dois avoir, commenta Ben avant de fourrer une poignée de céréales dans sa bouche.

— La ferme, grogna-t-elle. J'ai juste... glissé.

— Euh... désolé... chérie, s'excusa faiblement Connor, mal à l'aise.

— C'est rien, mon cœur !

Dieu du ciel, mais d'où lui venait cette voix mielleuse ? Ah oui, la voix de « l'infirmière-qui-va-bientôt-vous-planter-une-aiguille-dans-le-bras ». Un sourire lumineux s'étira sur ses lèvres, puis elle se posta près de Connor et entoura sa taille de son bras. Je cherchai à détourner le regard, mais le corps de mon petit ami se tendit.

Il y eut un court silence, seulement troublé par l'élégant bruit de mastication de Ben. Austin pivota vers moi.

— Tu as un peu de temps, demain ou après-demain ?

— Non. J'ai dû prendre des gardes supplémentaires, expliquai-je, les yeux rivés sur Ashley — extatique — et Connor — tétanisé.

— Et ce soir ? J'aurais vraiment besoin de te parler.

Le rire de Connor me détourna de mon frère et Ashley chuchota à son oreille, déclenchant une nouvelle vague d'hilarité.

— Vous dites si on dérange ? lançai-je, cassante.

— Ce petit air jaloux te va à ravir ! répliqua Ashley.

— Je ne suis pas jalouse ! sifflai-je.

— Et je ne suis pas en train de tâter les fesses de Connor en ce moment même !

Je questionnai le meilleur ami de mon frère du regard. D'un geste furtif de la tête, il me confirma qu'Ashley ne mentait pas. Le rituel de l'écartèlement ne serait pas suffisant pour elle. Quant à Connor, j'envisageais la seule torture efficace pour les personnes de son espèce : la privation de sexe.

— Tu as fait du sport, chéri ? s'enquit finalement Ashley.

Il me fallut tout mon self-control, allié à toute mon expérience des situations critiques, pour éviter de lui en coller une. Et Connor qui ne bougeait pas !

— Oui, marmotta-t-il finalement. D'ailleurs... Je... Enfin... Je... vais... Je vais aller prendre une douche, débita-t-il finalement, ravi de son échappatoire.

Il se dégagea de l'étreinte — de l'étau ! — d'Ashley, retirant sa main de sa poche et s'en tenant prudemment à distance. Ça devait certainement être la première fois que Connor fuyait le sexe opposé.

— Tu veux que je vienne te frotter le dos ? proposa Ashley avec une moue aguicheuse.

— Promis, cette fois, je ne viens pas vous interrompre, s'esclaffa Austin avec un regard entendu.

— Tu auras tout loisir de te laisser tâter les fesses ! renchéris-je, un peu fielleuse.

— Je n'y peux rien si les femmes me trouvent irrésistible ! plastronna Connor.

— Elles te trouvent arrogant, corrigeai-je.

— Pas après avoir couché avec moi !

Je soutins son regard un bref instant, partagée entre l'envie de le gifler et celle de l'embrasser. Un nouveau grand mystère de l'univers pour moi : comment étais-je tombée amoureuse de ce type ? Comment pouvait-il être si prétentieux et pénible en public pour ensuite redevenir le Connor drôle et prévenant seul avec moi ?

— Tu ne devais pas aller prendre une douche ? lui rappelai-je finalement.

— Si. J'ai un dîner ce soir. Justement avec une femme qui me trouve irrésistible, ajouta-t-il avec un sourire lumineux.

Dans un instant de lucidité, il se tourna finalement vers Ashley, se souvenant que c'était elle sa dulcinée.

— Tu les emmènes dîner maintenant ? s'esclaffa Austin à mes côtés.

— Il *fait* à dîner, corrigea Ashley. Aussi bien qu'il fait l'amour, ajouta-t-elle avec un gloussement prépubère.

— Dieu du ciel, soupirai-je, agacée.

La rage que je contenais se transformait maintenant en colère insidieuse. J'en voulais à Connor de jouer aussi bien le jeu ; j'en voulais à Ashley de donner parfaitement le change ; j'en voulais à Austin pour le pacte ; et je m'en voulais d'être aussi lâche. Cette comédie était ridicule, encore plus ridicule que le mensonge d'Austin au sujet de Sophia.

— Tu voulais qu'on aille dîner, c'est ça ? proposai-je à mon frère.

— Tu n'as rien de prévu ?

— Rien qui ne puisse attendre, répondis-je en sentant le regard lourd de Connor sur moi. Pizza ?

— Parfait. Tu me laisses me changer ?

— Prends ton temps.

Il quitta aussitôt l'entrée pour aller dans sa chambre. Dès qu'il referma la porte, Connor prit ma main.

— Toi, moi, ma chambre. Tout de suite !

Je le suivis péniblement, trébuchant sur mes propres pieds. Connor me fit entrer dans sa chambre, claqua lourdement la porte et m'y fit appuyer. Sa bouche se posa sur la mienne, dévorant mes lèvres, déclenchant une vague de désir qui engloutit dans l'instant ma colère. Mon corps se moula contre le sien, pendant que mes mains fouillaient sa chevelure encore humide de sa séance de sport.

— Nous avions un dîner de prévu, murmura-t-il dans mon cou.

— Je sais. Mais je ne voulais pas éveiller ses soupçons. A ce sujet, très réussi ton numéro avec Ash. Vous aviez répété ?

— Pure improvisation.

— Elle t'a vraiment touché les fesses ?

— Tu n'étais vraiment pas jalouse ? demanda-t-il en retour, en se redressant pour plonger ses yeux dans les miens.

— Tu es vraiment arrogant.

— Je n'ai jamais prétendu le contraire, dit-il en souriant.

Il passa son pouce sur ma bouche, la caressant tendrement. Mon corps commençait à se relâcher, conquis, presque soumis à Connor. Je m'appuyai un peu lourdement contre la porte, baissant la tête pour éviter de croiser son regard.

— Tu étais vraiment jalouse, n'est-ce pas ? s'enquit-il.

— Je trouve juste que tu t'impliques beaucoup dans cette mascarade.

— Et moi je trouve que tu déploies beaucoup d'efforts pour éviter la « fameuse » conversation que nous devons avoir.

— Je n'évite rien !

— Tu vas dîner avec ton frère, alors que nous avions prévu de passer la soirée ensemble.

— Tu préfères que j'aille dire à Austin qu'en fait c'était moi sous la douche ?

— Il faudra lui dire un jour ou l'autre ! Maddie, regarde-moi.

Il posa la main sur ma joue et me fit relever les yeux vers lui. Quand il fronça les sourcils, je compris qu'il s'inquiétait.

— C'est trop, Connor. Trop vite, trop... fort. On était colocataires, puis amis et...

— Nous n'avons jamais été amis, Maddie. Nous n'aurions jamais pu l'être.

— Je... Tu me fous la trouille. Tu passes de phobique de l'engagement à... potentiel demandeur en mariage ! Tu... Tu as abandonné ta chaussette ! m'exclamai-je, dépitée.

— En effet. Le jour où j'ai constaté que tu me manquais plus qu'elle.

— C'est exactement ce dont je veux parler. Tu t'emballes, tu... j'ai l'impression d'avoir créé un monstre de perfection. Est-ce que c'est toujours toi ?

— Maddie, tu m'as demandé d'essayer. Tu m'as reproché de ne pas m'engager et...

— Tu veux m'épouser ! m'écriai-je.

— Eventuellement, oui.

Je basculai la tête en arrière, la tapante doucement contre le bois de la porte. Je voulais retrouver le Connor d'avant. Celui qui n'y connaissait rien en relation, celui qui ne me faisait pas de déclarations enflammées, celui qui se fichait de moi quand je tombais sur le verglas, celui que je connaissais. Il fit cesser mon geste et saisit mon visage entre ses mains.

— C'est nous, Maddie, chuchota-t-il. Le truc pas ordinaire, le truc unique. C'est nous. J'aime être avec la fille pénible que tu es. Quand vas-tu comprendre ça ? J'aime ça.

— Au risque de perdre ton amitié avec Austin ? Pour... quelques semaines ?

— Je comptais attendre encore deux ou trois jours avant de lancer une opération massive de négociation pour que tu viennes avec moi à Houston.

— Tu es dingue ! soufflai-je. Complètement dingue !

— Tu m'as demandé de la confiance, Maddie. Je fais de mon mieux. Je débute dans tout ce... truc ! Je n'ai aucun modèle : Austin est pire que moi avec les femmes et Ben poursuit sa dépression post-rupture, alors tu dois m'accorder tolérance et compréhension !

— Alors, ne parle pas de m'épouser !

— D'accord. Quoi d'autre ?

— Redeviens celui d'avant. J'ai envie de retrouver le Connor qui m'a emmenée sur le toit ou celui à qui je parle dans l'escalier de secours. Ce Connor-là ne me foutait pas la trouille ! Ce Connor-là, je maîtrisais. Là, je perds le contrôle et je ne sais plus comment réagir.

— D'accord.

— Et maintenant, tu as le droit de m'embrasser, conclus-je en riant.

— Tant mieux, c'est la meilleure partie de notre... euh...

— Relation, Connor. Re-la-tion, répétai-je en articulant exagérément.

Son rire mourut contre mes lèvres, ses mains agrippant mes hanches pour les attirer un peu plus contre lui. Il approfondit le baiser, me faisant oublier le reste de l'univers. C'est un tambourinement violent contre la porte derrière moi qui nous sépara. Essoufflé, Connor posa son front contre le mien.

— Austin a fini sa douche, cria Ashley.

— Retrouve-moi cette chaussette bleue ! soufflai-je en ouvrant la porte.

— Tu dors ici ce soir ?

— Ma chambre est juste à côté, dis-je en souriant.

— Tu sais très bien ce que je voulais dire, dit-il en refermant la porte pour m'empêcher de fuir. Je veux ton délicieux fessier avec moi cette nuit.

— Juste mon fessier ?

— Pour commencer. Je verrai ensuite ce que je fais du reste.

Il m'ouvrit la porte et m'invita à sortir. Il me tapa les fesses en agrémentant son geste d'un « à plus tard, chérie », qui me fit lever les yeux au ciel.

— Crétin, râlai-je.

— Sale gamine.

Je rejoignis le salon à l'instant où Austin apparut. Il m'adressa un sourire heureux et prit les clés de son 4×4.

— Pizza alors !

— Pizza ! acquiesçai-je. Passez une bonne soirée !

— Ne t'inquiète pas pour nous, ironisa Ashley avec une étincelle diabolique dans le regard.

Au même moment, Connor fit un petit bond et émit un couinement de surprise. Je compris qu'elle lui avait encore pincé les fesses. Ma meilleure amie m'offrit un sourire radieux, pendant que je jurais solennellement de me venger dès que possible.

La voiture d'Austin était à son image : imposante. Les vitres étaient teintées, la carrosserie blanche rutilait et l'intérieur sentait la lotion pour le cuir.

— Où va-t-on manger ?

— On va d'abord faire une course.

— Oh ! Comment va Sophia ? J'ai l'impression que cela fait des siècles que je ne l'ai pas vue !

— Elle va bien. Tu t'entends bien avec Connor, j'ai l'impression.

Le changement de conversation me déstabilisa. Je me redressai et tournai mon visage vers la vitre.

— C'est un crétin, dis-je, heureuse de ne pas avoir à trop mentir. Mais tu devrais vraiment lui parler, je suis certaine qu'il ne prendrait pas la situation si mal que tu le penses.

Austin éclata d'un rire froid, presque nerveux. Il secoua la tête et donna un brusque coup de volant, avant de s'insérer sur une avenue grouillante.

— Je lui mens depuis longtemps, expliqua-t-il finalement. Mais maintenant que tu es au courant, la situation a changé.

— Ah oui ? Sophia t'a botté les fesses pour que tu avoues tout à son frère ?

— Presque.

Nouvelle accélération, nouveau coup de volant. Mon frère n'avait jamais été un sanguin. Il était calme, réfléchi, drôle. Il prenait des décisions généralement bonnes — si, évidemment, on éliminait le fait de sortir avec Sophia et donc de mentir à son meilleur ami — et justes.

— Une prise de karaté ? Une grève du sexe ? Un odieux ultimatum ? proposai-je.

Austin se gara sur le bord de l'avenue et coupa le moteur avant de se tourner vers moi. Nous devions être à destination.

— Elle m'a quitté, avoua-t-il avec une étrange sérénité.

— Oh. Merde, je suis désolée, Austin. Je ne voulais pas...

— Ce n'est rien.

— Vraiment ?

— Vraiment. C'est d'ailleurs pour cette raison que je voulais passer un moment avec toi. J'ai besoin de ton avis. Mais avant ça, tu dois me promettre de n'en parler à personne, et en particulier à Connor.

— Parfait, maintenant, j'ai vraiment la trouille. Qu'est-ce qu'il se passe ?

— Je vais demander à Sophia de m'épouser.

Au milieu de la vague de stupéfaction qui me submergeait, je notai, avec une ironie étrange, qu'Austin et Connor étaient aussi cinglés l'un que l'autre. Qu'avaient-ils donc avec le mariage ?

— C'est une mauvaise idée, Austin, commentai-je. Tu devrais d'abord en parler à Connor.

Et surtout, ne pas m'obliger à lui mentir davantage, songeai-je. La relation entre Sophia et Austin était une véritable grenade qui finirait par exploser et anéantirait tout.

Tout, y compris moi.

Tout, y compris nous.

Et après ça, il ne me resterait plus rien, hormis mes yeux pour pleurer et d'amers regrets.

— C'est ton meilleur ami, argumentai-je.

— Il ne dira rien, si Sophia et moi lui avouons tout quand nous serons fiancés.

— Tu me forces donc à lui mentir. Encore.

— Je ne vois pas en quoi cela te gêne. Tu le croises à peine et tu n'as aucune raison de tout lui raconter.

— Comment crois-tu qu'il va réagir quand il va comprendre que tu lui mens depuis des semaines ?

— Des mois, corrigea-t-il.

— N'aggrave pas ton cas. D'ailleurs, je ne veux plus rien savoir de vos petits secrets. Rien !

Je sortis de la voiture, agacée et surtout énervée par le comportement puéril de mon frère. Ce pacte, cette promesse qui avait pour but de préserver Sophia et moi, était en train de prendre des proportions délirantes. Austin me saisit le bras, me rattrapant.

— Je l'aime, avoua-t-il. Je ne peux rien y faire.

— Alors va lui parler !

— Il ne comprendra pas. Surtout pas lui. Il collectionne les femmes, il n'a aucune idée de ce qu'est une relation.

Ce fut à mon tour d'éclater d'un rire sans joie. Tout aurait pu être simple. J'aurais pu tout avouer à Austin maintenant. J'aurais pu en finir avec cette histoire grotesque. J'aurais pu dire à Connor que nous ne craignions rien. Mais Austin me fixait avec son regard brillant, mélange d'espoir débordant et de confiance absolue. Mon ventre se tordit dans une faible douleur, de celle qui dure et vous ronge avant de vous engloutir complètement.

— S'il te plaît, Maddie. Laisse-moi encore un peu de temps.

— Combien de temps ?

— Quelques jours, une semaine tout au plus. Sophia ne me parle plus pour le moment, sûrement parce qu'elle est encore plus énervée que toi sur ce sujet. Mais je sais que je peux la convaincre, je sais que je dois être avec elle. Nous parlerons à Connor ensuite.

Et il m'en voudra pour des mois de lui avoir caché la vérité.

Il m'en voudra de ne lui avoir rien dit.

Et la belle confiance que j'avais exigée de sa part me reviendra en pleine figure, comme un boomerang douloureux.

— Et on fait quoi ici ?

— Tu vas m'aider à choisir une bague.

Austin me déposa à l'appartement peu avant minuit. Le ciel était clair, quelques étoiles scintillaient et j'aurais presque profité du décor si je n'avais pas été aussi épuisée. J'avais argumenté toute la soirée contre Austin, mais il avait refusé d'entendre raison.

J'avais pensé à Connor pendant tout mon dîner. A ses mots, à ses mains, à ses lèvres. J'avais même pensé à cette fichue chaussette bleue. A notre truc étrange, pas ordinaire et incompréhensible pour nos amis.

J'avais pensé à Ben, qui était certainement le plus intelligent d'entre nous.

J'avais pensé à Ashley, l'imaginant chanter *Unbreak My Heart*, le jour où les yeux de Connor ne verraient en moi que la trahison et le mensonge.

Je posai mes clés sur le guéridon, m'emparant du courrier qui s'entassait depuis plusieurs jours. Ben végétait sur le canapé, les yeux semi-clos, concentré sur une émission de téléachat. Ashley, à ses côtés, révisait, plongée dans la microbiologie.

— Où est Connor ? demandai-je.

— Il a dit que tu saurais le trouver.

Je bifurquai aussitôt vers la fenêtre et m'y faufilai pour le rejoindre sur l'escalier de secours. En m'entendant, il se tourna vers moi et posa son livre. Je m'installai près de lui, lui volai un baiser furtif et remontai ses lunettes du bout de mon doigt.

— J'oublie parfois à quel point tu es vieux, plaisantai-je.

— Je préfère le terme « expérimenté ». Tu as un début de ride, juste ici, dit-il en embrassant le coin de ma bouche.

— Qu'est-ce que tu lis ?

— Agatha Christie. Comme d'habitude. Et ce dîner ? Vous en avez mis du temps.

— Nous avions beaucoup de choses à nous dire.

Ne pas lui mentir. Eviter le sujet. Ne pas soutenir son regard. Ne pas flancher.

— De quoi avez-vous parlé ?

— De ce qu'il comptait faire l'an prochain. Je crois qu'il veut raccrocher. L'université de Californie l'a contacté pour un poste d'entraîneur.

— Oh. Je ne savais pas qu'il voulait prendre sa retraite. Cela étant, j'ai l'impression de ne pas avoir vu Austin depuis des semaines.

— Il est très occupé.

— Je le suis aussi, chuchota-t-il en nichant sa tête dans mon cou.

Je me laissai aller contre lui, soupirant d'aise. Sa peau râpeuse me piquait agréablement et son étreinte me fit oublier ma morosité. Pour l'instant, il ne savait rien.

— Prête pour finir notre conversation sur notre avenir ? demanda-t-il dans un sourire.

— J'avais plutôt envie de profiter d'un moment de calme.

— Avec ton courrier ?

Je baissai les yeux vers le courrier entre mes mains, prenant conscience que je l'avais gardé. Je regardai rapidement les en-têtes, avant d'être surprise par un courrier de l'hôpital de Sacramento.

— Un problème ? demanda Connor en me voyant froncer les sourcils.

— Aucune idée.

Je décachetai la lettre dans l'instant et tirai sur le courrier de toutes mes forces. Si l'hôpital annulait mon stage, je pouvais dire adieu à mon diplôme. Le cœur battant, je parcourus les quelques lignes. Je retins mon souffle, les nerfs à fleur de peau. Craquer maintenant serait terrible.

Connor passa la main dans mon dos, me réconfortant. Je sentis son souffle chaud dans mon cou et frissonnai.

— Alors ? Que disent-ils ?

— C'est au sujet de mon stage, expliquai-je en finissant ma lecture. Mon stage de fin d'année. Ils veulent modifier les modalités.

— Quelles modalités ?

Je me tournai vers lui, son regard anxieux pénétrant le mien. Il me serra un peu plus fort contre lui, son corps chaud contrastant avec le froid qui me transperçait. Je pris une profonde inspiration et me préparai à vivre la fin d'une époque : la fin de ma colocation.

— Ils avancent la date du stage. Je commence la semaine prochaine.

~~J-85~~

J-8

Symptômes : tachycardie, stress prérupture.

Pronostic vital : engagé. En tout cas, celui de ma relation avec Connor l'est.

Chapitre 13

Si elle était un parfum ?
La fleur d'oranger, mêlée à l'odeur de sa peau. Et une pointe d'éther.

Sept jours,
Six douches communes,
Cinq pincements de fesses d'Ashley,
Quatre Agatha Christie,
Trois « reste », murmurés pendant son sommeil,
Deux mauvaises solutions,
Une dernière soirée.

Depuis que Maddie avait reçu ce courrier, depuis qu'elle m'avait annoncé d'une voix faible qu'elle devait partir plus vite que prévu, j'avais la sensation de vivre en accéléré. Comme si j'essuyais le coup de feu en continu, l'adrénaline courant dans mes veines et décuplant toutes mes sensations. Le sexe avec Maddie était spectaculaire, nos corps se trouvaient instinctivement, ma peau se réveillait contre la sienne et je ne me rassasiais pas de l'éclat lumineux de ses yeux bleus au moment fatidique où elle jouissait.

Dans ces moments-là, il n'y avait plus qu'elle. Je n'arrivais pas à imaginer le loft sans elle, je n'arrivais pas à penser à mon café matinal sans elle, je n'arrivais pas à croire que nous devions nous séparer. Maddie avait déboulé dans ma vie sans prévenir, créant un chaos indescriptible, piétinant mes règles, anéantissant le pacte, me poussant dans mes retranchements.

A peine était-elle arrivée ici que je voulais qu'elle parte.

Maintenant qu'elle était sur le point de partir, je voulais qu'elle reste.

Je traînais définitivement un très très mauvais karma. Et ce maudit percolateur refusait obstinément de m'obéir. Je poussai un profond soupir. J'avais besoin de ce café.

— Allumer la lumière, tu devrais, suggéra Ben de son canapé.

Oui, désormais, ce canapé ne m'appartenait plus du tout ! Pour être honnête, je crois que le canapé lui-même plongeait en pleine dépression. La présence de Ben était pourtant bienvenue, elle m'empêchait de trop m'enfermer dans mes pensées sombres. J'allumai la lumière, examinant de nouveau la récalcitrante machine en face de moi. Après trois nouvelles tentatives, je ne récoltai qu'un sifflement lugubre et trois gouttes de jus de chaussette.

— Merde ! pestai-je en lançant rageusement mon mug dans l'évier.

— Tu vas finir par réveiller tout l'immeuble, commenta Ben en quittant sa place fétiche.

— Désolé, marmonnai-je.

En silence, il récupéra mon mug, lança le percolateur et, dans l'instant, l'odeur de caféine emplit la cuisine. Il réitéra la même série de gestes, s'octroyant lui aussi un grand café noir. Comment faisait-il ça ?

— Insomnie ? m'interrogea Ben.

— Maddie finit sa garde dans une heure. Je vais la récupérer à l'hôpital.

— As-tu pris une décision ?

— A quel sujet ?

Ben m'adressa un regard perplexe, avant que son visage ne se pare d'un sourire moqueur.

— Donc, tu n'en as pas pris. Il faut que tu lui parles, il faut surtout que tu parles à Austin.

— J'ai prévu de lui parler ce soir.

— Après ou avant d'avoir rompu avec sa sœur ?

Il y eut un court silence, pendant lequel je plongeai le nez dans mon mug. Quand je relevai les yeux vers Ben, il comprit immédiatement. Il éclata d'un rire incrédule et je me félicitai presque de l'entendre rire pour la première fois depuis plusieurs semaines.

— En fait, j'espérais qu'Austin ne te tue pas. Maintenant, je sais qu'il va le faire. Et je pense qu'il fera disparaître ton corps dans le fleuve.

— Austin ne fera jamais ça !

— Si lui ne le fait pas, Maddie le fera. Il faut que tu lui parles.

— Ça fait une semaine que j'essaye, m'agaçai-je. Je... Je n'y arrive pas.

— Parce que vous passez votre temps à vous voiler la face. Qu'est-ce qu'il se passe au juste entre vous deux ?

— Elle part, voilà ce qu'il se passe.

— Tu fuis, voilà ce qu'il se passe. Tu espères qu'elle rompe parce que tu n'as aucune intention de le faire. Et tu n'as aucune intention de le faire parce que tu es amoureux d'elle. Ce qui te rend pathétiquement lâche.

Je fixai Ben : en caleçon bariolé, les cheveux hirsutes, virant du turquoise au bleu clair. Son regard était planté dans le mien et il arborait ce sourire victorieux que j'aurais aimé lui décoller.

— Et l'admettre ne te tuera pas. Maintenant, tu as plusieurs options.

— Eblouis-moi, raillai-je.

— Je suis plus expérimenté que toi dans ce domaine.

— En effet. Et tu as cru que Jenny était la femme de ta vie, grimaçai-je.

Il balaya ma remarque d'un geste de la main et posa son mug sur le bar. Il passa une main dans ses cheveux.

— Quel est ton programme avec elle aujourd'hui ?

— On va prendre un petit déjeuner. Après j'ai prévu de passer chez Gina et... quoi ? fis-je en voyant Ben retenir un rire.

— Tu vas chez Gina ? Avec Maddie ?

— Tu sais que je me fournis toujours chez elle.

— Bien. Et ensuite ?

— On rentrera ici. Elle doit boucler sa valise, finir ses cartons. Et il y a la soirée. Son avion est dans — je jetai un coup d'œil à ma montre — moins de vingt-quatre heures. J'essayerai de l'accompagner à l'aéroport.

Ben s'esclaffa de nouveau et, pour une raison inexplicable, cela m'agaça réellement. J'avais la sensation d'être la victime d'une mauvaise blague.

— Alors tu lui portes ses valises, vous vous embrassez sur la joue et vous restez amis ?

— Va te faire foutre !

Je quittai la cuisine, habité par une rage peu commune. Comment osait-il juger ma relation avec Maddie ? J'entendis ses pas derrière moi et il me rattrapa.

— Ecoute, ce n'est pas ce que je voulais dire.

— Tu ne peux pas comprendre ce qu'il se passe entre elle et moi.

— Tu as raison. Je ne peux pas. Et c'est normal que je ne le sache pas. Mais si toi, tu continues à nier ce qu'il se passe entre vous deux, tu vas t'en mordre les doigts. J'ai goûté ton plat d'hier.

— L'espadon à la vanille ?

J'avais cuisiné la veille, profitant de l'absence de Maddie pour créer un nouveau plat. Ben m'avait observé d'un œil distrait, son attention captée principalement par le téléachat.

— Oui. L'espadon. Tu avais laissé ton assiette au réfrigérateur.

— Je pensais que tu étais devenu céréalivore ! Tu remontes la pente ?

— Feinte-double feinte, commenta-t-il. Pour ton information, la boîte de céréales était vide. Pour en revenir au sujet, ton assiette était parfaite. Parfaite. Equilibrée, savoureuse. Tu n'as jamais fait un truc pareil.

— Ravi que cela t'ait plu ! Je travaille justement pour ça.

— C'est elle, Connor. C'est ce qu'il y a entre vous.

— Tu compares ma relation avec Maddie à... un espadon ?

Ce fut à mon tour de ravaler mon rire. Un espadon. Cela avait au moins le mérite de me mettre de bonne humeur.

— Un espadon savoureux, rectifia-t-il. C'était fabuleux et je n'ai jamais rien mangé de tel ! C'était extraordinaire. Tu n'as jamais cuisiné comme ça.

— Je vais aller prendre une douche et méditer là-dessus !

— Parle-lui, Connor. Je te promets que si tu la laisses filer elle trouvera immédiatement bien mieux que toi. Parce que, pour une fois, tu as entièrement raison : elle mérite mieux que toi.

Je lui adressai un doigt d'honneur, admettant malgré moi qu'il n'avait pas tout à fait tort sur son dernier argument.

— Long et tortueux est le chemin vers l'amour, rétorqua-t-il en se réinstallant sur le canapé.

J'attendais Maddie sur le parking de l'hôpital. Le brouillard habituel avait déserté, laissant la place à une fraîcheur matinale et annonçant une chaude journée. Le soleil tardait à se lever et cela me convenait parfaitement ainsi. Appuyé contre ma voiture, éclairé par un réverbère, je fixais l'entrée des urgences, armé de deux gobelets de café au lait.

Quand Maddie passa la porte, je vis qu'elle me cherchait du regard. Elle me repéra finalement et un sourire s'afficha sur son visage fatigué. Elle pressa le pas, frottant ses bras pour chasser le froid, pendant que ses cheveux bruns flottaient sur ses épaules.

— Tu es un rêve devenu réalité, lança-t-elle avant de déposer un baiser contre mes lèvres.

— Tu sens l'éther, la complimentai-je en retour.

— Je sais. Et je parlais du café, précisa-t-elle en prenant le gobelet entre ses mains.

Elle souffla dessus avant d'en avaler une gorgée. Un gémissement d'aise s'échappa de sa gorge et elle bougea la tête de façon à détendre les muscles de son cou. Je portai mon café à mes lèvres, savourant l'odeur de la caféine et la sensation de chaleur entre mes paumes.

— Laisse-moi deviner, sans sucre et avec du lait de soja ? fit brutalement la voix d'Ashley à nos côtés.

— Euh... non.

Diable, comment avais-je pu ne pas la remarquer ?

— Tant mieux, je prends alors.

Et en un instant, elle m'arracha mon gobelet des mains et en but une longue gorgée, m'adressant un clin d'œil complice. Hurricane Ashley dans toute sa splendeur. Soudainement, elle cessa de siroter mon café et pivota vers Maddie.

— Désolée. On aurait dû porter un toast ! A ta dernière garde ! lança-t-elle avec enthousiasme. Et au soleil californien !

Elles entrechoquèrent leurs gobelets et il me sembla voir les yeux d'Ashley se remplir de larmes. Les deux amies se fixèrent un instant, avant de replonger dans leurs boissons. Quelque part, dans ma tête, une voix entama un compte à rebours cruel : *H-22 avant qu'elle parte.*

Je jetai un coup d'œil vers l'horizon, et vérifiai l'heure sur ma montre.

— Il faut qu'on y aille, dis-je pour interrompre l'ambiance soudainement mélancolique.

— Vous n'allez pas vous marier, hein ? Maddie m'a dit que tu voulais que...

— Ash ! râla cette dernière pour la faire taire.

— Non, nous n'allons pas nous marier, m'esclaffai-je.

J'ai juste envie de passer la journée avec ma petite amie, annonçai-je en regardant l'intéressée.

— Oh ! je peux venir ? s'enquit-elle avec excitation.

Maddie manqua de recracher le café qu'elle avait dans la bouche et observa, consternée, sa meilleure amie.

— Non ! s'écria-t-elle finalement.

— Mais on ne va plus se voir ! pleurnicha Ashley.

— J'allais justement chanter *Celebration*, se moqua Maddie.

— J'ai porté un toast pour toi !

— Au café, ça ne compte pas ! contra Maddie. Tu devras faire mieux.

— Parfait. Ce soir, toi, moi et une bouteille de tequila.

J'hésitais à faire un geste pour rappeler ma présence. De toute évidence, elles m'avaient complètement oublié. Je me raclai la gorge, presque embarrassé.

— Il faut vraiment qu'on y aille, répétai-je en me redressant pour aller ouvrir la portière passager à Maddie.

D'un geste de la main et sous le regard outré d'Ashley, j'invitai ma petite amie à s'asseoir. Elle termina d'un trait sa boisson, adressa un haussement d'épaules à son amie et s'installa. Je profitai du moment de flottement pour récupérer mon gobelet d'entre les mains d'Ashley et cavalai presque pour m'asseoir derrière le volant.

— J'ai craché dedans ! hurla Ash.

— Moi aussi, répliquai-je.

Je démarrai et, avant de consacrer ma journée à Maddie, jetai un dernier coup d'œil vers le rétroviseur : Ashley fouillait désespérément dans son sac et, d'un geste triomphant, en sortit une grille de mots croisés.

— *Celebration* ? m'amusai-je.

— Tequilation, corrigea Maddie en riant. Maintenant, vas-tu enfin me dire où tu nous emmènes ?

— A Vegas. Ou presque, ajoutai-je rapidement en captant son regard paniqué.

Il ne nous fallut qu'une dizaine de minutes pour rejoindre le parking de la tour Hancock. En arrivant dans le sous-sol sombre et désert, Maddie m'adressa un regard perplexe. Je contournai la voiture pour ouvrir sa portière. Elle entrelaça ses doigts aux miens, dans un étonnant silence.

— Je m'inquiète, tu sais. Tu n'as rien dit depuis que nous sommes partis de l'hôpital.

— Quand tu ne me provoques pas, je suis une fille assez calme et sereine. Tu n'as pas beaucoup parlé non plus.

— Je réfléchissais.

Elle eut un faible sourire et je sus instantanément qu'elle avait, elle aussi, réfléchi à la même chose que moi. Nous gagnâmes l'ascenseur et j'entendis Maddie pousser un profond soupir. J'appuyai sur le bouton du 94e étage et nous replongeâmes dans cet insupportable et embarrassant silence.

— Arrête de réfléchir, lança finalement ma colocataire.

Elle serra un peu plus fort ma main toujours fichée dans la sienne et m'offrit un véritable sourire. Puis, dans un geste inédit, elle m'enlaça, nicha la tête dans le creux de mon cou et posa la main sur mon torse. Un peu surpris, je mis un instant avant de réagir, plaçant mes mains dans le creux de son dos. Bercés par le faible bourdonnement de l'ascenseur, Maddie crispa la main sur mon torse.

— Je le sens, murmura-t-elle.

— Je sais. C'est la première fois qu'on fait ça, non ?

— Non, j'adore m'endormir sur toi.

— Donc, c'est la première fois habillés.

Elle m'administra une claque sur le bras, avant de s'écarter de moi. L'ascenseur s'ouvrit sur un jeune homme brun. Je dégainai un billet de la poche arrière de mon jean et le glissai dans sa main. Il me fit un clin d'œil et s'effaça pour m'ouvrir la porte.

— Cent dollars ? s'exclama Maddie à voix basse.

— Deux cents. Suis-moi.

J'agrippai sa main, me faufilant entre les tables du café

pour accéder aux baies vitrées. Carry avait dressé notre table : un brunch copieux avec vue sur le lac. Le soleil pointait à l'horizon, parant le ciel d'orange et de nuances de rose. J'attirai Maddie dans mes bras, calant son dos contre mon torse et la laissant savourer le paysage calme et silencieux devant nous.

— Tu ne pouvais pas quitter Chicago sans venir ici, murmurai-je.

— La vue est époustouflante.

La ville s'étalait devant nous, les buildings sombres tranchant avec la luminosité virginale du soleil. Le lac Michigan inspirait le calme. Ici, nous étions seuls au monde. Maddie s'appuya un peu plus contre moi, son regard embrassant le panorama.

— Reste, murmurai-je.

Elle se raidit et un frisson la parcourut. Elle s'écarta légèrement de moi, collant quasiment son nez à la vitre. Je savais qu'elle m'avait entendu et ce silence, à lui seul, parlait pour elle.

— Tu rends cette journée vraiment... vraiment difficile.

— Et tu peux la rendre beaucoup plus simple.

— En restant ici ?

— En restant avec moi, corrigeai-je doucement.

— Et tu attends le dernier moment pour le demander ?

— En fait, j'envisageais de te le demander demain à l'aéroport, avouai-je.

Elle se tourna pour me faire face, avant d'éclater de rire. L'atmosphère se détendit brutalement et Maddie désigna la table.

— C'est pour nous ?

— Euh... oui. J'ai pensé qu'on pourrait passer un moment ici avant l'arrivée du flot de touristes.

— Je meurs de faim.

Nous nous installâmes autour de la table, le malaise pas tout à fait dissipé entre nous. Elle prit une gorgée de son jus de fruits et, d'un signe de tête, j'autorisai le serveur à nous apporter les œufs.

— Merci en tout cas de m'avoir emmenée ici. C'est magnifique. Un peu cliché, mais magnifique.

— Cliché ?

— Le lever de soleil, la vue imprenable, le café chaud. Ce n'est pas comme ça que j'imaginais ce moment-là.

— Ce moment-là ?

— Le moment où tu me dis que je mérite mieux.

— Tu veux rompre ?

— Nous *devons* rompre.

J'encaissai le choc, prenant conscience que Maddie et moi n'avions pas exactement le même point de vue sur cette journée. Je la voulais extraordinaire et elle voulait rompre. La seule chose sur laquelle nous étions raccord, c'était que cette journée, ces quelques dernières heures seraient inoubliables.

Elle croqua dans un muffin, complètement inconsciente des effets de son annonce.

— A vrai dire, ce n'est pas non plus comme ça que j'imaginais ce moment-là, dis-je finalement. Je pensais... Je pensais que nous allions discuter.

— Tu es certain de débuter en termes de relation suivie ?

Elle étouffa un rire et je me sentis profondément vexé. Je cachai ma déception dans mon café, prenant finalement conscience de ce qu'elle essayait de faire. Elle jouait avec ses œufs, cherchant une nouvelle façon de m'agacer.

— Tu fais ça souvent ? m'amusai-je.

— Manger des œufs ?

— Jouer la peste. Je ne suis pas dupe, Maddie. Et pour être franc, c'est une mauvaise méthode avec moi. Plus tu es peste, plus j'ai envie de passer du temps avec toi.

Elle releva les yeux et, enfin, j'y vis la lueur de joie que j'attendais. Elle était là, elle était elle et pas cet odieux personnage.

— C'est vrai, je débute en relation suivie. Du moins, si on exclut Austin, plaisantai-je.

— Tu as couché avec Austin ? s'enquit-elle en riant.

— Une fois. Et pas de mon plein gré !

Maddie éclata de rire, tandis que je grimaçais au souvenir de ma nuit avec Austin. Nous avions bu, nous fêtions la fin de sa première saison et, hormis notre réveil côte à côte, nous n'avions aucun souvenir de cette soirée.

— Austin fait comme si cette nuit n'avait jamais existé. Mais pour en revenir au sujet, c'est vrai, je débute. J'essaye, Maddie.

— Tu déjoues mes plans, avoua-t-elle. J'ai cru que tu te lasserais.

— De toi ?

— De la vie de couple. J'ai cru que tu reprendrais tes habitudes. Un jour, j'aurais découvert un prénom idiot dans le creux de ta main, une Mindy, une Steffy ou une... une autre Maddie. Je t'aurais fait une scène, évidemment.

— Evidemment. Tu aurais pleuré, renchéris-je.

— Pleuré et crié. Et je t'aurais aussi frappé très fort.

— Castré ?

— Au bistouri. Je sais où m'en procurer facilement. Ensuite, j'aurais bu.

— Avec Ashley.

— Qui d'autre ? dit-elle en souriant.

— Et tu aurais fini par rencontrer un médecin, conclus-je. Trois rendez-vous, une nuit de sexe débridée.

— Deux orgasmes, ajouta-t-elle.

— Petit joueur.

— C'est difficile de passer après toi. Difficile de passer après ça, précisa-t-elle en désignant la vue. Tu vois, tu déjoues mes plans.

— Le plan où je dois être le crétin de service et toi la pauvre victime ?

— *Le* plan, affirma-t-elle.

— Tu te rends compte que ton plan est le truc le plus ordinaire qui soit ?

Elle releva les yeux vers moi, avant de plonger le nez dans son mug de café. Nous échangeâmes plusieurs regards. Le plan, tel qu'elle l'avait imaginé, n'allait sûrement pas se produire.

— Tu veux mon plan ? proposai-je.

— Il ne peut pas être meilleur que le mien. Mon plan était le scénario idéal pour notre rupture.

— On part bien du principe que nous devons rompre ?

— On *doit* rompre, répéta-t-elle très fermement.

— J'ai toujours cru qu'Austin finirait par nous surprendre, ou par se douter de quelque chose.

— Parce que notre bonheur est évident ? gloussa Maddie.

— Parce que tu es très bruyante quand tu jouis et qu'il aurait pu débarquer à l'instant même où tu cries mon nom.

— J'imagine très bien cette réplique : « Austin, ce n'est pas ce que tu crois. »

— Après m'avoir cassé le nez…

— Encore…

— Encore, oui. J'aurais nié toute forme de relation entre toi et moi. Juste un coup comme ça, pour le sexe. Ça t'aurait certainement mise en colère. Tu aurais brûlé mes vêtements.

— Non, j'aurais appelé l'ex de Ben pour demander conseil.

— Je serais turquoise ?

— Tu serais chauve, rectifia-t-elle avec un sourire sadique.

— J'aurais enchaîné les conquêtes, pendant que tu planterais des aiguilles dans une poupée vaudoue. Je t'aurais brisé le cœur. Et un jour, tu aurais fini par débarquer avec un autre type.

— Un type avec des cheveux, compléta-t-elle.

— Un type avec du courage. Qui n'aurait pas nié votre relation, si bizarre soit-elle. Et t'entendre jouir avec un autre aurait été inacceptable. Alors, j'aurais fini par me mettre à genoux, à implorer ton pardon, à pleurnicher sur mon sort pour que tu me reprennes. J'aurais tout avoué à Austin.

— Tu m'aurais demandé de rester ? souffla-t-elle, hésitante.

— Je l'ai déjà fait ! Dans cette version, je suis un surhomme. Sûrement que je te demanderais de me suivre à Houston.

— Tu portes une peau de bête et tu vis dans une caverne dans cette version ?

— Ça se veut un acte romantique, visant à te reconquérir.

— C'est un acte désespéré, visant à obtenir du café à l'œil.

— C'est pourquoi tu refuserais. C'est toi qui déjoues mes plans.

— C'est un plan où tu restes un crétin.

— Je sais. J'ai toujours été certain de toujours tout faire foirer. Aujourd'hui ne déroge pas à la règle.

Le serveur vint débarrasser nos assiettes et nous reproposa du café. Je refusai d'un geste de la main et déposai ma serviette sur la table.

— Dans tous les cas, nos plans n'ont pas fonctionné, commenta finalement Maddie.

— On va improviser donc. Pas de plan.

— Pas de plan ?

— Sommes-nous vraiment obligés de rompre ?

— Pour un débutant, tu es très confiant. Personnellement, je vois une multitude de bonnes raisons de rompre.

— Et je vois une multitude de bonnes raisons pour te contredire.

— Rompre serait pourtant la meilleure solution. Tu reprendrais ta vie où tu l'as laissée.

— Ce n'est pas ce que je veux. Passer après toi est vraiment difficile, répondis-je, la plagiant.

— De ton propre aveu, je suis une peste.

— Une fille normale n'aurait jamais voulu de moi. J'aime t'avoir dans ma vie. J'aime ton côté peste. J'ai confiance en toi.

— Et c'est donc à ce moment-là de notre conversation que je balance un « on reste amis ». Histoire de te rassurer.

— Revenons-en à ta multitude de bonnes raisons.

— Austin ? tenta-t-elle.

— Je peux lui parler. Je n'ai pas à choisir entre lui et toi.

— Quelques milliers de kilomètres ?

— Tu peux me rejoindre à Houston. Le *Methodist* est très bien coté. Sauf si, bien sûr, tu préfères l'*Episcopal*.

— Tu as fait des recherches ! s'esclaffa-t-elle. Et si je préfère l'hôpital universitaire ?

— Tu as fait des recherches aussi.

— On finirait par s'étriper.

— On a déjà survécu presque quatre mois, soulignai-je.

— Et si je ne veux tout simplement pas ?

— Dans ce cas, tu aurais rompu. Mais nous sommes justement en train de nous rendre compte que ce n'est pas possible.

— Tu as réponse à tout, ironisa-t-elle. Je croyais que j'étais trop jeune ?

— J'aime l'idée de te voir vieillir.

Elle éclata de rire, tout en tartinant un bagel. Elle voulait rompre et je ne voulais pas. Elle voulait me convaincre du bien-fondé de son idée et je voulais... tout l'inverse. La journée s'annonçait vraiment très longue.

— Je ne veux pas d'une vie sans toi, repris-je avec toute la conviction du monde.

— Il n'est pas question de ça. On peut rester amis, on peut rester... ce qu'on est. Je n'ai pas encore vraiment défini ce que nous devons être. Mais je sais ce que nous ne pouvons pas être.

— As-tu au moins compris un traître mot de ce que tu viens de dire ?

— Absolument pas, dit-elle en éclatant de rire.

Nous rîmes à l'unisson pendant quelques secondes. Le soleil inonda le café et je vérifiai l'heure à ma montre. J'avalai d'un trait mon reste de café et me délestai d'un nouveau billet de cent dollars.

— Cette journée va te ruiner, commenta Maddie.

— A tout point de vue. Tu as terminé ?

Elle contempla la table devant elle, encore garnie de pain, d'œufs et de jus de fruits.

— On part ?

— On a vu le meilleur. Et j'ai encore quelque chose à te montrer.

Elle leva un sourcil appréciateur et son regard azur s'assombrit légèrement. De toutes les femmes que j'avais pu côtoyer, Maddie était sûrement celle qui pensait plus au sexe que moi.

— On ne rentre pas au loft, précisai-je.

— Dans ce cas, je vais faire quelques provisions.

Dans son sac, elle fourra en vrac des brioches, des croissants et, avec un clin d'œil, elle embarqua la carafe de jus d'orange. Je la regardai faire, médusé.

— Trois cents dollars pour un petit déjeuner. A ce prix-là, je prends la carafe.

— Rappelle-moi de ne jamais t'inviter dans mon restaurant, dis-je avec un sourire.

— Tu vois bien qu'il faut qu'on rompe !

Après avoir salué le serveur — Maddie avec un immense sourire ravi, moi avec un signe de la main embarrassé —, nous regagnâmes au pas de course le parking. Ma colocataire éclata d'un rire cristallin et communicatif dès que je claquai la portière derrière elle. Apparemment, la disparition de la carafe était passée inaperçue.

Passer après elle allait être insurmontable.

Dans la voiture, Maddie dévora une petite brioche, gémissant de plaisir pendant de longues minutes.

— Tu sais, à l'hôpital, ils nous gavent de nourriture

industrielle, expliqua-t-elle la bouche pleine. On rapporte des beignets à tour de rôle et la cafétéria est de mèche avec la direction de l'hôpital pour provoquer des intoxications alimentaires.

— Et voilà une bonne raison de rester avec moi, triomphai-je.

— On a commencé ?

— Commencé ?

— Le grand jeu du « qui va convaincre l'autre ? ».

Je trouvai une place sur l'avenue et me garai à quelques mètres de la boutique de Gina. Maddie avala une gorgée de jus d'orange et s'empara d'une nouvelle brioche.

— Pour être honnête, j'aime assez quand tu prends le dessus sur moi, dis-je.

— Tu es un pervers assoiffé de sexe.

— Dit la fille qui a cru qu'on rentrait au loft pour s'envoyer en l'air.

— Tu as raison. Pourquoi rentrer au loft alors qu'on peut le faire ici ? La boucle serait bouclée.

En deux secondes, elle s'installa à califourchon sur mes cuisses, fit reculer le siège, prit mon visage entre ses mains et posa sa bouche contre la mienne. Passé le moment de stupéfaction, j'agrippai l'arrière de ses cuisses et la serrai un peu plus près de moi. Sa langue s'insinua entre mes lèvres, conquérante et gourmande. Son intimité frottait contre la mienne, réveillant mes instincts les plus primaires et mes souvenirs les plus enfouis. C'était comme ça que tout avait commencé : avec elle sur mes cuisses, dans ma voiture. C'était à ce moment-là qu'elle avait provoqué le chaos dans ma vie, faisant vaciller mes habitudes.

Mes mains remontèrent dans son dos, se glissant sous le tissu de son T-shirt. Sa peau était douce, chaude, parfaite ; et, pour la énième fois de la journée, je maudissais le temps qui passait trop vite. La toucher, la sentir, l'embrasser. Rester avec elle.

Quand elle s'écarta, les joues roses et les lèvres gonflées, elle posa son front contre le mien.

— Rien n'a changé, soufflai-je. Depuis cette nuit-là, je te veux, Maddie. Et je ne veux surtout pas rompre.

— Il faut qu'on rompe, répéta-t-elle de nouveau. Je me suis préparée à ça.

— Pourquoi réagis-tu comme ça ? Tu voulais une relation, non ? Je suis quasiment en train de te supplier de me suivre.

— Je tente de nous éviter une triste fin. On pourrait faire ça ici, on pourrait se mettre d'accord sur une rupture douce et facile. Si je te dis « oui » maintenant, je sais que cela finira mal.

— Autant te prévenir : je vais passer la journée à faire tout mon possible pour te faire changer d'avis.

— Et tu aboutiras à ce que tu imaginais : une rupture à l'aéroport.

— J'ai hâte ! m'exclamai-je en me frottant les mains. Mais en attendant, il y a un endroit que je veux te montrer.

— Sur les toits ?

— Pas du tout.

— *Buongiorno, tesoruccio !*

Gina, Gina, Gina. Que dire sur elle ? Gina se résume en un mot : elle est l'Italie avec un grand « I ». Elle est la chaleur du climat et de ses habitants, elle est l'exubérance des Latins, elle est la générosité des *mamas*. Ses cheveux grisonnants la rendent lumineuse, son sourire est pour toujours scotché sur ses lèvres.

Gina est une âme. De ces âmes rares et précieuses qui ne se partagent pas. J'aime venir chez Gina, parce qu'elle a ce pouvoir incroyable de vous faire vous sentir bien en toutes circonstances.

C'est peut-être aussi parce que c'était, il n'y a pas

encore si longtemps, la seule femme avec qui j'entretenais une relation.

Et c'était sûrement parce qu'elle m'embrassait affectueusement sur les deux joues que Maddie avait ce regard halluciné.

— Gina, je te présente Madeline.

— Maddie, corrigea-t-elle immédiatement.

— Maddie, voici Gina. Gina est l'heureuse propriétaire de cette boutique.

— *Molto lieto!*

Puis, comme elle l'avait fait avec moi, elle l'embrassa avec chaleur sur les deux joues. Elle s'empara du bras de Maddie et l'entraîna vers le premier comptoir. Je les suivis prudemment, les observant interagir. C'était la première fois que j'emmenais quelqu'un ici avec moi.

Et évidemment, la première fois que j'emmenais une fille. Aussi, quand Gina me lança un regard, je sus immédiatement à quoi elle pensait.

— Qu'as-tu envie de sentir? demanda Gina avec son accent chantant.

— Euh...

— On venait voir la cave, intervins-je en posant les mains sur les hanches de Maddie.

— J'ai reçu de la cannelle de Ceylan.

— Mets-la-moi de côté, j'ai envie de montrer ta cave à Maddie d'abord.

Gina passa devant nous et j'agrippai Maddie par les hanches pour la tenir contre moi. La boutique de Gina regorgeait d'épices, de piments et de poivres du monde entier. Elle était ma fournisseuse depuis des années et, quand elle me parlait de « cannelle de Ceylan », je savais qu'elle me provoquait. Elle testait ma relation avec Maddie.

Et dans le monde de Gina, emmener Maddie ici était presque un sacrilège. Lui faire découvrir sa cave à vanille était un crime suprême.

— Où allons-nous ? demanda Maddie en descendant la volée de marches.

— Gina possède une cave à vanille. C'est mon endroit préféré de la ville.

— Je croyais que c'était le toit de l'immeuble ?

— Non. Le toit m'offre l'inspiration. Ici, c'est totalement différent. Et puis tu m'as demandé de te montrer le vrai Connor. Le vrai Connor traîne souvent ici.

Nous débouchâmes dans une salle sombre et humide. Le long des murs, des rangées de casiers en fer, cabossés et usés, s'offraient à nous. Gina s'effaça pour nous laisser entrer dans la petite pièce, avant de s'excuser pour remonter à l'étage. Je volai un baiser furtif à Maddie, avant de la laisser errer entre les casiers. L'odeur était sucrée, entêtante, presque enivrante. L'éclairage était minimaliste et vétuste, donnant une atmosphère irréelle à l'endroit.

Du bout des doigts, Maddie effleura les casiers, avant de s'arrêter pour en ouvrir un.

— Je dois admettre que c'est mieux qu'une boutique de souvenirs où j'aurais dégotté une boule à neige, plaisanta-t-elle.

— J'avais aussi envisagé une balade sur le fleuve, avouai-je en me postant derrière elle.

— Et pourquoi as-tu changé d'avis ?

— Sûrement parce que je n'aurais pas pu faire ça, expliquai-je en nichant la tête dans son cou.

Elle se laissa faire, basculant la tête en arrière pour m'offrir un meilleur accès.

— Reste, murmurai-je de nouveau. Reste avec moi.

— Je ne peux pas. Ça ne serait pas... honnête, murmura-t-elle.

Elle se libéra de mon étreinte et porta son attention sur un nouveau casier. Elle sortit une gousse et la porta à son nez.

— C'est de la vanille sauvage. Ça vient du Mexique. Elle est parfaite en pâtisserie.

— Tu le fais encore !

— Quoi donc ?

— Me fasciner. Tu sais, je crois que c'est pour cette raison que nous devons rompre : tu me fascines trop. Et ça depuis le début. Ce n'est pas une base solide pour une relation.

— J'aime beaucoup l'idée que je te fascine !

— Tu sais très bien ce que je veux dire. Je ne suis jamais d'accord avec toi, on passe notre temps à nous disputer. Je veux rompre, tu ne veux pas. Tu veux que je te suive et je ne veux pas. Tu m'entraînes dans un *road trip* improbable pour la journée.

Sa voix se brisa et je compris que le climat serein et léger avait disparu. Au milieu du parfum de vanille, Maddie était en train de pleurer. J'étais tétanisé : j'avais tout prévu pour cette journée. Tout sauf ses larmes.

Elle essuya ses joues d'un revers de main et renifla bruyamment.

— Je croyais que c'était ce que tu voulais, que tu voulais qu'on soit ensemble.

— Ce que je voulais, c'était que les choses soient simples. Et je ne peux pas gérer tout ce qu'il va se passer : tu sais qu'Austin va te détester.

— Je ne dirais pas que...

— Comment réagirais-tu s'il te disait qu'il sort avec ta sœur ?

— C'est impossible et ça n'a rien à voir avec nous. Je veux que ça fonctionne entre toi et moi. Je parlerai à Austin. S'il refuse de comprendre, il peut aller se faire foutre.

Maddie se figea et je pris conscience que j'avais involontairement haussé le ton. Elle poussa un profond soupir et se composa un visage neutre.

— Je veux qu'on rompe parce que je ne veux pas être responsable d'un désastre. Je veux qu'on rompe parce que je sais que je peux encaisser que tout s'arrête entre nous. Je veux qu'on rompe parce que je pense que je peux encore reprendre une vie normale. Ça ne devait durer que quelques mois. Je devais débarquer, passer mes examens et repartir. Tu ne voulais pas que je reste ! me rappela-t-elle. C'est comme ça que ça devait se passer et c'est comme ça que ça se passera.

— Maddie, depuis qu'on se connaît, je n'ai jamais été d'accord avec toi. Du moins sur les sujets majeurs.

— Tu vas encore me contredire ?

— Il y a des chances, oui.

Je m'approchai d'elle, l'acculant dans un recoin de la cave. Elle frissonna au contact du mur glacé et plongea son regard dans le mien.

— Je t'ai menti sur mon plan. Enfin, je t'ai menti sur mon plan de la journée. Est-ce que tu comprends pourquoi je t'ai emmenée ici ?

— Tu as dit que... enfin... que tu voulais me montrer le vrai Connor.

— Je sais que théoriquement on doit rompre. Théoriquement, je n'aurais pas dû te toucher. Théoriquement, tu n'aurais jamais dû débarquer. Le pacte était purement théorique.

Un bref sourire apparut sur son visage. Cela m'encouragea à poursuivre.

— Maddie, le premier souvenir que j'ai de toi, la première chose qui me vient quand je pense à toi, c'est la vanille. C'est cette histoire de milk-shake qui me... perturbe. Ça et Ben avec ses cheveux turquoise. Mais la vanille, c'est toi. Et moi, je ne suis que le pauvre type qui a cru être romantique en t'emmenant ici.

— C'est toujours mieux que l'aéroport, fit-elle remarquer en riant.

— C'est certain. Tu veux une bonne raison de ne pas rompre ?

Elle écarquilla les yeux, une lueur de pure panique brillant dans la semi-obscurité. Je pris la main de Maddie dans la mienne, la posant ensuite sur mon torse. Je tentai de calmer les battements erratiques de mon cœur, mais ils devinrent encore plus incontrôlables quand elle me toucha.

— Je suis amoureux de toi.

Pour toute réponse, j'eus un petit couinement de surprise.

— Je suis amoureux de toi et je ne veux pas rompre. Et j'ai envie de croire que toi aussi, tu ressens quelque chose. Je vais parler à Austin ce soir et je me fous de savoir s'il est d'accord ou non. Ce qui compte, c'est que toi, tu sois d'accord.

— Connor, je...

— Laisse-moi finir. Tu vas partir en Californie et tu vas faire ton stage, mais je veux que tu réfléchisses à ce dont nous avons parlé.

Elle opina et je libérai sa main pour m'écarter. Maintenant, la balle était dans son camp. Je pris quelques gousses de vanille dans les casiers, incapable de soutenir son regard.

Se mettre à nu devant une fille est carrément plus flippant que n'importe quelle critique gastronomique.

— Est-ce qu'on rentre au loft ? demanda finalement Maddie alors que je lui tournais le dos.

— Oui. Tu as tes sacs à faire.

— En effet. Mais j'ai aussi une candidature à envoyer au *Methodist*.

J-1

Note pour moi-même : prévoir une armure en titane pour affronter Austin.

Chapitre 14

S'il était un parfum ?
Le citron et le sel sur sa peau.

Nous devions rompre. C'était ce que le bon sens imposait. J'étais amoureuse de Connor, mais je n'imaginais pas notre relation — déjà compliquée en étant sous le même toit — survivre à des kilomètres de séparation. J'étais amoureuse de Connor et j'aurais pu vivre avec une rupture franche. Mais justement parce que j'étais amoureuse de lui et que je le connaissais, je ne voulais pas vivre en craignant qu'une autre fille prenne ma place. Etre le dindon de la farce était trop pour ma fierté. Avoir le contrôle de notre rupture était encore la meilleure des solutions.

Sauf que, comme toujours, Connor avait refusé d'être de mon avis. Je voulais lui rendre sa liberté et lui voulait être avec moi. Je voulais le contrôle et rompre... Il voulait le contrôle et poursuivre notre... drôle d'histoire.

Il m'aimait.

Il me voulait avec lui.

Jamais je ne lui avouerais que j'avais fait moi aussi mes recherches et que j'avais repéré des offres de poste à Houston. Mais que lui l'avoue avait été l'argument massue.

Ça et le fait… qu'il m'aimait et que, dans sa bouche, cet argument en valait mille, envoyant ainsi au tapis mon plan parfait de la rupture.

— Est-ce que tu vas cesser de sourire ? s'enquit Connor en montant dans l'ascenseur de notre immeuble.

Je cessai immédiatement, mais c'était plus fort que moi. Ma bouche s'étirait toute seule, à m'en faire mal aux joues. Il attrapa ma main dans la sienne et m'attira contre lui.

— Quel est le plan maintenant ? demandai-je.

— Survivre à cette soirée.

— Facile, murmurai-je en me dressant sur la pointe des pieds pour l'embrasser.

Il caressa ma bouche de la sienne, m'attirant un peu contre lui en calant nos deux mains dans le creux de mon dos. Je m'écartai de lui, à bout de souffle, maîtrisant difficilement l'affolement de mon rythme cardiaque. J'avais réellement voulu rompre, j'avais récité tout un tas de mantras pour préparer mon corps à oublier Connor. Mais de toute évidence, cela ne fonctionnait pas : un frisson parcourut mon échine et ma peau se réveilla instantanément en sentant le souffle chaud de Connor dans mon cou.

— J'ai prévu de te faire l'amour aussi, chuchota-t-il.

— Facile aussi, répondis-je.

— Cesse d'être d'accord avec moi. C'est extrêmement perturbant !

— Cesse d'être si persuasif, contrai-je.

— Tu veux dire « irrésistible et maître de ton corps » ?

— Je veux dire « imprévisible et prétentieux ».

L'ascenseur s'arrêta dans une petite secousse et, avant que je puisse réagir, Connor me catapulta sur son épaule, m'administra une claque sur les fesses et courut dans le couloir jusqu'à la porte de notre appartement. Hilare, je tapai des jambes pour me libérer, sans succès. Quand nous passâmes le seuil, je relevai péniblement la tête pour croiser le regard atterré de Ben.

— Ash, tu me dois cent dollars ! hurla-t-il de son canapé.

J'eus à peine le temps de voir ma meilleure amie débouler du couloir, une serviette tout juste nouée autour de sa poitrine, ses cheveux trempés collés sur son visage.

— Maddie, on avait répété ! râla-t-elle dans un élan d'exaspération.

Je levai les mains en signe de défaite. C'est vrai, nous avions répété, nous avions envisagé tous les scénarios possibles et Ashley avait été une parfaite coach en rupture.

— Il m'a emmenée dans une cave à vanille, me justifiai-je mollement.

Et il m'aime, songeai-je.

Ashley n'eut pas l'occasion de répondre. Connor me porta dans le couloir qui menait à sa chambre, en passa la porte et me jeta sur le lit. Il alluma l'halogène, la pièce baignant dans une lumière chaude et diffuse. Le souffle court et avec toujours mon maudit sourire scotché aux lèvres, je vis Connor retirer son pull, puis ramper au-dessus de moi. Il posa ses lèvres dans mon cou, une de ses mains remontant le long de ma cuisse. Mon ventre fit sa pirouette habituelle, se recroquevillant dans mon abdomen pour entamer un effrayant yo-yo entre ma gorge et mes pieds.

Je me cambrai, épousant un peu plus le corps de Connor. C'était la dernière fois que nous nous touchions ainsi, la dernière fois avant de longues semaines de séparation. Les doigts de mon colocataire trouvèrent l'ourlet de mon pull, le remontant lentement sur mon estomac. Sa paume était chaude sur ma peau et le désir déferla en vagues entre nous.

— Je te veux, chuchota-t-il sur ma peau. Je te veux jusqu'à oublier que tu pars cette nuit.

— Je suis à toi, haletai-je.

Je plongeai les mains dans sa chevelure, attirant le visage de Connor face au mien. Son regard était sombre, brûlant de ce désir que je connaissais maintenant. Mais il y avait autre chose, une lueur d'inquiétude, de sombre anticipation.

— Je suis à toi, répétai-je d'une voix plus ferme.

— Je n'ai jamais fait ça, Maddie, avoua-t-il en soudant son front au mien. Je n'ai jamais ressenti ça.

Il nicha la tête dans le creux de mon cou, retrouvant ma peau déjà très sensible. J'enserrai sa taille de mes jambes et il nous fit basculer. Je me retrouvai à califourchon sur ses cuisses. Je retirai mon pull, le faisant voler derrière moi, puis dégrafai mon soutien-gorge. Connor me dévorait du regard et cela embrasa mon désir.

— Je pense que si tu lui demandes très gentiment Ash pourra te donner les paroles de *All By Myself*, plaisantai-je.

Il se redressa sur les avant-bras et un petit sourire vicieux s'accrocha à ses lèvres.

— Et maintenant je t'imagine en train de te toucher, avoua-t-il. C'est très sexy.

Je glissai une main dans mon jean, ne laissant aucun doute possible sur ce que j'allais faire. Connor se redressa un peu plus, son sexe frottant honteusement contre le mien. Je trouvai mon intimité humide et me caressai devant lui. Il me fixait, partagé entre surprise et pur plaisir.

Je gémis lourdement, me soulageant du désir qui tenaillait mon corps. Une première bouffée de chaleur gagna mes joues, puis mon décolleté. Mes seins se gonflèrent d'excitation et un petit cri m'échappa quand je sentis la bouche de Connor sur une de mes pointes. Il retira ma main de mon pantalon et d'un mouvement de hanches me plaqua sur le dos. Il déboutonna mon jean et le fit glisser sur mes jambes, me délestant au passage de ma culotte. Il se débarrassa aussi du sien.

Puis il embrassa mon pied, ma cheville et sa bouche remonta lentement sur ma peau. Je haletai, mon bas-ventre se contractant presque douloureusement. Je murmurai son prénom, le cœur battant frénétiquement.

Quand il parvint en haut de ma cuisse, il eut un moment d'arrêt, puis reprit son voyage sur ma peau. Il frôla mon pubis, embrassa la peau de mon estomac, trouva le creux de ma taille, avant de faire le chemin inverse. Sa langue passa sur mon sexe, me faisant crier de plaisir. Je me cambrai sur le lit, agrippant les draps sous moi.

— Tes mains au-dessus de ta tête, commanda-t-il.

— Que... Quoi ?

— Pose les mains au-dessus de ta tête et accroche-toi, bébé.

Je trouvai le montant du lit et, dans l'instant, Connor reposa sa bouche sur moi. Sa caresse, d'abord lente, prit un rythme soutenu, me laissant à peine respirer. Ses mains entouraient mes cuisses, sa bouche me dévorait et j'étais prise en étau : entre la voracité de Connor et le désir qui me rongeait, menaçant de me faire chavirer d'un moment à l'autre. Mes mains serrèrent un peu plus fort le lit, mon corps se tendit de plus en plus et mon orgasme explosa, dévastant mes dernières forces.

Je m'effondrai sur le lit, mon corps ramolli et mon cœur reprenant un rythme plus normal. Les yeux mi-clos, je sentis vaguement la peau de Connor frotter contre la mienne. Il décrocha mes mains du lit et embrassa ma tempe.

— Tourne-toi, murmura-t-il.

Exténuée, j'obéis.

— Tes mains sur le lit.

Puis il couvrit mon corps du sien et très lentement entra en moi. Sa main se faufila sous mon ventre, me faisant ainsi me cambrer.

— Parfait, haleta-t-il. Laisse-moi te toucher.

Je remontai un peu plus les fesses, ses doigts s'insinuant entre mes plis. J'étais encore sous l'effet de mon premier orgasme, et la simple pression de sa main sur moi me fit gémir. Il bougea, son sexe allant et venant en moi. Il grogna mon prénom, se couchant finalement sur moi. Mon corps calqua son rythme au sien. Je relevai les hanches, venant à la rencontre de mon amant.

Je me cramponnai au lit, libérant ma main droite pour rejoindre la sienne sur mon sexe. J'imprimai une cadence plus forte, participant ainsi à une nouvelle vague de désir. Mes gémissements remplissaient la pièce, pendant que Connor embrassait le haut de mon dos.

— Jouis avec moi, Maddie.

Je secouai la tête, ondulant toujours contre lui. Connor et moi avions déjà couché ensemble : il y avait eu les douches rapides et salvatrices, les nuits longues et passionnées, les matins tendres et silencieux. Mais il n'y avait jamais eu ça. Il n'y avait jamais eu un tel besoin désespéré de sentir l'autre, il n'y avait jamais eu cette sensation d'appartenance absolue et encore moins ce sentiment de puissance bienheureuse.

Connor me souleva légèrement, provoquant un fabuleux changement d'angle. Son début de barbe râpa la peau de ma nuque et je sentais son cœur tambouriner dans mon dos, faisant écho au mien. Mon souffle se raréfia et, dans un moment de silence parfait, nos deux corps liés se tendirent et explosèrent avant de s'effondrer sur le lit.

Après s'être débarrassé du préservatif, Connor m'attira contre lui, moulant son corps contre le mien. Il tira le drap sur nous, nous couvrant totalement avec le tissu.

— Je confirme que je suis totalement amoureux de toi, chuchota-t-il dans un rire.

— Je vais donc devoir vivre avec ça, me lamentai-je faussement.

Il fit courir les doigts sur moi, mordillant mon cou en représailles.

— Alors tu as répété notre rupture avec Ashley?

— Oui. Mais évidemment, nous n'avions pas prévu ça, avouai-je en entrelaçant mes doigts aux siens.

— Ah, toutes ces choses imprévues, s'esclaffa-t-il. Tu ne devrais pas être en train de faire tes valises?

— Je m'offre une minute de répit. Je sais qu'ensuite Ashley a programmé une soirée d'enfer.

— Tequilation, me rappela-t-il.

— Exactement. Pendant que tu annonceras à mon frère que tu veux m'épouser.

— Oui, je lui dirai juste après qu'il m'a cassé le nez. Encore. Pense à me garder une bouteille de tequila.

Le moment de répit dura trois bonnes heures. Après m'être endormie sur Connor, nos jambes emmêlées et nos corps chauds collés l'un à l'autre, je parvins à m'extirper des draps.

Le cœur lourd de notre séparation à venir, je me lançai ensuite dans l'empaquetage méthodique de mes affaires. Des vêtements, des livres, des cours; rien de bien folichon. Dans mon sac, je retrouvai le tube à essai encapuchonné contenant les trois gousses de vanille sauvage. Le simple souvenir de l'aveu de Connor me tira un sourire niais.

Derrière la porte, je devinais un début d'agitation,

la vibration caractéristique des basses, le bruit des meubles qu'on bouge. Ashley m'avait parlé de faire une fête mémorable, de celles, qui, ironiquement, ne laissent aucun souvenir au réveil.

C'était difficile à admettre, mais oui, Ashley allait me manquer. Et je crois même que, secrètement, je l'enviais de rester ici pour poursuivre son cursus pendant une année supplémentaire.

Je retirai les quelques photos punaisées au mur, les entassant dans mon sac déjà trop plein. Dans un carton, je déposai quelques bibelots, des CD, tout ce qui ne m'était pas essentiel et qui voyagerait sans moi. Je fis un dernier tour, vérifiant que je n'avais rien oublié. Je fermai ma valise, soupirant lourdement.

A mon arrivée ici, je ne voulais surtout pas rester.

Maintenant, je ne voulais surtout pas partir.

On toqua à ma porte et je secouai la tête pour me composer un visage neutre. Les larmes attendraient que je sois seule, dans un bain et avec Céline Dion en fond sonore larmoyant. Le visage de Connor apparut dans l'entrebâillement, son sourire se fana quand il croisa mon regard.

— Je te laisse cinq minutes et tu en profites pour déprimer ? lança-t-il en refermant la porte derrière lui.

— J'ai le droit de déprimer, me défendis-je.

— Je vais te manquer ? fanfaronna-t-il en enroulant son bras autour de moi.

— Ne rêve pas. Ce sont surtout tes macaronis au fromage qui vont me manquer.

Il fit une petite moue dubitative, puis pinça mes hanches.

— Je crois au contraire que cela te fera beaucoup de bien, ironisa-t-il.

— Maintenant, je veux vraiment rompre, le menaçai-je.

Et te castrer, aussi, ajoutai-je pour faire bonne mesure. Tu es venu pour m'aider à faire mon sac ?

— Je suis venu pour te faire une proposition.

— A quel point est-elle indécente ?

— Elle ne l'est pas. Je voulais te proposer de t'amener à l'aéroport.

— Tu tiens vraiment à des adieux larmoyants, en pleine nuit dans un endroit sinistre ?

— Je tiens vraiment à passer du temps avec toi. Je t'ai emmenée dans une cave humide et sombre, l'aéroport ressemble à Vegas à côté ! Par ailleurs, j'ai un cadeau. Pour le vol.

De derrière son dos, il tira un petit paquet carré plat. Je lui adressai un regard curieux. Je déchirai le papier, éclatant de rire en découvrant un livre d'Agatha Christie. Je m'apprêtais à le feuilleter, quand Connor m'arrêta d'un geste.

— Attends d'être dans l'avion. J'ai... j'ai écrit un mot à l'intérieur.

— Le nom du tueur ?

— Peut-être. Peut-être..., murmura-t-il en fondant lentement sur ma bouche.

Ses lèvres effleurèrent les miennes, mon corps réagissant immédiatement à la proximité de mon colocataire. Quand finalement sa langue rencontra la mienne, mon cœur s'emballa et tout mon corps vibra contre le sien. Mon livre s'écrasa au sol. Ce baiser était long, profond et, paradoxalement, il était effrayant d'adieux. Connor me serrait contre lui à m'en faire mal et je me surpris à glisser les mains dans les poches arrière de son jean. Un grognement lui échappa, et, encouragée, je lui pinçai les fesses.

Il s'écarta de moi, essoufflé, et esquissa un sourire.

— Tu fais ça souvent ? demanda-t-il.

— Pincer des fesses ?

— Marquer ton territoire.

— Ashley a invité la moitié de l'hôpital avec, en guise d'appât, de la tequila et des pom-pom girls exhibitionnistes. On ne lâche pas un diabétique dans un magasin de sucreries. Donc, oui, je marque mon territoire.

— Tu ne risques rien.

— Parce que tu es définitivement très amoureux de moi ?

— Parce que je refuse de trahir la seule femme au monde dont les seins valent deux bières. Et pour ce soir, c'est le meilleur argument.

Je décochai un coup de poing dans son bras, n'obtenant même pas un sourcillement de douleur. On toqua à la porte et, avant même d'avoir eu le temps de répondre, je vis une bouteille de tequila s'agiter devant moi. Le son de la musique et des éclats de conversation me parvinrent.

— Tequillaaaaaaaaation ! chanta Ashley en se dandinant.

Je découvris une seconde bouteille dans sa main gauche et éclatai de rire en découvrant sa tenue.

— Depuis combien de temps n'as-tu pas fait de lessive ?

— Mais tu n'es pas prête ! s'écria-t-elle en détaillant mon jean et mon T-shirt. Qu'as-tu infligé à tes cheveux ? s'inquiéta-t-elle en les triturant.

— Deux orgasmes, ricana Connor. Cette chemise n'est pas à Ben ?

Connor me lança un regard entendu. Ashley portait une chemise d'homme noire, qu'elle avait agrémentée d'une ceinture cloutée. La chemise remontait assez haut sur ses cuisses et laissait entrevoir — boutons défaits aidant — une grande partie de son décolleté.

— Attends, je reformule, corrigeai-je, depuis combien de temps n'as-tu pas fait l'amour ?

— Ça fait plus longtemps que ma dernière visite à la laverie. Ton frère est venu avec tout un tas de coéquipiers, ta chambre sera bientôt officiellement à moi, je mets donc toutes les chances de mon côté, déclara-t-elle en se trémoussant.

Connor la fixait, la détaillait même, et je lui frappai de nouveau l'avant-bras pour le sortir de sa torpeur. Il secoua la tête et je me plaçai entre Ash et Connor pour limiter l'effet d'hypnose.

— Passe-moi une de tes chemises, lui intimai-je.

— Tu veux vraiment qu'Austin me fusille avant que j'aie le temps d'ouvrir la bouche ?

— Mes affaires sont empaquetées. Et ça me fera un souvenir dans l'avion, minaudai-je en ouvrant le premier bouton de sa chemise.

— Ashley, tu devrais sortir, gronda Connor en soutenant mon regard.

— Mais...

— Sors. Je dois retoucher la coiffure de ma petite amie.

En sortant de ma chambre — chemise et recoiffage inclus —, je fus surprise par le nombre de personnes dans le loft. Des collègues, essentiellement, et quelques camarades de fac se trémoussaient allègrement en rythme. Des voix s'élevaient, des rires fusaient et la musique, bien présente, assourdissait la grande pièce. La main de Connor me lâcha au bout de quelques minutes. Mais, même séparée de lui, je sentais son regard. Il me suffisait de relever les yeux et la foule cessait d'exister.

Je parlai furtivement à Markus, les yeux de Connor verrouillés sur nous. Je n'avais pas eu l'audace d'Ashley et j'avais sagement gardé mon jean. Au vu de l'ambiance de la soirée, festive et sexy, j'étais heureuse de mon choix. J'entraperçus des couples enlacés dans des recoins un peu plus sombres et Ben constatait avec désespoir que son canapé ne lui appartenait plus vraiment.

— Hey, sœurette ! s'écria Austin, une bière à la main.

De son bras, il me souleva et me serra contre lui, me faisant virevolter maladroitement.

— Elle a dit « oui », chuchota-t-il à mon oreille.

Malgré l'ampleur du mensonge auquel je participais, le sourire de mon frère me rendit instantanément heureuse. Il rayonnait de joie et le visage de Sophia à ses côtés était lumineux. L'image de la boule de neige qui grossit avant de devenir une avalanche et de provoquer des dégâts irréversibles me traversa l'esprit.

J'étreignis furtivement Sophia, la félicitant pour cette heureuse — désastreusement heureuse — nouvelle.

— Il faut que vous parliez à Connor, soufflai-je.

Ils hochèrent la tête simultanément et, quand je me tournai, je vis Connor froncer les sourcils. Je reconnus quelques membres de la brigade avec qui il buvait une bière. Mais je compris dans l'instant qu'il n'écoutait plus la conversation autour de lui. Mal à l'aise, je lui adressai un petit signe de la main et un sourire forcé.

— Je vais aller boire un verre avec Ash, m'excusai-je pour éviter un nouveau malaise.

Je me faufilai dans la foule, mais la main ferme de Sophia accrocha mon poignet. Je lui lançai un regard agacé et colérique.

— Merci, murmura-t-elle, d'avoir gardé le secret. C'est... C'était vraiment sympa de ta part.

— Je n'aime pas mentir. Encore moins pour couvrir les autres.

— Je sais que la situation peut paraître ridicule.

— Elle l'est, ricanai-je. Le pacte est ridicule, comment as-tu simplement pu cautionner cette promesse en te cachant avec Austin ?

— Je ne sais pas. Comment as-tu fait, toi ?

— Tu es au courant ? m'écriai-je, stupéfaite.

— Tu portes sa chemise et, en ce moment même, il fond sur nous avec deux verres à la main.

— Mes affaires sont empaquetées, me justifiai-je.

— Et quelle est son excuse à Ashley ?

— Une allergie à la lessive, dis-je en souriant.

Deux verres de tequila apparurent devant nous et Connor se posta derrière moi. Sa seule présence apaisa mon agacement. Je saisis l'un des verres, le heurtant contre celui de Sophia. Elle me fit un clin d'œil, puis, cul sec, nous avalâmes nos verres. J'avais déjà descendu cinq verres avec Ash, aussi, la brûlure de l'alcool passa presque inaperçue.

Légèrement grisée, je collai mon corps un peu plus contre Connor. Sophia leva les yeux au ciel, avant de battre en retraite. Sur ma gauche, Ashley dansait sur le bar de la cuisine, roulant des hanches de façon suggestive avec Ben. Connor posa les mains dans le creux de ma taille et me fit lentement bouger contre lui, dans un rythme n'appartenant qu'à nous, langoureux et intime. Je me retins de le toucher davantage, consciente qu'Austin n'apprécierait pas d'apprendre la nouvelle de cette façon.

Je me perdis dans la musique pendant de longues minutes, avant d'être sortie de ma transe par la voix tonitruante et enivrée d'Ash. Elle entrechoqua deux bouteilles entre elles, imposant ainsi un silence relatif.

— Je veux faire un discours, annonça-t-elle en manquant de tomber du bar.

Ben la retint in extremis et elle gloussa un piteux remerciement. Il lui échangea les bouteilles contre un verre de tequila.

— Tequilaaaaation, chanta-t-elle.

— Ton discours, lui rappela Ben.

— Ah oui. T'es drôlement mignon, tu sais, le complimenta-t-elle en lui pinçant la joue.

— Je crois qu'elle est ivre morte, commenta Connor derrière moi.

— Elle est à peine imbibée, corrigeai-je. Quand elle est vraiment ivre, elle pleure.

Ben repoussa sa main et enroula son bras autour de sa taille pour la tenir. Ash trébucha de nouveau, me faisant rire à l'unisson de Connor.

— Hey, Connor, tu devrais garder un œil sur ta copine ! hurla Austin à l'autre bout de la pièce.

L'assemblée s'anima dans un gloussement général et les doigts de Connor se resserrèrent sur mes hanches. Ashley leva son verre et darda son regard sur moi.

— A Madeline, lança-t-elle. A ton départ pour le soleil de la Californie. J'espère que les beignets sont meilleurs là-bas qu'ici ! Tu es une amie formidable, tu m'as accueillie ici chez toi.

— Chez moi, rectifia Austin en riant.

— A l'auberge Todd, reprit Ashley. Auberge que je vous recommande, la bouffe est géniale et les douches gigantesques ! Connor, mon petit lapin, tu assures dans tous les domaines !

Ashley eut une moue appréciatrice, pendant que le rire d'Austin me parvenait. Connor secoua la tête et se racla la gorge.

— Si je l'attrape, tu peux la bâillonner ? demanda-t-il.

— Je la maintiendrai au sol !

— Donc, à toi, Maddie. Je n'ai rien de mieux à te dire que « merci ». En particulier pour avoir financé en partie la livraison de tequila de ce soir !

Les invités applaudirent et, pendant un court instant, les conversations et la musique reprirent. Mais Ashley tapa du pied, nous rappelant à l'ordre.

— Je voudrais aussi remercier Austin. Pour avoir

financé l'autre partie de la tequila et pour ses charmants coéquipiers. Et merci, surtout, de m'avoir accueillie ici.

J'observai Ashley, son visage se voilant d'une légère tristesse. Elle fixait Austin, son verre tremblotant dans sa main. Sous l'émotion, les larmes perlaient à ses yeux. Et soudain, je compris : elle était vraiment ivre.

— Je sais, de source sûre, que tu es un type bien, Austin. Les Todd sont des gens bien. C'est sûrement ce qui explique cet incroyable sex-appeal. Ça et le fait que tu sois riche, ne nous voilons pas la face. La mauvaise nouvelle, mesdames, c'est que ce merveilleux spécimen n'est plus sur le marché.

Des huées s'élevèrent, accompagnées de rires. Je pivotai vivement la tête vers Austin, qui palissait à vue d'œil. Je me détachai de Connor, la vision de l'avalanche prenant l'apparence d'Ashley. Sophia me jeta un coup d'œil paniqué, avant de fendre la foule dans notre direction. De son côté, Austin avançait résolument vers Ashley, écartant d'un mouvement de bras les invités sur son passage.

— Austin, je lève donc mon verre à la vie d'homme marié qui t'attend. Une grande perte pour l'humanité, mais une petite victoire pour Sophia.

Et l'avalanche ravagea tout sur son passage, en commençant par Connor. Je sentis son corps se tendre brutalement derrière moi et un froid insidieux se glissa entre nous. Ses mains quittèrent mes hanches.

— A Austin et Sophia, avec tous nos vœux de bonheur ! cria Ashley.

La foule scanda ses félicitations, avalant bière et alcool. Je tentai de rester stoïque, mais j'étais surtout tétanisée d'affronter le visage de Connor. Sophia déboula, à bout de souffle. Au milieu de la foule qui applaudissait, je voulais simplement disparaître.

— Qu'est-ce que c'est que cette histoire ? cria Connor.

— On va tout t'expliquer, Connor. C'est juste que...

— Juste que quoi ? Tu es avec Austin ?

— Connor...

— Réponds, tu es avec lui ?

— On va se marier, avoua-t-elle finalement. On s'aime, Connor, et...

Toujours figée, je vis Austin changer de direction. Ashley descendait péniblement du bar, totalement inconsciente des dégâts qu'elle avait provoqués. Mon frère avançait vers nous et, avant que je puisse réagir, Connor m'écarta d'un geste du bras et affronta son meilleur ami du regard.

— Connor, je...

— Tu couches avec ma sœur, grogna-t-il.

Les poings serrés, il approcha encore plus près d'Austin, vrillant son regard sombre et furieux dans le sien.

— Je ne veux pas me battre contre toi, Connor. J'aime ta sœur, tu le sais depuis des années !

— Et je t'avais interdit d'y toucher, tu le sais aussi depuis des années.

— Les choses changent.

Sophia s'interposa, pendant que je restais prudemment à l'écart.

— On voulait t'en parler, plaida-t-elle.

— Ah oui ? Avant ou après la lune de miel ? Je te faisais confiance, Austin !

— Ça ne se contrôle pas, Connor.

— Et vous me mentez depuis longtemps ?

— Deux ans, murmura Sophia.

Un couinement de surprise s'échappa de ma gorge. Deux ans. Je fusillai Austin du regard. Autour de nous, la foule se remit à danser, hermétique à l'affrontement.

— Deux ans, répéta Connor.

Sa colère sembla refluer, la stupéfaction la remplaçant. Il recula, parvenant quasiment à ma hauteur. Il digérait l'information du mariage.

— Je vais prendre l'air, annonça-t-il les dents serrées.

— Connor, ne sois pas...

— Ne me parle pas. Ne me parle plus d'ailleurs. Faites votre vie, loin de moi. Personnellement, c'est ce que je vais faire.

Il tourna les talons, avant de s'arrêter net et de revenir sur ses pas.

— Une dernière chose : va te faire foutre !

Son poing s'écrasa contre la mâchoire d'Austin. Un craquement sinistre me parvint et Connor secoua sa main, en proie à la douleur. Austin accusa le coup, trébuchant sur ses pieds sous l'effet de la surprise, avant de s'écrouler au sol. Il passa la main sur son menton, sous le choc, pendant que Sophia se précipitait vers lui, bouleversée.

— Va te faire foutre, répéta Connor d'une voix sinistre.

Il s'éloigna, la foule s'écartant devant sa fureur palpable.

Austin se redressa, effaçant de son pouce une légère trace de sang sur sa bouche. Il pressa un peu plus fort sur sa lèvre inférieure, boursouflée par le choc.

— Tout va bien ? demanda Sophia.

— Oui. Rien de bien méchant.

— Rien de bien méchant ? répétai-je sans cacher mon amertume.

— Connor n'est jamais en colère très longtemps, assura Austin.

— Parce que tu lui apprends souvent que tu lui mens depuis deux ans ?

— Maddie...

— Deux ans, Austin ! Pourquoi ne m'as-tu rien dit ?

— Je ne pouvais pas !

— A cause du pacte ?

Il m'adressa un regard sans équivoque, confirmant le ridicule de la situation.

— Tu es pathétique, lançai-je au bord des larmes. Vous l'êtes tous. Ce pacte vient de ruiner votre amitié. Encore toutes mes félicitations pour votre mariage ! ajoutai-je, dépitée.

A mon tour, je traversai la foule. Je présumais que Connor était retourné à sa chambre. Je parvins à éviter Ashley, qui, slalomant ivre entre les invités, cherchait à me rejoindre. Ce n'est qu'en me retrouvant devant la porte close qu'une boule de panique se coinça dans ma gorge. Gérer la colère de Connor était encore... faisable, dans la mesure où je comprenais que le mensonge de son meilleur ami avait déclenché sa fureur.

Gérer la colère de Connor, si elle se retournait contre moi, serait impossible.

Je levai la main pour frapper à la porte, mais elle s'ouvrit, laissant apparaître un Connor livide. Il me dévisagea pendant quelques secondes et je fus frappée par son regard vide.

— Je peux entrer ? demandai-je.

— Bien sûr.

Il s'effaça et d'un geste de la main m'invita à m'asseoir sur le lit. Il s'adossa au mur, bras croisés sur sa poitrine. L'atmosphère était étrange, comme si nous avions tous les deux peur de rompre le silence. Derrière la porte, on baissa la musique et je compris que la fête touchait à sa fin.

— Tu as mal ? demandai-je finalement en désignant sa main.

— Non. Je dirais même que c'est une douleur plutôt agréable, dit-il en souriant.

— Evidemment, raillai-je.

— Il m'a menti !

Un rire amer m'échappa. Si j'avais pensé un seul instant éviter une dispute, je m'étais lourdement trompée. Il soutint mon regard, avant de comprendre que je n'allais pas laisser passer cette histoire.

— Il me ment depuis deux ans, Maddie.

— Tu lui mens aussi. Tu lui mens toujours d'ailleurs.

— Alors c'est ça ? Tu m'en veux parce que je ne lui ai rien dit sur nous.

— Je t'en veux parce que tu es aussi hypocrite que lui.

— Il sort avec ma sœur depuis deux ans. Il me ment depuis deux ans. Et j'apprends leur mariage à venir par une fille à moitié hystérique et passablement folle furieuse. Alors, oui, je suis foutrement en colère contre lui ! hurla-t-il.

— Ne t'en prends pas à moi. Ce pacte était absolument crétin !

— Ce pacte était là pour protéger Sophia.

— Protéger Sophia de quoi ? Austin l'aime. Austin est dingue d'elle, il mettrait le monde aux pieds de ta sœur.

— Personne n'aime à ce point.

Un uppercut du gauche ne m'aurait pas fait plus mal. Je me redressai, la déception prenant le pas sur ma rage et l'espoir d'éviter une confrontation blessante. Connor baissa les yeux et massa sa main.

— Je vais commander un taxi pour l'aéroport, annonçai-je.

— Attends. Ce n'est pas ce que j'ai voulu dire. Maddie, je suis en colère contre ton frère. Je ne réfléchis pas vraiment là.

— Tu devrais pourtant. Je ne suis pas en colère parce que tu ne lui as rien dit. Je suis en colère contre toi parce que tu ne vois toujours pas à quel point tout cela est ridicule.

— Il m'a menti, répéta-t-il.

— Il va se marier avec Sophia. Elle l'aime. Tu devrais

être heureux pour eux, tu devrais fêter ça avec eux. Mais évidemment, tu préfères bouder dans ton coin, parce que tu es vexé.

— Tu me donnes le mauvais rôle ? s'étonna-t-il.

— Je vous donne le mauvais rôle à tous les deux. Vous êtes aussi immatures l'un que l'autre. Elle est heureuse avec lui.

— Es-tu heureuse avec moi ? s'inquiéta-t-il.

— Je l'étais il y a vingt minutes. Maintenant, je suis... vide. Je suis à bout de forces. Garder vos secrets m'épuise.

— Nos secrets ?

Je me figeai, me maudissant d'avoir bu un peu trop de tequila. Connor décroisa les bras et planta son regard dans le mien.

— Quels secrets gardes-tu ?

Je reculai, cherchant une parade acceptable. Nous pouvions survivre à cette dispute, mais je savais d'ores et déjà que Connor ne me pardonnerait pas ma prochaine révélation.

— Regarde-moi, m'ordonna-t-il.

— Je les ai surpris, avouai-je finalement. Sophia et Austin étaient ici et je suis rentrée au loft.

— Quand ?

— Connor, ce n'est pas...

— Quand ? cria-t-il.

— Juste après qu'il t'a cassé le nez.

Ce qui représentait une foutue éternité.

Un frisson me parcourut, directement lié au froid polaire qui venait de gagner cette chambre. Connor avait de nouveau ce regard vide, à peine voilé de déception. Je savais comment tout cela allait se finir, je savais ce à quoi il pensait.

— Austin m'a demandé de me taire. Je voulais te le dire mais...

— Mais quoi ?

— Austin est mon frère. Il m'a juré de t'en parler. Ce n'était pas à moi de t'annoncer la nouvelle.

— Tu aurais dû m'en parler !

— Au nom de quoi ?

— Je ne sais pas. De nous peut-être ? ironisa-t-il, colérique.

— Nous n'étions même pas ensemble ! me défendis-je. Tu n'as pas le droit de t'en prendre à moi !

— Tu m'as menti, toi aussi. C'est quoi ? Une tradition familiale que vous perpétuez ?

— Tu n'es pas très bon dans le rôle du type honnête. Ce que tu ressens, c'est exactement ce que j'ai ressenti au chalet.

— Peut-être que nous aurions dû nous arrêter à ce moment-là.

— Peut-être que nous aurions dû suivre nos plans respectifs, ripostai-je.

Il me fixa intensément, son regard brillant de colère. Son visage était dur, sévère, et son corps tendu me surplombait. J'hésitai à poser les mains sur son torse, incapable d'anticiper la réaction que pourrait avoir mon petit ami.

— Tu as raison, murmura-t-il finalement. Je n'ai pas le droit de m'en prendre à toi.

— Ce pacte est ridicule, répétai-je en constatant tristement que la tension ne se dissipait pas. Tu n'es pas honnête avec Austin.

— Tu aurais dû m'en parler. Je sais maintenant pourquoi tu voulais rompre.

— Ça n'a rien à voir avec nous. Sauf si tu cherches finalement une bonne raison d'en finir.

— Tu m'as menti. Mon meilleur ami et ma petite amie m'ont menti. Les deux personnes en qui j'avais le plus confiance m'ont menti. Je ne suis pas en colère. Ma colère s'est évanouie quand j'ai frappé Austin. Je suis incroyablement déçu. Je t'ai montré des choses que je n'ai jamais montrées à personne. Parce que c'était toi. Alors oui, peut-être qu'on aurait dû arrêter au chalet, peut-être que ce pacte est ridicule à tes yeux. Mais, dans notre cas, dans notre histoire, je ne suis pas le plus malhonnête.

Mon ventre se tordit dans une affreuse douleur et je sentis les larmes affluer à mes paupières. Cette fois, nous y étions. Pas de plan, pas d'argumentation, juste un silence lourd et pesant à peine troublé par nos deux souffles. Mon cœur palpitait dans ma poitrine, partagé entre douleur et colère.

— Parfait, lâchai-je avec agacement. Je suis malhonnête et toi tu n'es qu'un hypocrite de la pire espèce. J'ai cru naïvement que tu me pardonnerais. J'ai cru que... J'ai cru que tu ne réagirais pas de façon aussi stupide et fière. Mais ce n'est même pas ça le plus difficile à encaisser : le plus difficile, c'est que tu viens de faire de notre histoire un truc vraiment ordinaire.

Je passai près de lui et quittai sa chambre, en larmes. Je gagnai la mienne, rassemblai mes affaires et pris ma veste. Quelle meilleure façon de dégriser que de subir une rupture aussi ridicule que celle-ci ? Après une courte hésitation, j'embarquai son cadeau dans mon sac à main. Peut-être qu'un jour, quand la colère et l'amertume se seraient dissipées, j'aurais le courage de l'ouvrir.

Quand je ressortis, je remarquai que la foule avait complètement disparu, laissant derrière elle un amas de bouteilles vides et de saladiers de chips à moitié vides. Ashley et Ben se levèrent d'un bond du canapé. Ma meilleure amie avait un air désolé sur le visage.

— Maddie, je...

— Ne me parle plus jamais. Jamais, tu entends ?

— Elle n'y est pour rien, s'interposa Ben.

— Elle était ivre morte sur ce foutu bar, non ? ironisai-je en essuyant mes larmes. Tu viens de ruiner...

— Elle n'a rien ruiné du tout, commenta Austin derrière moi.

Je pivotai, trouvant mon frère et sa fiancée dans les bras l'un de l'autre. L'image seule me donnait envie de les gifler. Ma colère me dominait, j'en avais vaguement conscience, mais sans ce pacte, sans Ashley, sans cette histoire de mariage, mon cœur ne serait pas en miettes.

— Connor finira par se calmer et tout rentrera dans l'ordre, assura Austin.

Sophia, à ses côtés, approuva, hochant la tête. Sa bague de fiançailles me piqua les yeux et attisa ma rage.

— Il se calmera ? Alors tout ce cirque, toute cette histoire, toutes ces cachotteries, juste pour en arriver à « il se calmera » ?

— Tu prends les choses beaucoup trop à cœur, remarqua Austin.

— En effet, oui. Vous lui avez menti pour vivre votre petite histoire. Deux ans, Austin ! Deux ans de mensonge au type qui est censé être ton meilleur ami.

— Tu dramatises, dit Sophia, un sourire aux lèvres.

— Toi, ne me parle pas. Tu es celle qui aurait dû mettre fin à tout ça, alors ne viens pas me donner de leçons sur ce que je dois ressentir ou non !

Son sourire s'effaça aussitôt. Elle m'observa en silence, comprenant que j'étais devenue moi aussi un dommage collatéral de leur si belle histoire d'amour secrète. Une porte grinça et Connor apparut dans le salon, le visage ravagé et livide. Ses yeux passèrent sur nous tous, s'arrêtant un peu plus longtemps sur moi et ma valise.

— Je vais aller attendre un taxi dehors.

Alors que j'avançais vers la porte de l'appartement,

j'espérais encore que Connor me rattrape. Qu'il trouve un stratagème, un prétexte pour m'accompagner ; j'espérais encore sauver ce qui ressemblait à un champ de ruines.

— Maddie, attends, fit la voix de Ben. Je peux t'accompagner. Prends ma veste, proposa-t-il en couvrant mes épaules.

Il saisit ma valise et j'eus à peine le temps d'adresser un dernier regard à Connor. Il ne cilla pas, son corps immobile au milieu de la pièce.

Dans la voiture, Ben ne chercha pas à engager la conversation. En silence, nous fîmes la route jusqu'à l'aéroport. J'avais pressenti que, pour des milliers de raisons, ce départ me ferait du mal, mais je n'avais pas imaginé à quel point. Je pleurais sans bruit, ma colère ayant disparu à la sortie du loft. Je pleurais de chagrin et de tristesse. Je me sentais vide et épuisée, le cœur en lambeaux... Et je portais toujours sa chemise.

Ben m'accompagna jusqu'à la porte d'embarquement. J'étais parvenue à me chasser de la tête l'idée que Connor me retrouverait ici. Il n'y aurait ni grande scène de retrouvailles ni excuses larmoyantes. En une journée, j'avais subi toutes les émotions possibles : l'annulation de la rupture que j'avais prévue et répétée, la déclaration vanillée de Connor me rendant ivre de bonheur, puis cette soirée maudite où Ash avait tout détruit sur son passage. Le désastre absolu. Mon chagrin maintenant était à la hauteur de la joie du milieu de journée. J'étais terrassée, assommée par la déferlante d'émotions, me sentant terriblement seule.

Ben me prit dans ses bras quand les larmes menaçaient de couler de nouveau.

— Que la force soit avec toi, chuchota-t-il, parvenant ainsi à me tirer un rire.

— Merci. Prends soin d'Ash.

— Je vais lui apprendre à faire une lessive. Ne t'en

fais pas pour Connor. C'est un crétin absolu, mais quand il commet une erreur, il le reconnaît.

— Cette solidarité masculine est touchante, dis-je en souriant. Il est en colère après moi et je suis encore plus en colère après lui. Je crois qu'il a raison, je suis bien trop jeune pour lui et il est bien trop têtu pour moi.

Ben soupira et l'embarquement de mon vol fut annoncé. Il me prit une dernière fois dans ses bras.

Dans tous les scénarios que j'avais envisagés pour cette journée, je n'aurais jamais pu imaginer que les cheveux turquoise de Ben seraient la dernière chose que je verrais à Chicago.

Jour J

Symptômes : lassitude, fatigue et larmes.

Pronostic vital : menacé pour cause de dépression.
La fin est proche.

Chapitre 15

Si c'était à refaire ?
Je ne la laisserais pas partir de la voiture
le premier soir. Jamais.

En cuisine, il est fréquent de se blesser. Une coupure, une brûlure, une glissade sur un sol humide... C'est ce qu'on appelle les aléas. Vous vous brûlez, passez votre blessure sous l'eau fraîche et vous n'y pensez plus. Dans le pire des cas, une cloque se forme et finit par cicatriser toute seule.

C'est courant, et le cerveau apprend à oublier très vite ces petits tracas. Hier soir encore, je m'étais brûlé deux fois et la douleur, ce matin, n'existait plus.

Pourtant, allongé dans mon lit, le regard perdu dans la contemplation du plafond, je constatais avec agacement que mon cerveau faisait le tri dans la douleur. Les douleurs fugaces passaient en un clin d'œil, les douleurs brutales s'estompaient à grand renfort de glace et de temps. Restaient les douleurs lancinantes, lourdes et inattendues.

Austin et Sophia étaient une douleur inattendue et déstabilisante. Parfois, il m'arrivait de l'oublier, juste une courte seconde, avant qu'elle ne revienne tambour battant, telle une gifle.

Maddie était une douleur lancinante, qui hantait les recoins de mon cerveau et surgissait régulièrement.

Chaque matin, depuis trois semaines, je me réveillais donc avec cette douleur, semblable à une brûlure intense et permanente. J'espérais qu'un jour elle finirait par cicatriser, que je l'oublierais aussi facilement qu'une autre blessure sans importance. Pour être honnête, cette douleur m'épuisait. Elle m'empêchait de dormir, m'empêchait d'être efficace en cuisine, elle se nourrissait du peu d'énergie qui me restait.

Hier soir, j'avais fini par trouver un moyen de l'oublier. Je m'étais anesthésié à la tequila dans un bar. L'alcool avait tout brûlé, tout détruit et avait laminé ma conscience. Et si j'en croyais le prénom écrit au creux de ma main, Sharon avait ensuite laminé mon corps. Elle dormait encore, son maquillage impeccablement étalé sur l'oreiller.

Péniblement, je finis par m'extirper de mon lit, passant une main lasse sur mon visage. La colère avait au moins un avantage : elle vous animait d'une force inédite. La douleur ne faisait qu'une chose : vous terrasser encore et encore, par vagues de plus en plus fortes.

Je gagnai le coin cuisine, trouvant Ashley et Ben attablés autour du bar. Ils riaient, se chamaillant au sujet du labyrinthe au dos de la boîte de céréales. Peut-être que je devais faire un effort, peut-être qu'ils ne méritaient pas ce que je leur infligeais.

— Mais non, tu vois bien qu'il faut aller à gauche, lança Ashley.

— Pas du tout, à gauche tu tombes dans un cul-de-sac !

— Faut contourner en passant sous le lion, soufflai-je, presque exaspéré.

Je saisis la boîte de céréales, m'en versant une copieuse ration dans un mug. Le départ de Maddie avait provoqué beaucoup de dégâts, notamment mon sevrage en caféine. J'adressai un vague sourire à Ash, avant de grimacer au souvenir de ma fantastique gueule de bois.

— Tequilation ? plaisanta-t-elle.

— Jusqu'à l'oubli, confirmai-je.

Son sourire s'effaça et elle échangea un bref regard avec Ben. Je dévorai mon mug de céréales, pendant que Ben s'emparait du journal, donnant la page des mots croisés à Ashley. Un silence glacial s'imposa. De toute évidence, le calme qui avait suivi la tempête avait été tout autant dévastateur : Ben m'ignorait ostensiblement, pendant qu'Ash évitait mon regard en tapant frénétiquement du pied.

— Je peux m'asseoir ? demandai-je.

— Tu es chez toi, ricana Ben en se cachant derrière son journal.

— Certes. Mais j'ai l'impression d'interrompre un rituel matinal.

— En effet, confirma Ben avec un hochement de tête. D'habitude, ton petit cul grognon et comateux ne vient pas nous déranger.

Ash replongea le nez dans ses mots croisés, ravalant un sourire. Si Ben m'offrait la possibilité de briser la glace, je n'allais pas la refuser. Dans un moment de lucidité, je pris conscience que Ben et Ash représentaient désormais mon cercle très restreint d'amis.

— D'habitude, ton petit cul dépressif et turquoise est soudé au canapé, commentai-je.

— « Raillerie » en huit lettres ? demanda Ash en regardant Ben.

— Sarcasme, répondis-je.

— Je ne suis pas dépressif, objecta Ben.

— Et moi, j'ai toujours ma couleur naturelle de cheveux !

— Et tu es étonnamment de bonne humeur pour un type qui vit en ermite depuis des jours.

— Le sexe, l'informa Ash. La rumeur dit qu'une pratique régulière rend joyeux.

— Ah, fit Ben en replongeant dans son journal.

— C'est scientifique, compléta-t-elle. D'ailleurs, il

me semblait que tout devait être silencieux à partir de minuit trente ?

— Maddie a instauré ce règlement. Plus de Maddie, plus de règlement.

Ben replia son journal et poussa un profond soupir. Ash et lui se fixèrent, s'interrogeant silencieusement du regard, pendant que je mangeais mes céréales.

— Tu lui dis ou je le fais ? demanda Ben.

— C'est ton ami, tu es prioritaire.

— Bien. Puisque tu es de si bonne humeur, je peux te le dire maintenant : tu es un crétin. Un monumental crétin.

— Je..., commençai-je avant d'être interrompu d'un geste impérieux de la main.

— Tu l'as laissée partir pour une histoire sans importance, parce que tu es trop fier pour admettre que tu as eu tort.

— Elle m'a menti, rappelai-je avec agacement.

— Pour son frère. Quand vas-tu comprendre qu'elle n'y est pour rien ? Quand vas-tu enfin cesser de te morfondre sur ton petit cul de crétin ? Elle te rendait fréquentable, elle faisait de toi un type bien.

Il avait haussé le ton, me surprenant tout à fait. Ben était un homme posé, calme, doux ; Maître Yoda sommeillait en lui : sagesse et sérénité à chaque instant. Qu'il me boude était déjà un événement, qu'il me crie dessus était une véritable révolution.

— Tu devrais t'envoyer en l'air, commentai-je.

— Tu devrais l'appeler.

— Pour quoi faire ? m'énervai-je.

— Supplier ? suggéra Ashley.

— T'excuser, répondit Ben. Supplier vient juste après. Mais il faut que tu t'excuses, que tu admettes le ridicule de cette situation.

— Et il faut que tu te rases aussi, ajouta Ash.

J'éclatai de rire, passant une main sur ma barbe bien trop longue, tout en imaginant pendant une seconde la situation. En me voyant à genoux devant elle, Maddie me collerait un coup de pied bien placé. Je me relevai et me débarrassai de mon mug dans l'évier.

— Tu peux lui envoyer des fleurs ? proposa Ashley. Elle adore les tulipes.

— Elle aime les fleurs de ciboulette, corrigeai-je. D'ailleurs, pourquoi dois-je être celui qui s'excuse ? Est-ce que toi, tu t'es excusée ? apostrophai-je Ashley.

— Oui, et la situation est totalement différente.

— Absolument pas !

— Je n'ai jamais eu l'honneur de donner deux orgasmes décoiffants à Maddie. Je suis son amie foldingue, je suis celle qui ne supporte pas l'alcool et qui balance des énormités, s'écria-t-elle. Je ne suis pas...

— Tu n'es pas quoi ? répétai-je.

— Le truc bizarre que vous êtes quand vous êtes ensemble. Ecoute, c'est elle qui m'a dit pour le mariage d'Austin...

— Je ne veux pas en entendre parler, l'interrompis-je.

— Faire l'autruche ne changera rien. Ils vont se marier, c'est ce que font les gens qui s'aiment, ils se promettent amour et fidélité...

— Et honnêteté, ajoutai-je, amer.

— Elle ne t'a pas menti. Elle a juste... gardé la vérité. Elle l'a fait pour son frère, la loyauté, ça te parle pourtant ?

— Tu joues avec les mots, dis-je en souriant.

— Déformation de cruciverbiste. Appelle-la. Et si tu ne le fais pas pour toi, ni pour elle, fais-le au moins pour moi, j'ai parié cent billets sur votre réconciliation.

— Et tu avais parié que nous allions rompre, lui rappelai-je.

— Cette rupture ne compte pas, nous interrompit Ben. Ash a raison : appelle-la. Excuse-toi, supplie. Sors-lui le grand jeu, mais si je te vois encore errer comme une pauvre âme dans ce foutu appartement, je jure que je te balance par la fenêtre.

Sharon, cheveux ébouriffés et visage bouffi, apparut dans le couloir. Elle m'adressa un petit signe de la main et je fus presque reconnaissant de son interruption.

— Sharon, voici tout le monde. Tout le monde, voici Sharon. Je te raccompagne.

Je la reconduisis à la porte, ne prenant même pas la peine de lui dire qu'elle méritait mieux. Quand je retournai dans la cuisine, Ash et Ben complotaient en chuchotant.

— Je ne vais pas m'excuser, lançai-je. Elle m'a menti et elle a choisi de partir. Voilà ce que moi je propose : appelez-la et demandez-lui de s'excuser et pourquoi pas de supplier. Moi, je ne suis pas fautif.

— Et pour Austin ? demanda Ben.

— Qui ?

— Crétin et puéril. Franchement, je ne sais pas comment elle a fait pour s'enticher de ton petit cul prétentieux !

— Ça doit être les cheveux. Ou les deux orgasmes. Le débat est clos ?

— Pas tant que la règle de minuit trente n'est pas réinstaurée, me coupa Ashley.

— Il faut coucher avec moi pour avoir ce droit.

— Aucun souci. Allons-y, tu as une préférence ? Lit ? Douche ? lança-t-elle en déboutonnant son haut. Oh ! attends, le bar ? proposa-t-elle en haussant un sourcil.

— Elle te l'a dit, n'est-ce pas ?

— Dit quoi ? demanda Ben avant de comprendre. Je retire ce que j'ai dit sur le fait qu'elle fait de toi un mec bien.

— Tu n'as pas à t'inquiéter de la règle de minuit trente, repris-je. J'ai l'intention de partir pour Houston d'ici demain.

— Et tu es certain de ne pas vouloir faire un petit détour par Sacramento ? Juste un petit ? Histoire de visiter l'aéroport.

— Non, Ashley.

A ma réponse, elle comprit que c'était sans appel. Je tournai les talons, à la fois fatigué et satisfait d'avoir mis un terme à ce faux débat. Je gagnai ma chambre et posai mon sac de voyage sur mon lit. Curieusement, cette conversation m'avait encore plus motivé à partir, à quitter cet endroit rempli d'elle, à tourner la page une bonne fois pour toutes.

Je quittai le loft sans même un regard derrière moi. J'étais soulagé, presque détendu en prenant l'avion. La douleur était toujours présente, diffuse et permanente. Pendant le vol, je me plongeai dans mon carnet de cuisine. Ma carte n'avait pas beaucoup progressé dernièrement : rien ne me satisfaisait, tout me semblait fade ou banal.

A mon arrivée à Houston, la chaleur étouffante et sèche me prit presque à la gorge. A Chicago, je savais gérer les froids polaires et les tempêtes de neige, ici, je devais songer à revoir ma garde-robe au plus vite.

En achetant le restaurant — enfin, la ruine qui faisait office de —, j'étais devenu l'heureux propriétaire d'un appartement situé juste au-dessus. Il était vide, presque nu et transpirait la tristesse. Demain, ma mission principale serait de le meubler.

M'occuper l'esprit avait le mérite de chasser Maddie de mes pensées. Pourtant, ma conversation avec Tic et Tac — Ben et Ashley — avait laissé des traces. Appeler Maddie me taraudait. Entendre sa voix me tentait. Son souffle me manquait.

Elle me manquait. Elle, son souffle, son rire, sa peau. Pour la première fois depuis des semaines, penser à Maddie me tira un sourire.

Pour acheter le restaurant, je m'étais endetté sur deux générations.

Pour meubler l'appartement, je mettais une option sur la troisième.

Il y avait maintenant trois choses auxquelles je devais réfléchir :

1) Me lancer dans un plan de reproduction massive de mini-Connor, histoire de rassurer mes investisseurs.

2) Retrouver mes superpouvoirs qui me permettraient de porter mon nouveau canapé au deuxième étage sans me faire un lumbago.

3) Appeler Tic et Tac pour prendre des nouvelles et m'assurer que le loft n'était pas devenu un bar clandestin.

J'ouvris la porte de la camionnette de location du magasin, constatant avec un soupir découragé que j'avais dévalisé quasiment toute la boutique. Disons qu'il me faudrait environ un mois pour vider et monter tous ces meubles. Dès demain, avec le recrutement des premiers serveurs — dont la première mission serait de briquer intégralement leur prochain lieu de travail —, les choses sérieuses commenceraient vraiment. L'ouverture était prévue dans un mois.

Après quarante-cinq minutes d'allées et venues, j'avais vidé la moitié du camion : une ribambelle de cartons et un amas de sacs. Mon T-shirt était trempé de sueur et, de toute évidence, je n'aurais pas besoin de séance de musculation cette semaine. Il me restait le plus gros : le canapé.

Après avoir manœuvré le meuble en tous sens et frôlé la déchirure musculaire, mon canapé se trouvait dans un équilibre précaire, pas vraiment au sol, mais plus tout à fait dans le camion. Ce qui signifiait, en gros, que j'étais très mal barré.

— De l'aide? proposa une voix derrière moi.

Dieu existe!

— Ce n'est pas de ref... Austin ?

Dieu a un sens de l'humour particulier !

— Qu'est-ce que tu fiches ici ? l'attaquai-je en tirant violemment sur mon canapé.

— Tes vertèbres m'ont appelé au secours.

Je lui lançai un regard peu amène, avant d'agripper le meuble pour tenter de le soulever. En vain. Ce truc pesait une tonne et j'avais déjà épuisé une bonne partie de mon énergie. Austin me contourna et se posta de l'autre côté, soulevant le canapé avec une déconcertante facilité.

— Je fais de la musculation avec plus lourd que ça, expliqua-t-il.

— Je ne t'ai pas demandé de venir.

— Je ne t'ai pas demandé ton avis.

— En effet, ironisai-je. Tu ne me l'as pas demandé pour beaucoup de choses.

Il reposa le canapé lourdement et rétrécit le regard. Je le soutins quelques secondes, avant de lâcher prise.

— Et tu aurais fait quoi, si je t'avais demandé ton avis ? Tu m'aurais donné ta bénédiction ?

— Tu t'es dit que tu l'obtiendrais plus facilement après m'avoir menti pendant deux ans ?

— Ça n'avait rien de prémédité. C'est arrivé et j'espérais... on espérait que tu comprennes.

— Que je comprenne ? m'esclaffai-je. Ma sœur et mon meilleur ami me mentent et je suis censé « comprendre » ?

— Ce que tu m'as dit concernant Ashley, c'est exactement ce que je ressens pour ta sœur.

Pendant une seconde, je me sentis vraiment seul. Que venait faire Ashley dans toute cette histoire ?

— Tu m'as dit qu'elle te rendait dingue. Qu'elle te manquait quand elle n'était pas là.

— Ce n'est plus le cas, sifflai-je avec hargne.

— Est-ce que...

— Est-ce qu'on a rompu ? Oui. Est-ce que c'est ta

faute ? Oui. Attrape le canapé, lui intimai-je, puisque tu es ici, autant que tu serves à quelque chose.

Il s'exécuta et nous transportâmes facilement le canapé dans l'entrée de l'immeuble. Austin émit un sifflement quand il vit l'escalier en colimaçon que nous devions grimper.

— Ecoute, je pense que je te dois des excuses.

— Tu me dois deux ans d'excuses, corrigeai-je.

— Sois honnête deux minutes : tu aurais eu la même réaction si je te l'avais dit le lendemain de notre première nuit ensemble. J'aime ta sœur.

— Tu avais promis, lui rappelai-je.

— J'ai promis de ne pas en faire une proie.

— Tu as promis de ne pas y toucher. Et maintenant, par la grâce de trop de tequila, j'apprends votre mariage. Tu veux toujours m'aider ? m'enquis-je en désignant le canapé.

— Il faut le faire pivoter.

Après avoir manœuvré pendant dix minutes, nous parvînmes à mettre le canapé sur le flanc. Nous grimpâmes une première volée de marches, avant qu'Austin ne reprenne son plaidoyer.

— De toute façon, tu vas forcément devoir me pardonner.

— Forcément ?

— Le témoin du marié n'a pas vraiment le droit d'être en froid avec lui.

— Austin, ne le prends pas mal, mais il faut vraiment que tu travailles sur tes effets d'annonce. D'abord une fille ivre morte, puis une vague exigence.

— Tu es obligé d'accepter. Sinon ce canapé ne verra jamais ton appartement.

Pour asseoir son argument, il fit une pause entre deux marches, laissant le canapé dans un équilibre précaire. Si je ne l'avais pas maintenu, il aurait dégringolé l'étage et se serait fracassé dans l'entrée. Austin croisa les bras sur sa poitrine, gonflant exagérément ses pectoraux, et me fixa longuement.

— J'aime ta sœur. Tu as le droit de ne pas être d'accord, tu as le droit d'être en colère parce qu'on t'a caché la vérité, mais, sincèrement, ça ne changera rien.

— Peux-tu m'aider, s'il te plaît ? demandai-je en m'arc-boutant sur le canapé chancelant.

— Accepte mes excuses d'abord.

— Présente-les correctement !

— Connor, je te prie de m'excuser de t'avoir menti. Je suis éperdument amoureux de ta sœur et que tu cesses de bouder dans ton coin nous aiderait grandement pour les repas de famille à venir !

Le canapé glissa et je le rattrapai in extremis. Austin ne cilla pas : il était habitué à voir des colosses foncer sur lui à toute vitesse, le canapé ne représentait aucun danger à ses yeux. Je sentais mon corps rendre les armes, mes muscles commençaient à trembler violemment.

— Eperdument ? répétai-je les dents serrées.

— Eperdument ! confirma-t-il.

— Alors, on fait un nouveau pacte.

Il décroisa les bras et, certainement saisi par un sentiment de pitié, il souleva le canapé et nous arrivâmes sans encombre au palier du premier étage.

— Si tu lui fais du mal, d'une manière ou d'une autre, je cuisine tes bijoux de famille.

— Mais...

— Et je te les fais manger, ajoutai-je.

— Bien. Marché conclu, dit-il, un sourire aux lèvres, en tendant sa main gigantesque vers moi.

Nous nous serrâmes la main et Austin afficha un sourire soulagé. Nous reprîmes notre ascension, la sueur roulant dans mon dos désagréablement. Cette canicule allait finir par me tuer. Quand finalement j'ouvris la porte, j'étais au comble de la joie. Nous poussâmes le canapé contre le mur, le sourire aux lèvres.

— Je suis vraiment désolé, lança Austin. Je voulais t'en parler. On voulait t'en parler, rectifia-t-il très vite.

— Comment est-ce arrivé ?

— Elle est venue me voir à la fin d'un match. Celui où je me suis blessé à la cheville. On a discuté. C'est elle qui m'a embrassé.

— Evidemment. Tu n'es qu'une pauvre victime, raillai-je.

— Si c'est le cas, je suis un cas d'école du syndrome de Stockholm. Mais si cela peut te rassurer, nous n'avons pas couché ensemble dès le premier soir.

— Je crois que j'ai besoin d'une bière. Ou d'une tequila. Ou les deux.

Je sortis deux bières fraîches du réfrigérateur et je m'installai dans mon nouveau canapé. Austin m'imita et, en silence, nous dégustâmes nos boissons respectives.

— Tu as besoin d'un coup de peinture, commenta Austin.

— Je sais.

— Est-ce que tu m'en veux toujours ?

— Je serais tenté de dire oui, mais Sophia est capable de me casser les doigts un à un avec une de ses prises barbares. En plus, j'ai encore une table à installer. Une table très lourde !

— Pas de problème. Tu viendras au mariage ?

— Laisse-moi le temps de digérer votre... relation.

Je grimaçai en prononçant le mot. Comment étaient-ils parvenus à se cacher pendant deux ans ? Comment avais-je pu ne rien voir ?

— Je passais mon temps chez ta sœur, expliqua Austin, lisant dans mes pensées. J'ai monté son dressing, j'avais un double des clés. Tu as toujours pensé que j'étais en déplacement, en stage ou à l'entraînement, mais j'étais chez elle.

— Merci de me faire sentir encore plus stupide.

— Ce n'était pas ce qu'on voulait, mais je ne veux pas choisir entre elle et toi. Je ne peux pas vivre sans elle, mais je ne veux pas... arrêter de boire des bières avec mon meilleur ami.

Il fit tinter sa bouteille contre la mienne, en signe de paix. J'en voulais toujours à Austin et Sophia, mais j'allais devoir apprendre à faire avec. Etre en colère contre eux était épuisant, faire la paix était sûrement la solution la plus simple.

— A la réflexion, je pense qu'avec ma sœur aucun n'aurait pu trouver grâce à mes yeux de toute façon, méditai-je à voix haute.

— Je suis du même avis. Je suis ce qui pouvait lui arriver de mieux.

— Et modeste avec ça !

— Je viens de porter ton canapé ! me rappela-t-il. Donc, pour Ashley ?

— C'était compliqué. *Elle* est compliquée, précisai-je. Elle m'a menti à votre sujet et ce n'est pas quelque chose que je pardonne facilement.

— Tu viens pourtant de le faire avec moi.

— Et tu viens de porter mon canapé et de jurer sur ce que tu as de plus précieux au monde que tu ne feras aucun mal à ma sœur !

— Tu as donc retrouvé ta chaussette bleue ?

— Plus ou moins. Je réfléchis encore.

— Excuse-toi, suggéra Austin.

Je lui lançai un regard, me demandant si, d'une façon ou d'une autre, il s'était concerté avec Ben. Je pris une gorgée de ma bière. Je devais admettre qu'Austin bénéficiait d'une expérience plus conséquente que la mienne en termes de relations suivies.

Qui plus est avec ma sœur, ce qui le mettait sur les rangs pour une canonisation express.

— Ta sœur m'a quitté récemment. Je me suis excusé, j'ai admis mes torts, et je l'ai demandée en mariage.

— Elle m'a menti, rappelai-je.

— Parce qu'elle savait pour Sophia et moi ? De toute façon, tu l'aurais appris dans la soirée. Elle était ivre, tu ne peux pas lui en vouloir pour ça. Elle n'y est pour rien. C'est certainement Maddie qui a dû vendre la mèche.

— Certainement, marmonnai-je.

— Tu l'aimes ?

— Avec ce mariage, tu as visiblement hérité d'un vagin.

— Tu vois, au début de ma relation avec Sophia, j'étais comme toi : un crétin incapable d'assumer quoi que ce soit. Est-ce que tu te vois vivre sans elle ? Est-ce que tu peux... faire sans elle ?

— Tout à fait, mentis-je. Et cesse de jouer au conseiller conjugal, tu me fais flipper !

Je me relevai du canapé, évitant le regard d'Austin. Il ne me restait plus beaucoup d'options : soit je continuais à mentir et mon secret avec Maddie finirait par s'étouffer de lui-même ; soit j'avouais qu'elle me manquait et Austin apprenait la vérité.

— Tu veux une autre bière ? demandai-je.

— Non. Ça ira. Connor, si tu l'aimes, je t'assure que tu devrais l'appeler. Ça arrive à tous les couples de se disputer.

— Pas à ce point. Je ne lui ai pas dit que des choses sympas.

— Que tu ne pensais pas. Ta sœur me rend dingue chaque jour, mais si elle me laissait, je monterais en haut de la tour Hancock et je me jetterais dans le vide.

Je me figeai instantanément, me cachant derrière la porte du réfrigérateur, cherchant à me composer un visage neutre.

— La tour Hancock ? l'interrogeai-je, toujours la tête dans le réfrigérateur.

— Maddie m'a dit que la vue était belle. Elle avait des étoiles dans les yeux quand elle m'en a parlé.

— C'est magnifique en effet.

Brutalement, la porte du réfrigérateur se referma et

j'eus tout juste le temps de reculer pour ne pas me faire décapiter dans la manœuvre. Austin me fixa et il fit craquer les os de sa main. Je détestais quand il faisait ça.

— Appelle-la, répéta-t-il.

— Ashley est...

— Je ne parle pas d'Ash. Il n'a jamais été question d'Ash.

Je me pétrifiai de nouveau, reculant contre le mur dans un piteux élan de survie. Austin ne bougea pas, me laissant me perdre en conjectures. Savait-il ? Comment ? Dans quel état allais-je finir ? Ma sœur reconnaîtrait-elle mon corps à la morgue ?

— Je sais que ce n'était pas Ash sous la douche.

— Ecoute, Austin, ce n'est pas... ce n'est pas ce que tu crois.

— Ce que je crois en ce moment n'est pas franchement en ta faveur. Alors, je vais reposer ma question et je veux que tu prennes une seconde pour réfléchir à la réponse. Es-tu amoureux d'elle ?

— Austin...

— Es-tu amoureux d'elle ? Réfléchis, Connor.

Je serrai ma bière dans ma main, pendant que régnait un silence à peine troublé par ma respiration haletante. Austin, mon meilleur ami, celui avec qui j'avais fait tout un tas de choses inavouables, se tenait devant moi, muscles bandés et regard rétréci. Du haut de son mètre quatre-vingt-dix, il était très impressionnant.

Et moi, j'étais courbatu. Et terriblement fatigué de mentir à tout le monde. Maddie hantait toujours mes esprits et chaque souvenir faisait un mal de chien. Plus mal que la prise paralysante de Sophia.

— Oui, murmurai-je.

Un sourire heureux s'étira sur la bouche d'Austin et il frappa dans ses mains, comme s'il se réjouissait d'une bonne blague.

— Bonne réponse.

— Comment sais-tu pour Maddie et moi ?

— Sophia me l'a dit.

— Oh.

Pendant un bref instant, j'avais imaginé Austin en être doué d'une intelligence supérieure, étonnamment perspicace pour un sportif qui avait perdu plus de la moitié de ses neurones dans des chocs violents. Et, oui, cette image était sacrément flippante.

— D'une certaine manière, ça m'arrange : je n'ai pas à te dire qu'Ash est vraiment très bizarre.

— Euh... ouais. Elle a son charme, murmurai-je pour la défendre.

— Maddie est très jeune. Beaucoup plus jeune que toi.

— Je sais, admis-je. Mais tu n'as plus réellement à t'en faire.

— Puisque tu as agi comme une double buse avec elle.

— Mais elle m'a menti et...

— Et tu m'as menti aussi, fit-il remarquer.

Vraiment étonnamment perspicace.

— Ça n'a rien à voir. Je comptais te le dire, juste avant le discours d'Ashley.

— Tu aurais pu me le dire après.

— J'étais en colère.

— Après elle ?

— Elle m'a menti. Ce n'est pas acceptable !

— Je lui ai demandé de garder le secret. Si tu dois en vouloir à quelqu'un, c'est à moi que tu dois t'en prendre. Tout le monde a menti ces dernières semaines et, si on objective un peu les choses, Maddie n'y est pour rien.

Je fixai Austin avec horreur. Quel était donc cet être hybride ressemblant comme deux gouttes d'eau — deux grosses gouttes d'eau pleines de muscles — à mon meilleur ami, mais réfléchissant avec ses neurones ?

— Tu m'as perdu à « si on objective », lançai-je.

— Ne change pas de sujet. Si tu es amoureux d'elle,

je n'ai qu'une seule chose à te dire : excuse-toi. Supplie, pleure, prie, jure de lui offrir la lune. Mais fais ce qu'il faut pour la récupérer.

— Sinon quoi ?

— Sinon je jouerai au foot avec tes bijoux de famille. Nous avons de nouveau un pacte on dirait.

Un sourire inquiétant s'afficha sur ses lèvres. Mon corps me faisait mal d'être crispé. Je ne sentais plus mes doigts, tétanisés autour de la bouteille. Austin tendit la main vers moi pour sceller notre accord. J'hésitai un instant, avant de la serrer dans la mienne. D'un geste vif, mon meilleur ami m'attira contre lui et me broya méthodiquement la main.

— Si tu ne l'appelles pas, je te tue. Si tu lui fais du mal, je te torturerai et peut-être qu'ensuite, dans ma grande mansuétude, je t'achèverai, murmura-t-il à mon oreille. Compris ?

— Compris, chuchotai-je en ravalant la douleur qui me fusillait.

— Parfait, chantonna Austin en me libérant tout aussi brutalement. Bon, on va s'en occuper de cette table ?

Austin passa la nuit à m'aider à monter mes meubles. Ils étaient donc tous bancals et branlants. La bibliothèque, pourtant vide, semblait sur le point de s'effondrer, vacillant chaque fois que je passais près d'elle. Je savais maintenant pourquoi Austin avait engagé un décorateur pour le loft.

Mon meilleur ami était parti ce midi, me régalant d'une accolade assez forte pour me détruire l'épaule. Maintenant, j'avais cette douleur qui me vrillait le dos et me rappelait sans cesse que :

1) Austin savait.

2) Austin avait des neurones.

3) Austin risquait maintenant de me tuer si je ne m'excusais pas auprès de Maddie.

Le monde à l'envers.

Je m'étirai le dos, dans l'attente des premiers candidats au poste de serveur. J'avais reçu un bon nombre de curriculums et m'étais offert le luxe de sélectionner deux profils expérimentés. Je rangeai le bar en les attendant, chantonnant un vieux tube d'Oasis. Accroupi, je plaçai les premières bouteilles dans les placards.

La porte de l'entrée grinça et j'activai la cadence, prenant les bouteilles deux à deux pour les ranger. Mon premier rendez-vous était là.

— Installez-vous, j'arrive ! criai-je sans me redresser. Je peux vous proposer quelque chose à boire ?

— Je prendrais bien un café.

Je me figeai, reposant les bouteilles que j'avais à la main. Je me redressai lentement, retenant mon souffle de peur qu'il ne s'agisse que d'un mirage. Quand je croisai son regard bleu pétillant, j'esquissai un sourire.

Maddie était là.

J + 22

Note pour moi-même : apprendre à me servir d'urgence du percolateur.

Chapitre 16

Si c'était à refaire?
Je casserais le nez de mon colocataire moi-même.

Chaque matin depuis trois semaines, je rentrai lessivée de ma garde. J'avais opté pour le service de nuit, moins rébarbatif et répétitif que celui de jour. L'ambiance de nuit était différente : la majorité des patients dormait et je pouvais étudier à loisir pour mes derniers examens.

Mon tuteur était un ponte de la médecine pédiatrique. Un type adorable, à la barbe bien taillée et avec ce ventre bedonnant qui rassurait les parents. A mon arrivée, il m'avait offert un stylo Minnie, qui faisait un tabac chez les petites filles.

— Salut, Maddie! me salua mon voisin.

Je levai mon gobelet de café, lui rendant la politesse. Samuel était mon voisin de couloir. L'hôpital nous offrait l'opportunité d'occuper des chambres minuscules mais gratuites. Il y avait quatre chambres à l'étage et les locataires partageaient cuisine et salle de bains. Rien de bien nouveau pour moi.

— Garde difficile?

— Juste de la fatigue. Je suis de repos dans deux jours, je dormirai soixante-douze heures d'affilée, dis-je en souriant.

— Que dirais-tu... d'un dîner ce soir ?

— Tu veux sortir ? dis-je en bâillant.

— Oh, non. Je pensais plutôt à grignoter un truc ici. Je crois que je peux m'en sortir avec des macaronis au fromage, déclara-t-il.

Mon sourire disparut dans l'instant, le souvenir de ma dernière assiette de macaronis resurgissant.

Maudit sois-tu, Connor !

— Un problème avec les macaronis ? m'interrogea-t-il.

— Non, non. Absolument pas. Au contraire, j'adore ça ! A ce soir alors ?

— A ce soir !

Je me précipitai dans ma petite chambre, refermant en vitesse la porte pour m'effondrer dessus. Je n'allais quand même pas encore pleurer ? Pourtant, malgré toute ma volonté et malgré ma promesse solennelle de ne plus jamais gâcher une larme pour lui, elles resurgissaient.

Officiellement, j'avais épuisé mon quota de larmes dans l'avion qui m'amenait en Californie. Officiellement, j'avais oublié Connor. J'avais oublié qu'il était un crétin, j'avais oublié qu'il avait tout gâché. Mais de temps à autre, un souvenir, une image, une sensation réapparaissaient et anéantissaient mes bonnes résolutions.

Cela m'agaçait profondément. J'avais vécu sans Connor pendant des années, notre relation n'avait pas été si longue que ça, et maintenant je me sentais presque ridicule de perdre le contrôle dès qu'on me parlait macaronis, courgette ou percolateur.

Absolument pathétique.

Définitivement amoureuse d'un imbécile.

La sonnerie de mon téléphone me sortit de ma sieste réparatrice. Je pestai contre l'infâme qui osait me déranger et décrochai sans même vérifier le nom affiché sur l'écran.

— Qui que vous soyez, je vous déteste, marmonnai-je.

— Ça fait des semaines que tu me détestes, soupira Ash.

— En effet. Et je te déteste chaque jour un peu plus. Par pitié, cesse d'envoyer des chanteurs à l'hôpital pour implorer mon pardon.

— Je ne l'ai fait que trois fois !

— En une journée !

— C'était forfaitaire ! se défendit-elle.

— Faire chanter *Please Forgive Me* à un groupe de retraités ne me fera pas changer d'avis !

— Ils étaient aveugles ! N'as-tu donc aucun cœur ?

— Mon cœur est en miettes, Ash. Et maintenant, je vais raccrocher.

Dans l'instant, je coupai la communication et me réfugiai sous mon oreiller. Mon téléphone sonna de nouveau, me faisant bouillir de rage. Je décrochai de nouveau, maudissant le jour où j'avais rencontré Ashley.

— Quoi encore ?

— Elle est vraiment malheureuse, répondit Ben.

— Non. *Je* suis vraiment malheureuse, rectifiai-je. Et là, je suis vraiment fatiguée.

— Il faut que tu lui parles. Elle s'en veut pour ce qu'il s'est passé.

— Elle peut, soupirai-je.

— Tu sais comme moi qu'elle n'est qu'un dommage collatéral. Connor est parti avant-hier et, lui, il est parvenu à nous parler.

— Il faut croire que Connor est un modèle de compréhension. Enfin, avec tout le monde sauf avec moi.

— Je sais ce que tu ressens.

— Je travaille de nuit, je bosse comme une acharnée, je tente d'oublier Connor, je tente d'oublier le désastre de cette soirée. Je suis fatiguée, Ben. Fatiguée qu'Ash s'excuse, parce que chaque fois qu'elle le fait le souvenir de tout ce qui s'est passé me revient. Alors, non, Ben, je doute vraiment que tu saches ce que je ressens.

— Dominer ta colère, tu dois, jeune padawan.

— La ferme, Yoda!

Et sans comprendre pourquoi, j'explosai de rire. Brutalement, la colère, la rage, la déception se dissipèrent dans ce rire incontrôlable. J'entendis Ben rire à son tour, son soulagement perceptible même à des centaines de kilomètres l'un de l'autre.

— Tu te sens mieux? demanda-t-il finalement.

— Oui, avouai-je. Elle est vraiment malheureuse?

— Vraiment. Elle se nourrit exclusivement de yaourts à la fraise et elle a même été faire une lessive!

— En effet. Tout cela est très inquiétant.

— Oh! et elle sort avec... un radiologue, chuchota-t-il.

— C'est plus grave que ce que je craignais.

— Elle sort avec un type qui admire des os cassés. Je ne trouve pas ça très sain, tu sais.

Je ris de nouveau, savourant ce moment parfait où je lâchai enfin prise. Un moment parfait qui ne dura qu'une seconde. L'instant suivant, je regrettai de ne pas être avec Connor pour partager cette histoire avec lui. Je me demandais si ce réflexe idiot finirait par disparaître, si, un jour, je parviendrais à oublier qu'il n'était plus près de moi pour rire de ce genre de bêtises.

— Il faut que tu lui parles.

— Du radiologue?

— Je ne parlais pas d'Ash. Il faut que tu parles à Connor. Il faut que l'un de vous deux ravale sa fierté et fasse le premier pas.

— Et pourquoi cela doit être moi?

— Parce que tu es plus intelligente que lui, jeune padawan.

— Je suis certaine qu'il m'a très vite oubliée.

Le silence à l'autre bout de la ligne confirma mon hypothèse. Je ne m'inquiétais pas pour Connor : passé la déception, il avait certainement su comment rebondir et retrouver ses marques. Avec une certaine ironie, je songeai que notre relation avortée avait certainement conforté Connor dans son ancien mode de vie.

— Passe-moi Ash, demandai-je en me levant de mon lit.

J'arpentai ma minuscule chambre, ravalant la pointe d'amertume qui me piquait l'estomac. Qu'aurais-je pu espérer d'autre de lui ?

— Je suis absolument, absolument désolée, lança Ashley d'une voix plaintive. Je te promets de ne pas refaire de discours et...

— D'arrêter la tequila ?

— Je ne veux pas ton pardon à ce point-là, contra-t-elle. Mais tu me pardonnes, hein ?

— Je sais que tu n'es pas... coupable dans toute cette histoire. J'étais très en colère.

— Et maintenant tu es juste...

— Inquiète. Pourquoi sors-tu avec un radiologue ? C'est contraire à tous tes principes. Un radiologue ne sert à rien au quotidien.

— Je sais. C'est juste que... C'est... stratégique, chuchota-t-elle.

— Oh. Ooooh ! m'écriai-je en comprenant enfin. Et cela porte ses fruits ?

— Non.

Son ton dépité me tira un rire. Si Ash voulait réellement Ben, elle allait devoir tempérer son exubérance et se montrer plus raisonnable. Le simple fait qu'elle sorte avec un radiologue démontrait qu'elle était à une éternité de devenir raisonnable.

— Yoda est du genre... impénétrable, commentai-je.

— Je pourrais faire une blague salace, tu sais.

— Je sais. Tes blagues salaces me manquent pour être honnête.

— Et pour Connor, tu optes pour quelle stratégie ?

— Celle du néant. Je ne bougerai pas d'ici. De toute façon, j'ai décidé de passer à autre chose. Je dîne avec mon voisin ce soir.

— Oh. C'est là que je suis censée te soutenir, c'est ça ?

— Parfaitement. Tu dois être derrière moi.

— Bien. Donc laisse-moi deviner : il est gentil, serviable, mignon-mais-pas-trop et surtout il est fidèle comme Lassie.

— C'est ça !

— Tu n'as rien à faire avec ce type.

— Parce que...

— Parce qu'il est plus soporifique que ma grand-mère après avoir pris ses somnifères.

On toqua à ma porte et la voix de Samuel résonna à travers le bois.

— Madeline ?

— Et il t'appelle Madeline, soupira Ashley.

— Je vais raccrocher, Ash. Et je tiens à te dire qu'en tant que meilleure amie tu es virée.

— La meilleure nouvelle de la journée, rigola-t-elle. Amuse-toi bien avec...

— Samuel.

— Vérifie qu'il n'est pas amish.

Et elle raccrocha aussi sec, me laissant bouche bée et stupéfaite au milieu de ma chambre. Quel genre de cerveau tordu pouvait-elle avoir pour penser que Samuel — bon, d'accord, le prénom était connoté — soit amish ?

Malgré ma tenue déplorable et mon teint terreux, Samuel me gratifia d'un sourire heureux et d'un compliment sur mes cheveux. Il balaya d'un mouvement de main la possibilité que je me change pour paraître décente, argumentant qu'il voulait dîner avec moi et non avec mes habits.

Soit il était vraiment amish, soit il me draguait ouvertement.

Pendant le dîner, nous discutâmes de nos avenirs respectifs. Samuel envisageait de rester ici, de profiter du soleil californien et d'apprendre le surf. Mes projets étaient nettement moins précis. Là aussi, je subissais le séisme Connor : un avant parfait, net, facile, où ma seule préoccupation était de survivre à ma dernière année de cours ; un pendant tumultueux, mais curieusement harmonieux ; un après dantesque où chaque détail de ma misérable vie me rappelait qu'il était un crétin.

C'est donc ainsi que se passa notre dîner : Samuel parlait avec ce sourire vissé aux lèvres, pendant que je maudissais Connor pour les dix prochaines vies. Entre ses mains, j'avais été un jouet sympa et nouveau ; désormais, j'étais littéralement brisée de l'intérieur, le cœur en miettes.

Si Samuel détecta mon humeur maussade et mes réponses évasives, il ne dit rien. En garçon bien élevé et poli, il me raccompagna à ma chambre et ne tenta aucune manœuvre subversive.

Peut-être que j'aurais aimé qu'il le fasse, mais je savais qu'inévitablement je l'aurais comparé à Connor. Nos discussions me manquaient, il me manquait, nos nuits ensemble me manquaient. Je crois que même faire son café me manquait.

Absolument pathétique.

Définitivement amoureuse d'un imbécile.

Dans une heure et quarante-huit minutes, je serai officiellement de repos pour soixante-douze heures.

Soixante-douze longues heures de repos, de sommeil, de néant, de calme.

Soixante-douze heures sur lesquelles je fantasmais abondamment, rêvant d'un bain moussant, de silence et d'un bon bouquin.

Je fis rouler mon gobelet de mauvais café entre mes mains, lisant le journal du jour en salle de pause. Ma garde touchait à sa fin et le soleil se levait lentement sur Sacramento. Mon service avait été calme, rythmé par des contrôles de température essentiellement.

— Alors, Madeline, on se laisse aller ?

Le rire joyeux de mon tuteur retentit dans la petite pièce. Je refermai vivement mon journal et me levai d'un bond, au garde-à-vous. Mon café eut, lui aussi, un mauvais réflexe — un bond mal maîtrisé — et se répandit sur ma blouse.

— Visiblement, le café se laisse aller aussi.

— Malheureusement, marmonnai-je. Je ne savais pas que vous étiez de garde.

— J'ai été appelé pour une urgence. Votre garde se termine ?

— Dans un peu plus d'une heure, oui. Pour soixante-douze heures de repos.

A son sourire à peine camouflé par son imposante moustache, je sus que mon ton rêveur et mon regard fatigué m'avaient trahie.

— La dernière heure est toujours la plus difficile.

— Il faut croire, bâillai-je, avant de m'excuser.

Il me désigna ma chaise et se servit à son tour un café. Je refusai d'en reprendre, passablement échaudée par le destin du dernier. Ma blouse en était maculée et je décidai de la retirer. Le Dr Mitchell s'installa face à moi et m'observa pendant un instant.

— Avez-vous des attaches ici ?

— Ma famille vit dans l'Illinois. Mais mon frère envisage la possibilité de venir vivre en Californie.

— Ah oui ? Informaticien ?

— Retraité d'ici peu, précisai-je. Il est footballeur.

— Todd... Votre frère n'est quand même pas Austin Todd ? s'enquit-il en recrachant quasiment la gorgée de café qu'il venait de boire.

— Si. Depuis quelques années déjà. Je le vis plutôt bien, plaisantai-je.

— Vous direz à votre frère qu'il m'a fait perdre un juteux pari contre ma femme.

— Superbowl 2010 ? dis-je en souriant.

— Trois cents dollars et ma dignité. Certainement le meilleur receveur des deux dernières saisons. Et il vient s'installer en Californie ?

— C'est possible. On lui a proposé d'entraîner l'équipe universitaire.

— Je vais peut-être pouvoir me refaire alors ! s'enthousiasma-t-il en se frottant les mains. Enfin, ce n'est pas de votre frère que je venais vous parler. Je venais plutôt parler de votre avenir à vous.

— Ah oui ?

Je manquai de m'étouffer avec mon café, avant de me reprendre. Aborder de nouveau le sujet de mon avenir ne me réjouissait pas. Tout était encore trop flou, trop marqué par l'empreinte de Connor. Samuel avait réveillé de nombreux souvenirs et j'avais l'impression de m'y noyer un peu plus chaque jour.

— J'aimerais vous proposer un poste dans mon service. Vous avez un contact merveilleux avec les enfants et votre cursus universitaire est vraiment brillant.

— C'est... euh... inattendu, murmurai-je.

— Inattendu ou exclu ?

— Inattendu. Je suis très touchée par votre proposition.

— Mais ?

— Pas de mais, répondis-je avec un sourire. J'en serais ravie.

Il sembla me jauger du regard, pendant que je tentais de maîtriser la myriade d'émotions qui me traversaient : un mélange d'enthousiasme, de fierté et de douleur persistante au creux de l'estomac. Cette fois, l'horizon était clair et net. Mais je ne m'expliquais pas pourquoi cette soudaine clarté me fichait autant la trouille.

— Vous vous rendez compte que je vais encore perdre un pari contre ma femme ?

— Vous avez parié que je dirais non ?

— J'ai parié sur un « mais ». Un « mais » d'un mètre quatre-vingts et probablement médecin en devenir.

— Je ne sors pas avec les médecins ! m'esclaffai-je.

— Vous êtes du genre à ne pas mélanger le travail et le plaisir ?

— Non. Mais un médecin, au quotidien, ça ne sert à rien.

Il rit avec moi, méditant avec humour sur mon explication. Il finit son café d'un trait et se leva de table.

— Réfléchissez avant de me donner une réponse. On pourra en reparler à votre retour dans soixante-douze heures.

— Avec plaisir. Mais vous pouvez déjà dire à votre femme qu'elle a gagné.

Il opina du chef et, à l'instant où il s'apprêtait à sortir, la porte s'ouvrit violemment. Un de mes collègues apparut en s'excusant, avant de m'indiquer qu'une patiente m'attendait aux urgences.

— Elle refuse que quelqu'un d'autre l'examine, m'expliqua-t-il.

— Ma garde se termine dans une heure, soupirai-je.

— Désolé ! Mais elle est vraiment coriace.

Je haussai les épaules, terminai mon reste de café froid et le suivis dans les couloirs menant aux urgences.

L'endroit était relativement calme ce matin et on me désigna un rideau qui cachait la patiente.

— Sophia ? m'écriai-je.

— Tu la connais vraiment alors ? s'étonna mon collègue.

— Oui. Je... Je vais m'en occuper.

Il s'éclipsa aussitôt et Sophia bondit de la table d'examen, agrippant la blouse réglementaire d'une main.

— Il est hors de question que je mette ce truc ! grommela-t-elle en le jetant au sol.

— Et il est hors de question que tu restes ici !

— Il fallait que je te parle.

— Et c'est sûrement après avoir entendu ce genre de phrase que Bell inventa le téléphone !

Je pris conscience que j'avais haussé la voix. Découvrir Sophia ici, une heure avant la fin de ma garde, était un mauvais présage. Sophia, à mes yeux, à cet instant précis, était un ange de l'Apocalypse.

— Il faut que tu quittes cet endroit.

— Avant, il faut qu'on parle.

— Je ne peux pas te garder ici si tu n'as pas besoin de soins. C'est un hôpital, pas un lieu de rencontre pour fétichistes du latex, râlai-je les dents serrées.

— Tu refuses de prendre mes appels, tu ne me laisses pas le choix.

— Ma garde finit dans une heure.

— Je n'ai pas besoin d'une heure.

Je passai une main sur mon visage, sentant l'agacement prendre le pas sur la fatigue. Sophia, à l'image de son frère, était du genre... insistante. Avait-elle seulement déjà accepté un « non », de toute sa vie ?

Elle me fixa de ses grands yeux gris, les mêmes que ceux de Connor, les mains jointes sous son menton. Elle suppliait. C'était le premier sceau de la prophétie de l'Apocalypse.

— Bien. Si tu veux qu'on parle, je vais devoir faire un acte médical.

— Super ! s'écria-t-elle.

— Prise de sang ?

— Très bien.

— Tu dois mettre la blouse.

J'abattis ainsi ma carte maîtresse. J'eus un sourire heureux en voyant Sophia grimacer, mais, à ma grande surprise, elle s'exécuta et retira son haut pour enfiler l'infâme vêtement réglementaire. A peine fut-elle réinstallée sur la table qu'elle lança les hostilités.

— Il faut que tu parles à Connor.

— Sinon, il va surgir aux urgences pour demander un scanner ? ironisai-je en préparant un plateau pour la prise de sang.

— Ce n'est pas improbable.

— C'est tout à fait improbable.

— Austin est avec lui : crois-moi, c'est hautement probable. Il sait... pour vous deux.

Le gant en latex claqua un peu trop fort contre ma peau, mais je sentis à peine un picotement. Sophia remonta la manche de sa blouse, attendant silencieusement que je digère la nouvelle.

— C'est moi qui lui ai dit. Cette histoire n'avait pas de sens, il devait savoir.

— Tu étais la dernière à avoir le droit de lui dire quoi que ce soit sur ton frère et moi.

— Ce n'est pas ce que tu m'as dit avant de quitter le loft. Austin devait savoir. Il t'a vue bouleversée et, le connaissant, il n'y avait aucune chance qu'il comprenne tout seul.

Elle leva les yeux au ciel et je ne pus m'empêcher de sourire. Austin n'aurait pas vu un igloo au milieu du désert.

— Ecoute, je me sens coupable pour tout ça. Je

t'ai demandé de garder le secret et c'était très égoïste de ma part.

Je tendis son bras, examinant le creux de son coude. La veine était bien apparente. J'enroulai le garrot et le serrai fort.

— Ne te blâme pas pour le pacte de ces deux crétins, la morigénai-je.

— Tu ne comprends pas. Austin a mis des semaines à comprendre qu'il s'agissait d'autre chose que de sexe. Je me fichais que mon frère le sache. En revanche, je craignais vraiment qu'Austin prenne peur et me quitte. Son amitié avec Connor est… vraiment importante pour lui.

Je passai une compresse imbibée d'antiseptique sur son bras, palpant au passage la veine.

— C'est stupide : Austin ne t'aurait jamais quittée.

— Il l'aurait fait sans hésitation. A choisir entre Connor et moi, il aurait choisi mon frère. Et Connor a fait exactement la même chose.

— Connor n'a rien fait. Je suis partie, je ne lui ai pas laissé le choix. Ça fait partie de la longue liste des défauts de ton frère.

— Son hypocrisie ?

— Sa lâcheté. Je vais piquer.

J'orientai l'aiguille vers la veine et piquai la peau de Sophia. Elle détourna le regard et tout son corps se tendit. Je retirai le garrot, laissant le sang s'écouler dans le premier tube.

— Je ne sais pas pourquoi tu es venue ici, mais rien ne fera changer les choses. Connor a fait son choix et je suis en train de faire les miens.

— Connor a fait un choix stupide. Et à moins que ton choix ne soit de le rejoindre, les tiens sont tout aussi stupides. Combien de tubes vas-tu prendre ?

— Suffisamment pour te faire tomber dans les pommes.

— Il est amoureux de toi.

Je retirai l'aiguille après cinq tubes et apposai immédiatement une compresse sur le coude de Sophia.

— Replie ton bras. Je tente de faire ma vie, Sophia. Il avait au moins raison sur un point : je suis trop jeune. Son destin est tout tracé, moi, je ne sais même pas ce que je vais manger ce soir.

— C'est ça ton excuse ? se moqua-t-elle.

— Non, mon excuse, c'est que ton frère m'a dit clairement qu'il ne m'aimait pas suffisamment.

— Parce que tu crois tout ce qu'il dit ?

— Il a aussi dit que j'étais la malhonnête de notre histoire.

— Il mentait. Je vous ai observés tous les deux. Mon frère passait son temps à te dévorer des yeux. J'ai toujours trouvé votre relation étrange. Connor dit...

— ... qu'elle est unique, finis-je pour elle.

J'étiquetai les tubes consciencieusement, savourant le silence de la victoire. Sophia ne trouvait plus rien à dire et j'étais heureuse de cette thérapie express : à ce moment précis, je me fichais de Connor.

— Je ne suis pas venue pour te convaincre à tout prix.

— Tu t'es imposée aux urgences ! lui fis-je remarquer.

— Je fais parfois des choses stupides. Il n'y a pas si longtemps, j'ai quitté ton frère.

— Parce que tu voulais qu'il parle à Connor.

— Parce que je voulais qu'il soit à moi. Je voulais qu'il me choisisse. Je voulais... Je voulais qu'il se rende compte que quand on aime quelqu'un on n'envisage pas une seconde de vivre sans lui. Je ne peux pas vivre sans lui. C'est physiquement au-dessus de mes forces. Je n'ai jamais autant pleuré de toute ma vie. J'ai été une loque, j'ai été le néant. Voilà ce qu'il se passe quand on aime, Maddie : c'est de la folie pure.

— Ça fait deux ans que vous êtes ensemble, j'ai à peine passé deux mois avec...

Elle esquissa un sourire et je compris que j'avais été prise au piège. Elle était parvenue à me faire dire ce que je cachais au plus profond de moi depuis des semaines.

— Lister les défauts de Connor ne changera rien. Et pourtant, crois-moi, je sais que cette liste est très longue. Va le voir. Il est bien trop fier pour faire le premier pas.

— Ce n'est pas juste, murmurai-je au bord des larmes.

— Je sais. Avec un peu de chance, il te demandera en mariage sur-le-champ et il n'attendra pas des mois comme cet imbécile d'Austin.

— Je ne veux pas me marier.

— Votre relation m'épuise déjà, se lamenta-t-elle. Je te préviens, je ne vais pas faire le messager de paix à chacune de vos disputes.

— C'était plus qu'une dispute, protestai-je, un peu vexée.

— Va le voir. Au moins pour mettre les choses au point entre vous. Il a le nez plongé dans son restaurant, mais, en admettant qu'il soit sorti indemne de sa confrontation avec ton frère, je pense qu'il sera ravi de te voir. Vous étiez amis avant d'être... autre chose, non ?

— Connor et moi n'avons jamais été amis. Je ne sais pas vraiment ce que nous étions, mais certainement pas amis.

— Eh bien, ça pourrait être un début, devenir amis.

— J'en doute, marmonnai-je.

— Que dirais-tu d'aller boire un café ? Je n'en peux plus de cette blouse qui gratte. Je peux attendre la fin de ta garde.

— Je finis dans une heure. Enfin, presque, je dois maintenant attendre tes résultats.

— J'ai repéré un bistrot...

— Si j'attends, tu attends aussi. Dans cette blouse et ici.

— Sale gamine ! lança-t-elle alors que je lui tirais la langue.

J'apportai moi-même les tubes au laboratoire et redescendis aux urgences pour remplir le dossier factice de Sophia. J'avais un peu triché pour que mes analyses passent avant d'autres moins urgentes. Je rappelai le labo plusieurs fois, avant de changer mes plans : j'allais préparer mes affaires et je partirais directement des urgences.

En vidant mon sac pour y déposer ma blouse sale et ma trousse de toilette, je retrouvai le livre de Connor. Je le fixai de longues minutes, me demandant s'il était, lui aussi, un signe annonciateur de la fin du monde. Il était écorné, passablement usé, suintant cette odeur chimique d'encre et de papier si reconnaissable. Un sourire m'échappa et je m'arrêtai sur l'intérieur de la couverture, découvrant le mot de Connor.

Comme lors de ma conversation avec Ben, un rire tonitruant m'échappa. Soudain, nous y étions de nouveau, nous étions dans cette relation unique et pas ordinaire : avec moult consignes, Connor m'avait donné sa recette du soufflé au fromage.

En redescendant aux urgences, mon sac sur l'épaule, je souriais toujours. Je jetai un coup d'œil à l'ordinateur, éditant les résultats d'analyses de Sophia, avant de la rejoindre.

— Tu as une crampe ? m'interrogea-t-elle.

— Non. Euh... J'ai retrouvé un livre que Connor m'avait donné.

— Ne me dis pas que tu lis ces vieux machins toi aussi !

Je lui tendis le livre, lui laissant découvrir le mot.

— « Comme beaucoup de choses, c'est moins bien quand ça retombe » ?

— C'est d'Ashley, précisai-je.

— Evidemment. Bon, on peut y aller ? Je n'étais pas réellement malade, donc.

— Vraiment ?

Je parcourus rapidement les lignes d'analyses. Sophia n'était effectivement pas malade. Tout était parfait, cohérent.

— Vous avez fixé une date pour le mariage ? demandai-je en consultant la seconde page.

— Dans quatre mois.

— Formidable. Prévois large pour ta robe, tu es enceinte.

Mon annonce avait peut-être été un peu brutale. Sophia était hagarde, plongée dans ses pensées, et je redoutai un stress post-traumatique. Elle triturait son thé glacé, tout en marmonnant dans sa barbe.

— Est-ce que tout va bien ? lui demandai-je finalement.

— Euh... oui. C'était juste... inattendu.

— C'est une excellente nouvelle, assurai-je en posant ma main sur la sienne. Ton taux est très élevé.

— Ce qui veut dire ?

— Tu es sûrement enceinte depuis plus de huit semaines.

— Et si ce n'est pas possible ?

— Du côté des Todd, nous avons pas mal de naissances gémellaires.

Elle écarquilla les yeux, encaissant ce nouveau choc. Puis elle avala d'un trait sa boisson. Un silence inhabituel persista et je me surpris à tapoter des doigts sur la table. Sophia sortit son téléphone — un engin high-tech qui devait certainement faire office de grille-pain également — et le consulta.

— Tu as un vol cette nuit, ça ira ? demanda-t-elle.

— J'ai peur de ne pas suivre.

— Connor et toi. Je te mets en classe affaires, tu pourras te soûler au champagne. Ce qui m'est désormais interdit, râla-t-elle.

— Sophia, je travaille !

— Tu es de repos soixante-douze heures. Ne me mens pas, continua-t-elle en levant un index impérieux, j'ai fait vérifier ton planning. Je te prends un vol retour dans la foulée. Tu dormiras dans l'avion et tu arriveras ici fraîche comme une rose.

— C'est adorable de ta part de me demander mon avis, ironisai-je.

— Tu ne m'as pas demandé mon avis pour ma... grossesse ! objecta-t-elle en murmurant le dernier mot.

— Ne t'en prends pas au messager, je n'y suis pour rien !

— Alors ne t'en prends pas à ton messager. Même si, potentiellement, j'y suis pour quelque chose. Tu as la journée pour préparer un sac. Pour la lingerie, fais simple. Noir, blanc, soft !

— Je croyais que j'y allais pour mettre les choses au clair. Qu'on devait simplement redevenir amis.

— Et je n'ai pas dit que cette phase devait durer.

Je pris ma tête entre les mains, cherchant un moyen de me sortir de ce guêpier. L'idée que Sophia prenne le contrôle de la situation était surréaliste. Heureusement pour moi et ma santé mentale, elle m'informa qu'elle avait elle-même prévu de prendre un vol dans moins de trois heures.

— J'ai juste un complément de bagages, plaisanta-t-elle en tapotant doucement son estomac plat.

— Le risque d'avoir des jumeaux est assez faible, la rassurai-je.

— Le risque que je tombe amoureuse de ton frère était assez faible aussi.

Nous nous séparâmes devant le bistrot. Sophia héla un taxi avec une grâce et une paire de jambes spectaculaires. Elle aurait pu demander à Superman de l'escorter, il l'aurait fait sans discuter. De mon côté, je rentrai chez moi, me repassant en boucle la conversation que j'avais eue avec elle.

A mon arrivée dans la cuisine commune, je croisai Samuel. Il me tendit un café, m'offrit un sourire charmeur et me proposa de dîner de nouveau avec lui ce soir.

— Je ne peux pas ce soir. J'ai... Je dois prendre un vol pour Houston.

— Oh. Un problème familial ?

— Pas vraiment. Enfin, disons que ce n'est plus un problème familial, bredouillai-je.

Pourquoi bégayai-je comme une adolescente gênée ? Samuel me fixa et son sourire s'élargit.

— Le type aux macaronis ?

— En effet.

— C'est un veinard.

— C'est un crétin inconscient, pondérai-je. Je vais aller faire mon sac. On se revoit dans deux jours ?

— J'espère bien ! s'esclaffa-t-il.

Dans le vol qui m'amenait à Houston, je tentai de me changer les idées. Gamberger sur ce que je pourrais dire, sur ce qu'il répondrait certainement et sur le possible arrachage de cheveux qui suivrait ne menait à rien. Il camperait sur ses positions, je camperais sur les miennes et tout cela finirait probablement très mal.

Mais qu'est-ce que je faisais dans cet avion ? Hormis

boire du champagne en continu et faire défiler la centaine de films proposés.

A l'atterrissage, je fus très tentée de rester dans l'aéroport et de prendre aussitôt un vol retour. Pourquoi était-ce forcément à moi de m'excuser ? Et surtout, pourquoi m'étais-je laissé convaincre par Sophia ?

Ah, oui. « L'amour, c'est de la folie pure. » Cela expliquait que j'étais aux aurores dans un hôtel de luxe, qui, largesse des dieux, avait une baignoire d'angle avec balnéo. Tout ce dont j'avais rêvé pour ces soixante-douze heures de repos était là : le livre, la baignoire, le lit.

Mais à Houston.

Je pris le temps de me rafraîchir et de me changer. Devant le miroir, j'arborais toujours mes traits fatigués. Mes yeux étaient bouffis de fatigue, mes cheveux étaient ternes, mon regard sans âme. En trois semaines de stage, j'étais devenue un fantôme.

Aussi, ce fut avec une boule au ventre que je rejoignis le restaurant de Connor. Sophia m'avait judicieusement fait parvenir un plan. Je me retrouvai devant un bâtiment de trois étages, au cœur d'une artère commerçante, encore déserte à cette heure-ci. L'endroit me semblait gigantesque, mais avait besoin d'un peu de fraîcheur. Des rideaux occultaient la lumière et, si Sophia ne m'avait pas assuré que Connor était ici, je n'y aurais jamais cru.

Le cœur battant et très certainement envoûtée par un sortilège lancé par Sophia, j'avançai et toquai à la porte. Mon ventre fit un triple saut, remontant jusqu'à ma gorge, pendant que je frottais mes mains moites l'une contre l'autre.

Je n'aurais pas dû être nerveuse face à Connor. Je ne l'avais jamais été — si, évidemment, on faisait exception de ses défilés permanents en petite tenue. Cette situation inédite m'effraya. Avant que notre relation devienne sérieuse, j'avais toujours su anticiper les réactions de mon ex-colocataire. A l'instant où Connor avait accepté la possibilité de notre relation, cette capacité instinctive m'avait désertée.

Sans réponse, je finis par ouvrir la porte. Elle protesta dans un grincement sinistre. Devant moi, des tables et des chaises posées les unes sur les autres s'étalaient. La pièce était dans une douce pénombre, éclairée par les spots du bar de bois.

— Installez-vous, j'arrive ! cria la voix de Connor.

Je le cherchai du regard, en vain.

— Je peux vous proposer quelque chose à boire ?

— Je prendrais bien un café.

Ma voix assurée me surprit tout autant que la facilité avec laquelle je lui avais répondu. Des bouteilles s'entrechoquèrent et, finalement, il apparut, se relevant de derrière le bar.

Il me dévisagea de longues secondes, pendant que je me tordais les mains.

Il esquissa un sourire et secoua la tête.

La partie reprenait.

J + 22

Symptômes : hausse de tension, palpitations cardiaques et penchants masochistes.

Pronostic vital : celui de notre relation est très fortement... mal barré.

Chapitre 17

Toujours par deux ils vont. Ni plus ni moins.

MAÎTRE YODA

Elle était là. Elle était debout devant moi, ses cheveux relevés, ses Converse usées aux pieds, son magnifique regard bleu azur planté dans le mien.

Ses yeux se braquèrent sur le poste de radio sur le bar et un sourire se forma sur ses lèvres. Les dernières notes de *She's Electric* se dispersèrent dans la pièce et Maddie avança prudemment vers moi. Elle retira sa veste, la déposant sur une des tables et, malgré toute ma bonne volonté, je ne pus m'empêcher de la dévorer des yeux.

Quand elle capta mon regard, il me sembla que l'air se raréfiait dans la pièce. Ce crépitement familier, cette attraction inédite et terrifiante, le picotement diffus de mon corps, le battement frénétique de mon cœur à m'en faire mal dans la poitrine : tout cela resurgissait violemment, me donnant une sensation de désagréable vertige et de déjà-vu.

— Alors, ce café ? s'enquit-elle. Je vois que tu as un percolateur rutilant.

— « Récalcitrant » serait le terme le plus adéquat. Certaines choses ne changent pas d'un Etat à un autre.

— C'est justement ce que je suis venue vérifier, avoua-t-elle.

Je contournai le bar, mais restai à distance. Je n'avais aucune idée de ce qu'elle était venue faire ici. Connaissant Maddie, je savais qu'elle n'avait rien oublié de notre dernière soirée, rien oublié de ce que je lui avais dit.

— J'attendais des candidats pour des postes de serveur, expliquai-je finalement.

— Je présume que vivre en Californie m'élimine d'office.

— Le nombre d'assiettes que tu as cassées t'élimine d'office. Tu es une calamité en tant que serveuse.

— C'est vrai, admit-elle en riant. En tout cas, je te félicite, l'endroit est... gigantesque !

— Merci. Tu veux visiter la cuisine ?

Elle opina et cela me rendit instantanément heureux. Maddie me suivit en silence et siffla d'admiration en constatant la taille de la cuisine.

— Est-ce que... est-ce que tu restes longtemps ? demandai-je, incertain.

— Je repars demain.

Le silence qui suivit masqua mal ma déception. Elle s'assit sur l'un des plans de travail en inox et balança ses jambes.

— Austin est au courant, lançai-je dans un souffle. Pour nous deux.

— Pour ce que nous étions, ajouta-t-elle. Sophia m'a dit qu'il était venu te voir.

— Et je suis toujours en vie, dis-je en souriant.

Son regard se voila et elle baissa le visage, fixant un point imaginaire au sol. Je me retins d'aller vers elle pour la prendre dans mes bras : la sensation de gâchis n'aurait pas, de toute façon, été moins douloureuse.

— Ton stage se passe bien ? m'enquis-je pour détourner la conversation vers un sujet moins délicat.

— Très bien. Je... On m'a proposé un poste.

— Et tu as accepté ?

— J'y pense sérieusement. C'est une opportunité fabuleuse.

Nous nous fixâmes longuement, un silence tendu entre nous. Brutalement, elle sauta du plan de travail.

— Je ne vais pas te déranger plus longtemps. Tu as du travail.

— Tu ne me déranges pas.

— Si, si. Ma visite n'était pas prévue et tu as tes entretiens... Je devrais... y aller.

Elle passa près de moi, son parfum de fleur d'oranger persistant agréablement. Je refermai la main autour de son poignet et la retins dans sa fuite.

— Reste, murmurai-je.

Son corps tout entier se tendit et elle attendit patiemment que je la libère. Brutalement, l'air me sembla irrespirable. Elle était proche et lointaine à la fois. En un pas, j'aurais pu la prendre dans mes bras. En un pas, elle aurait pu me coller une gifle monumentale. Le souvenir des paroles d'Austin me revint : m'excuser, supplier, tout faire pour la récupérer.

— Je veux que tu restes. Il faut qu'on parle.

— De ce que nous étions ?

— De ce que nous sommes, rectifiai-je.

— Tu as été très clair sur ce que je suis à tes yeux.

— Certaines choses changent d'un Etat à un autre, lui fis-je remarquer, plus acerbe que je ne le voulais vraiment. Je suis incapable de me servir du percolateur, c'est vrai, mais cela ne nous empêche pas de discuter... comme avant.

Comme avant quoi ? Telle était la question.

De retour dans la salle, Maddie se glissa naturellement derrière le bar et avec son doigté magique parvint à dompter la machine à café de l'enfer. J'installai une table et deux chaises et attendis qu'elle me rejoigne. Ma tasse entre les mains, je cherchai à amorcer la conversation.

— Austin était ici hier. On a discuté et on a monté des meubles.

— Mon frère ne sait pas monter des meubles !

— Je sais, ma table a failli s'effondrer ce matin. Malgré ça, je crois que tu as raison : personne n'aimera plus ma sœur que lui.

— Ta sœur est enceinte, murmura-t-elle.

— Que... quoi ?

— Sophia. Elle est enceinte. Je pense qu'elle aurait aimé te le dire, mais, la dernière fois que j'ai gardé un secret, je m'en suis mordu les doigts. J'opte désormais pour la franchise.

Maddie haussa les épaules dans un geste désinvolte, avant de boire une gorgée de son café. L'image de Sophia enceinte me tira un sourire triste. J'étais ravi pour elle, mais voir Maddie en face de moi si fuyante me faisait sombrer dans la mélancolie.

— Et ils vont se marier, ajoutai-je.

— La routine ! commenta Maddie avec détachement.

— J'oubliais ton allergie au mariage.

— Ce n'est pas une allergie. C'est juste que je n'en ai pas envie. Je serais mortifiée qu'on me demande en mariage, s'esclaffa-t-elle.

— Je serais mortifié qu'on te demande en mariage, confirmai-je. Mortifié, triste, dépressif et sûrement que j'arrêterais la cuisine de désespoir.

— Tu as loupé ta chance ! me rappela-t-elle.

— Je veux une seconde chance.

— Pour me demander en mariage ?

— Pour être avec toi. Pour que tu restes avec moi.

Elle n'eut pas le temps de répondre : le premier candidat pour le poste de serveur toquait frénétiquement à la porte. Nous nous levâmes et Maddie récupéra sa veste.

— Qu'est-ce que tu fais ?

— Je rentre à mon hôtel.

— Je t'interdis formellement de quitter cet endroit. Je vis au-dessus. Si tu n'as pas peur de t'effondrer d'une chaise, tu peux m'attendre là-haut.

— Tu fais ça souvent ?

— Séquestrer de jolies filles ?

— Reprendre ton rôle de dominant. Je t'attends là-haut, je trouverai bien une paire de menottes dans un carton !

Je ravalai un rire, médusé par la légèreté avec laquelle elle vivait la situation. Elle emprunta l'escalier, m'adressant un petit signe de la main. Je fis entrer le premier candidat et nous nous installâmes à la table que Maddie venait de quitter.

Ce fut un fiasco. Du moins pour moi. Le jeune homme devant moi avait très certainement toutes les qualités requises, un parcours sans faute et une personnalité intéressante, mais mon esprit vagabondait vers l'étage du dessus. Je ne parvenais pas à me concentrer, je le faisais répéter ses réponses et perdais fréquemment le fil de la conversation.

Quand il quitta le restaurant, j'étais épuisé. J'appelai dans l'instant le second candidat pour annuler. Inutile de réitérer cette piètre performance : en tant que futur patron, je devais au moins donner l'illusion que je savais ce que je faisais.

Je grimpai les marches deux à deux, trouvant Maddie assise sur le sol en entrant dans le petit appartement.

— Je n'ai pas voulu prendre de risques, expliqua-t-elle. Tu as une cigarette ?

— Et ton éthique d'infirmière ?

— Cas de force majeure. Je sens que cela va être une conversation digne d'une cigarette.

Je m'installai à ses côtés et lui proposai mon paquet. Elle prit une cigarette et je lui tendis mon briquet allumé. Elle inspira longuement, les yeux clos, savourant le goût de la nicotine.

— Et ton entretien ?

— J'ai été incapable de faire ça correctement. Tu es perturbante.

— Je le prends comme un compliment, dit-elle en souriant. Au fait, je n'ai pas trouvé les menottes.

— Est-ce vraiment le seul moyen de te retenir ici ?

— Je ne suis pas venue ici pour rester.

— Pourquoi es-tu venue alors ?

— Pour fumer cette incroyable cigarette, éluda-t-elle en exhalant la fumée.

Sa réponse évasive me mit soudainement en colère. Je plaquai mon paquet de cigarettes dans le creux de sa main et me relevai.

— Je t'offre le paquet. Tu peux partir maintenant si tu veux, rageai-je.

— C'est toi qui m'as demandé de rester. Tu voulais qu'on parle.

— Pourquoi es-tu venue ? demandai-je de nouveau.

— Pas pour me faire crier dessus en tout cas ! rétorqua-t-elle en se redressant.

— Tu n'as pas un plan parfait pour t'en sortir cette fois ?

Le regard qu'elle me lança me glaça de la tête aux pieds. Elle écrasa sa cigarette dans le cendrier, prenant soin de ne pas détacher ses yeux des miens.

— Pour m'en sortir ? répéta-t-elle en fronçant les sourcils.

— Tu voulais rompre, lui rappelai-je. Tu voulais partir en Californie et faire comme si rien ne s'était passé entre toi et moi.

— Je voulais rompre parce que c'était la meilleure chose à faire. Avec le recul, je pense toujours que c'était la meilleure chose à faire. On ne peut déjà pas se supporter quand on est dans la même pièce, notre relation n'aurait pas survécu à plusieurs milliers de kilomètres.

— Tu n'as toujours pas confiance, on dirait ?

— Connor, tu as passé les quinze dernières années de

ta vie à mettre des filles dans ton lit. Et tu as continué de le faire alors que je vivais au loft. Moi en Californie, toi ici, soyons sérieux, c'était voué à l'échec.

— Donc, parce que tu as décidé que cela ne pouvait pas fonctionner, on arrête ?

— Ça sera bien plus simple pour tout le monde.

— Ce qui aurait été plus simple, c'est que tu me dises pour Austin et Sophia.

— Je ne voulais pas te mentir, souffla-t-elle. Il s'agissait de mon frère, j'ai appris leur relation par hasard. Je pensais qu'il irait te parler, que les choses rentreraient vite dans l'ordre.

— Je n'aurais pas dû m'en prendre à toi. Tu n'étais pas à l'origine du pacte. Mais me rendre compte que tu me mentais, alors que je te faisais confiance... Je ne sais pas, c'était incompréhensible pour moi.

Je passai une main rageuse dans mes cheveux, agacé par la tournure colérique de notre conversation. Après trois semaines de séparation, la joie de la retrouver aurait dû primer tout le reste. Pourtant, les relents de notre première et dernière dispute revenaient inlassablement.

— Notre relation ne se résume pas au discours d'Ashley, repris-je.

— Je sais, admit-elle. Je suis désolée de t'avoir menti. Je l'ai fait pour Austin et pour ta sœur. Il semblait inquiet et paniqué à l'idée de briser votre amitié.

— Il pouvait l'être. Je tente de digérer l'information du mariage. Austin n'était qu'une partie du problème, Maddie. Depuis la soirée de la Saint-Patrick, tu n'es plus... Tu as passé ton temps à me repousser. Tu as même répété avec Ashley notre inévitable rupture !

— Je te l'ai dit, c'était la meilleure solution à mes yeux.

— Tu fuyais.

— Je te ramenais à la réalité. Tu t'emballais. Me demander de rester en sachant que je devais partir n'était pas l'idée du siècle. Tu me donnes le rôle de la méchante, alors que je pensais à mon avenir.

— Et moi, je pensais au nôtre.

— Je croyais que personne n'aimait à ce point ? s'étonna-t-elle dans un rire.

— De toutes les choses que je t'ai dites, c'est certainement ça que je regrette le plus. J'étais stupidement en colère. La vérité, c'est que je t'aime au point de ne pas savoir ce que je fais ici.

Ma réponse la désarçonna. Son visage perdit de cette confiance qu'elle affichait depuis quelques instants.

— Je n'ai rien cuisiné depuis trois semaines. J'en suis incapable. Je n'y arrive plus. J'ai un restaurant, Maddie, et je suis incapable de sortir une assiette correcte. Alors, si tu as aussi un plan pour ça, j'aimerais l'entendre.

— Je... Je ne savais pas. Je suis désolée, murmura-t-elle.

Elle s'assit prudemment sur le canapé, presque choquée par ma révélation. Je m'adossai contre le mur, évitant soigneusement son regard.

— Ça finira par revenir, assurai-je. Il faut que ça revienne.

— Pourquoi ne m'as-tu rien dit ? On aurait pu... je ne sais pas... parler.

— Maddie, tu l'as dit toi-même : on n'y arrive pas ici, alors au téléphone...

— Tu aurais pu venir.

— C'était ça ton plan ? Que je débarque un beau jour chez toi pour implorer ton pardon ?

— A genoux. Tu devais implorer à genoux, corrigea-t-elle avec un sourire.

— Evidemment. Et ensuite ?

— Ensuite, je devais te faire rentrer et tu serais tombé nez à nez avec mon voisin à moitié nu.

— Tu sors avec ton voisin ?

Et voilà que mon tempérament possessif refaisait surface.

Maddie m'adressa un sourire énigmatique, suffisant à me rendre cinglé. L'imaginer avec un autre était insoutenable.

— Tic dit qu'il est sûrement amish, ripostai-je.

— Tic ?

— La copine de Tac. Ash et Ben.

— Je vais vraiment finir par la tuer. Samuel n'est pas amish ! Et en le croisant, tu aurais fini par comprendre que j'ai tourné la page.

— Ton plan est... douloureux, soulignai-je avec une grimace. Dans mon plan, on devait seulement se revoir au mariage d'Austin et de Sophia.

— Ils se marient dans quatre mois !

— Je sais. Je devais venir avec une blonde, grande, gourde, et je devais la faire feuler toute la nuit.

— Je ne suis pas jalouse, lança-t-elle.

— Je l'aurais emmenée sur le toit avec un bol de macaronis.

— Maintenant, je suis jalouse.

— Tu aurais bu pour noyer ton chagrin et tu aurais compris que j'ai définitivement tourné la page.

— Ton plan est pathétique, s'esclaffa-t-elle.

Je me joignis à son rire, heureux d'avoir enfin l'opportunité de l'entendre. Je quittai le mur et lui demandai silencieusement si je pouvais m'asseoir près d'elle. Elle se décala sur la gauche et masqua son visage en défaisant ses cheveux.

— Quand tu m'as dit que j'avais été malhonnête, murmura-t-elle, j'ai eu la sensation d'étouffer. Comme si on me privait d'oxygène. C'est vrai, ce jour-là, je voulais rompre, admit-elle. Mais tu m'as demandé de rester et... Connor, ce soir-là, si tu m'avais accompagnée à l'aéroport, j'aurais certainement changé d'avis. J'aurais trouvé un moyen de décaler mon stage, de gagner du temps. Je suis partie par fierté, par colère. Uniquement de mauvaises raisons. Si tu étais venu, tu aurais été *ma* bonne raison de rester.

— Vraiment ? m'étonnai-je en repoussant ses cheveux pour voir son visage.

— Vraiment. Parce que je t'aime à ce point. Je suis habituée à gérer la douleur des autres, Connor, mais ce que je ressens depuis trois semaines, c'est l'enfer absolu. Je ne voulais pas te mentir, je ne voulais pas que tu l'apprennes ainsi. Je ne voulais pas partir, je ne voulais pas que notre... relation se termine.

— Pourquoi ne m'as-tu pas appelé ? demandai-je.

— Parce que je t'en voulais. Parce que je m'en voulais. J'aurais préféré que tu sois le seul fautif, j'aurais pu te détester et t'oublier, mais, évidemment, je me mets à culpabiliser comme une idiote de t'avoir caché la vérité. Le pacte était stupide, mais ne rien te dire était encore plus stupide.

— J'aurais aussi préféré t'oublier. C'est le problème avec les Todd, vous êtes vraiment inoubliables.

Je me levai du canapé et, héroïquement, je me mis à genoux devant elle. Ses yeux s'agrandirent de stupeur et je pris ses mains dans les miennes.

— Je suis désolé, dis-je finalement. Désolé d'avoir été un crétin depuis presque six mois et en particulier ce soir-là. J'en avais après Austin et après Sophia. Te concernant, j'étais surtout triste que tu partes.

Elle hocha la tête et m'offrit un sourire timide. Mon cœur frappait à une allure folle, menaçant d'imploser dans ma poitrine. Je me redressai et me dirigeai vers la petite cuisine pour nous servir un verre. J'entendis les pas de Maddie derrière moi et me risquai à reposer la question qui me brûlait les lèvres :

— Pourquoi es-tu venue ? l'interrogeai-je.

— Pour savoir si je dois accepter ce poste, répondit-elle avec une franchise désarmante. Peut-être qu'il y a mieux ailleurs.

Quand je pivotai pour lui faire face, Maddie me fixait,

le regard pétillant de malice. Elle voulait mener la danse, comme toujours. Et je refusais de la laisser faire, comme toujours. C'était ainsi que nous fonctionnions ensemble, dans le défi et dans la provocation permanente.

L'air était chargé d'électricité, lourd et à peine supportable. J'effaçai la courte distance entre nous et posai la main sur sa nuque pour écraser ma bouche contre la sienne. Ses lèvres étaient douces et elle eut un instant de stupéfaction, immobile entre mes mains. Je la repoussai contre le mur, que son dos heurta violemment. Un gémissement s'étrangla dans sa gorge et ses mains s'enroulèrent autour de ma nuque. Mes mains abandonnèrent son cou pour explorer son corps, repousser la veste de ses épaules. Le vêtement glissa de ses bras et son corps brûlant réchauffa le mien. Je quittai ses lèvres, trouvant la peau fine de son cou. Mon corps s'embrasa, se débattant entre désir et rage.

— Il y a nous, murmurai-je. Il y a nous.

Le souffle court, je relevai les yeux vers le visage de Maddie. Essoufflée elle aussi, les joues rouges et les yeux brillants, elle n'avait jamais été aussi belle. J'encadrai son visage de mes mains, caressant ses joues.

— Redis-le, murmura-t-elle.

— Il y a nous. Je suis toujours amoureux de toi. Certaines choses ne changent pas d'un Etat à un autre.

Elle risqua un sourire, mais il n'était pas assez puissant pour effacer les larmes qui coulaient sur ses joues. Je la pris dans mes bras, me régalant de la chaleur de son corps et de son parfum envoûtant. Pour la première fois depuis trois semaines, je ne sentais plus cette pesanteur insupportable, cette douleur diffuse et paralysante. Elle était là et, avec ou sans menottes, j'étais déterminé à la garder près de moi.

— Tu sens la brioche, plaisantai-je.

Elle renifla lourdement, tout en éclatant de rire. Nous

nous écartâmes, le même sourire crétin s'étirant sur nos lèvres.

— Tu pars réellement demain ?

— Oui. Ta sœur est extrêmement persuasive. Et le champagne en classe affaires est divin.

— Et ton frère « objective » vraiment bien !

Elle rit un peu plus fort avant de nouer les bras autour de ma nuque. Elle colla son front au mien et tenta de réprimer les éclats de rire qui lui échappaient.

— Et maintenant, c'est quoi le plan ? s'enquit-elle.

— Eh bien, je dois te convaincre que la Californie ça craint et que tu dois refuser ce poste. Ensuite, il faut que j'appelle Tic et Tac, car je suis à peu près certain qu'ils ont encore fait un pari à notre sujet. Et pour finir, je devrais expliquer à ton frère pourquoi je ne te demanderai jamais en...

— Je t'aime, murmura-t-elle.

Le silence qui nous enveloppa était irréel. Au loft, il y avait toujours un bourdonnement : la circulation, le bruit de la ville ou les gargarismes d'Ashley. Ici, il n'y avait rien.

En fait, il n'y avait que nous.

— Tu fais ça souvent ? demandai-je avec un sourire géant sur les lèvres.

— Te rendre dingue ?

— Pas mieux, chuchotai-je. Pas mieux.

Je retrouvai ses lèvres, dans un baiser plus doux et plus profond. Maddie me poussa sur le canapé et s'installa à califourchon sur mes cuisses, sa bouche soudée à la mienne. Mon entrejambe me faisait déjà mal. Je passai les mains sous son T-shirt, caressant le bas de son dos. Elle frémit contre moi, avant de placer un dernier chaste baiser sur mes lèvres.

— Il y a quelque chose de plus urgent à faire, murmura-t-elle.

Mes mains remontèrent plus haut et Maddie se cambra

un peu plus. Le tissu de son T-shirt se tendit, révélant la forme de ses seins.

— J'ai faim. Très faim.

— Soufflé au fromage ? proposai-je.

— Huumm... Et je viens à l'instant de retomber amoureuse de toi.

— Viens.

Atteindre la cuisine fut un véritable exploit.

A peine levés du canapé, Maddie et moi nous retrouvâmes contre le mur, à nous embrasser frénétiquement. Ses jambes nouées autour de ma taille, elle me répéta qu'elle m'aimait et se contenta d'écouter les battements chaotiques de mon cœur en réponse.

Alors que je luttais pour retirer son T-shirt et sentir sa peau, Maddie s'accrocha à la bibliothèque. L'heure du décès du pauvre meuble fut déclarée presque aussitôt et oubliée dès que sa peau effleura la mienne.

Sa peau était douce, veloutée, et cette sensation ne faisait pas justice à mes maigres souvenirs. Quand je parvins finalement à me détacher de ses lèvres, j'étais dans un état second. Il y avait le désir, évidemment, cette envie d'être en elle et d'oublier ces trois dernières semaines, mais il y avait surtout ce magnétisme unique entre elle et moi.

C'est à cet instant que je sus ce qu'elle voulait dire par « pas ordinaire » : c'était cette alchimie incompréhensible pour les autres, ce fonctionnement qui n'appartenait qu'à nous.

Je réussis enfin à entraîner Maddie dans l'escalier. Nous dévalâmes les marches en riant, elle à moitié nue, moi simplement vêtu de mon jean, complètement inconscients du monde extérieur. Elle grimpa sur mon dos et nous slalomâmes entre les tables et les chaises poussiéreuses, pour atteindre la cuisine.

— Enfile ça, ordonnai-je en lui tendant une veste de cuisine.

— Tu as peur que je me brûle ? demanda-t-elle.

— J'ai peur de me brûler *moi*. Et j'ai peur de devoir sortir deux bières chaque fois que tu les exhibes !

Elle enfila ma veste, qui couvrait à moitié ses jambes nues. Je sortis le matériel et les ingrédients pour préparer le soufflé au fromage. Je tendis la râpe à fromage à ma petite amie, avant de me placer derrière elle.

— Du cheddar, expliquai-je en lui désignant le morceau de fromage.

Elle le saisit et je posai ma main par-dessus la sienne. En silence, nous nous appliquâmes à râper ensemble, mon attention bien trop souvent déviée par la peau de son cou et la courbe tentatrice de son épaule.

— J'aurais pu m'en sortir toute seule, commenta-t-elle quand nous eûmes fini.

— Je profitais de la situation. Je cherche toujours un moyen de te faire rester ici.

Maddie s'assit sur le plan de travail, m'observant sortir mes ustensiles.

— Je dois finir mon stage. Sinon, je ne validerai pas mon année et j'ai trop travaillé pour ça.

— Demande un changement d'affectation. Je suis certain que...

— Connor, je dois finir ce stage. Je tiens à ce métier ; et de quoi j'aurais l'air à changer d'avis pour un homme ? Un homme beau et qui fait des macaronis, certes, mais un homme tout de même !

— Tu as oublié excellent amant dans ta description.

— Et modeste, donc, aussi.

— Et absolument sans un sou. C'est une bonne chose que tu aimes les macaronis, plaisantai-je.

Mais ma blague tomba à plat. Je me concentraï sur ma tâche, faisait chauffer une poêle. Je sentis la main de Maddie dans mes cheveux, me tirant de ma rêverie.

— Si j'avais voulu d'un homme riche, je serais restée avec Markus. Ou j'aurais fait un strip-tease devant un des coéquipiers d'Austin.

— Certes.

— Qu'est-ce qui te tourmente ? s'enquit-elle en me voyant détourner les yeux.

— Je veux vraiment que tu restes, Maddie.

— Et tu sais que je ne peux pas. Tu as un nouveau plan qui prévoit séquestration et menottes ?

— Non. Pas la séquestration, souris-je.

— Evidemment, s'esclaffa-t-elle. Connor, je vais revenir. Tu n'as pas à t'en inquiéter. Je reviendrai au moins pour les macaronis. Et le sexe, ajouta-t-elle.

— Ça me semble acceptable, acquiesçai-je, les yeux rivés sur ma préparation.

Quand je relevai le visage, Maddie composait un numéro sur son portable. Elle posa l'index sur ses lèvres, m'intimant le silence.

— Dr Mitchell ? Bonjour, c'est Maddie... Oui, je vais très bien. J'ai une bonne nouvelle à vous annoncer.

Je fronçai les sourcils, sans comprendre.

— Vous avez gagné votre pari. Il y a un « mais », lâcha-t-elle dans un souffle. Oui, j'en suis absolument certaine. Je finirai mon stage. En ce moment ? A Houston.

La suite de la conversation fut incompréhensible. Maddie opinait régulièrement, ponctuant sa conversation avec son interlocuteur d'un « oui » ou d'un « merci ».

— L'*Episcopal*. Oui. Vraiment ? Ça serait formidable.

— Quoi ? murmurai-je, un peu tendu.

De nouveau, elle posa un doigt sur ses lèvres et, d'un geste de la main, me recommanda de poursuivre mon plat de macaronis. J'obtempérai en bougonnant, récoltant une tape sur la nuque et un regard désapprobateur.

— Sale gamine, grognai-je.

— Crétin, lâcha-t-elle en refermant le clapet de son téléphone. C'était mon patron. Il peut me recommander pour un poste à l'*Episcopal*.

— Ça ne résout pas la problématique de ton stage.

— Je pense que cette problématique-là est insoluble ! répondit-elle en sautant du plan de travail.

— Combien de temps te reste-t-il ?

— Trois mois.

— C'est hors de question !

— Ce n'est pas franchement négociable. Je dois valider mon année.

Je poussai un soupir, prenant conscience que me disputer avec Maddie ne mènerait à rien. Sauf peut-être à l'épuisement.

— D'accord. Valide ton année, abdiquai-je. Mais je te veux ici dans la journée qui suit la fin de ton stage.

— Je commence à aimer ton petit côté possessif.

— Laisse-moi deux heures, que je retrouve mes menottes, et tu vas vraiment l'adorer, promis-je en lui adressant un clin d'œil.

Après le déjeuner, Maddie et moi entreprîmes de nettoyer la salle du restaurant. Cette belle initiative mourut de sa belle mort, dès que Maddie me vola un baiser furtif. J'enroulai un bras autour de sa taille et l'attirai contre moi.

— Finis ce que tu as commencé, murmurai-je contre ses lèvres.

— Tu crois que c'est dans la poche, n'est-ce pas ?

Le souvenir de notre première nuit, de nos premiers échanges, me revint à la mémoire. Dès notre première étreinte, j'avais su qu'elle n'était pas comme les autres. C'était mon seul regret : n'avoir pas su la retenir cette nuit-là.

— Je m'interroge à vrai dire.

— Position ?

— Lieu. Ma voiture est loin et la rue est fréquentée en pleine journée.

Elle éclata de rire et posa sa bouche contre la mienne. Je souris contre ses lèvres, sentant ses doigts glisser sur mon torse. Mes mains glissèrent sur ses fesses, son corps épousant le mien. Maddie avait gardé ma veste de cuisine et portait un de ses shortys en dentelle. Elle se détacha de mes lèvres et se mit sur la pointe des pieds, collant sa joue contre la mienne.

— J'ai envie de toi, maintenant, chuchota-t-elle à mon oreille.

Je la soulevai contre moi, ses jambes crochetant mes hanches. La chaleur de son corps contre le mien me fit presque trembler. Je la repoussai contre le mur, étouffant un premier gémissement dans ma bouche. Elle entoura ma nuque de ses bras, me maintenant contre elle. Ses doigts s'enfoncèrent dans ma chevelure, caressant mon cuir chevelu. Je parcourais la peau de son cou, longeais sa mâchoire, picorais ses lèvres. Son parfum, la douceur de sa peau, le voile de chair de poule, tout cela m'avait manqué. Maddie se cambra contre moi, creusant les reins pour accentuer notre contact.

Elle soupira lourdement et je me décidai à changer mes plans. Plaquant les mains sous ses cuisses, je la portai jusqu'à l'escalier, la faisant asseoir deux marches au-dessus de moi.

— Qu'est-ce...

— J'aime beaucoup quand tu domines la situation, dis-je en souriant.

J'ouvris sa veste, bouton par bouton, embrassant chaque parcelle de peau ainsi dévoilée. Maddie me regardait, son regard bleu profond observant chacun de mes mouvements.

Je repoussai ma veste de ses épaules, effleurant de ma bouche sa petite marque de naissance.

Le crépitement entre nos deux corps réapparut, flamboyant, palpable, attisant nos sens. De nouveau, cela me rappela la frénésie de nos débuts, la façon dont nous parcourions nos corps, pris par le temps, tenaillés par le désir et hermétiques au reste du monde. Le restaurant était vide, mais une tornade aurait pu le traverser que nous ne l'aurions pas entendue.

Maddie se tortillait sous moi, soupirant son plaisir et murmurant mon nom : j'étais à elle et elle était à moi. Pas de paroles inutiles, pas de politesse déplacée, il n'y avait plus que nos deux corps liés dans le désir et ondulant en harmonie.

Les mains cramponnées à la marche sous elle, elle s'abandonnait à moi et à son plaisir. Ses seins étaient gonflés, superbes et aussi sensibles que dans mon souvenir. Je jouai avec les pointes, sa respiration devenant de plus en plus lourde. Ma langue tournoya autour, les suçota, avant de les libérer. La seconde suivante, je soufflai dessus, la différence de sensation tirant à Maddie un frisson de plaisir. Je passai d'un sein à l'autre, ne lui laissant aucun répit.

— S'il te plaît, murmura-t-elle entre deux gémissements.

J'abandonnai sa poitrine et Maddie râla presque de soulagement. Mes lèvres glissèrent le long de son ventre, parcourant ce corps dont je pouvais maintenant anticiper chaque réaction. Je reconnaissais le creux chatouilleux de sa taille, la forme sensuelle de sa hanche et les gémissements échappés de sa gorge quand je parcourais le haut de sa cuisse. Je jetai un regard vers son visage, parfaitement détendu, sa bouche entrouverte, véritable appel au crime, sa langue dardant sur ses lèvres.

J'embrassai son nombril, puis, très doucement, me dirigeai vers son intimité. Mon jean me gênait et mon sexe dur et gonflé me faisait mal. Je n'avais qu'une envie : me sentir de nouveau en elle, me perdre dans sa chaleur. Mais je voulais d'abord lui donner du plaisir, ne me préoccuper que d'elle. Je saisis son shorty et, lentement, le fis glisser le long de ses jambes. Mes lèvres firent le chemin inverse, remontant le long de sa cheville, suivant la courbe de son mollet, récoltant un gloussement au contact du creux de son genou, puis un gémissement quand je m'attardai sur la peau fine de sa cuisse.

Quand j'atteignis son intimité, elle murmura mon prénom, comme une prière m'exhortant à continuer. Ma langue glissa sur elle, la goûtant enfin. Elle bougea de nouveau, s'adaptant à ma position. A demi allongée sur les marches, déconnectée du monde, elle m'appartenait complètement. Je l'explorai de la langue, m'attardant volontiers sur son clitoris. Je sentis ses mains plonger dans mes cheveux, ses ongles s'enfonçant dans mon cuir chevelu.

— Plus, m'intima-t-elle. Je veux... Je veux te sentir.

Ma langue plongea plus profondément en elle, avant de remonter lentement le long de ses plis. J'insérai un doigt en elle, allant et venant lentement. Elle se cambra, manquant presque de glisser de sa marche. Je jouai avec elle, ajoutant un second doigt. Elle jura, avant de trouver son rythme, son bassin venant à la rencontre de mes va-et-vient.

Elle haletait de plus en plus, son corps se tendant sur les marches. J'accrus le rythme, relevant les yeux vers son corps, sublime, au-dessus du mien. Elle était proche de l'orgasme, parfaite, belle et à moi.

Quand je retirai les doigts, Maddie grogna de frustration. Elle se redressa et, d'un geste vif, ouvrit les boutons de mon jean pour me libérer.

— Prends-moi, murmura-t-elle.

L'instant suivant, j'étais en elle. Sa chaleur m'entourait, son corps répondait instinctivement au mien. Enfin, je retrouvais cette plénitude, cette sensation de bonheur parfait et évident, qui m'avait tant manqué. Mes mains accrochèrent sa taille, trouvant un rythme soutenu. Nos respirations se synchronisèrent ; son souffle court répondant à ma respiration erratique. C'était parfait.

C'était unique et jamais encore je n'avais ressenti un tel désir pour une femme. Mon orgasme montait prodigieusement, crispant mon bas-ventre et accentuant le frottement de ma peau contre celle de Maddie. Je nichai la tête dans son cou, respirant son parfum, m'enivrant d'elle. Maddie remonta ses jambes sur moi, entourant mes hanches pendant que les mains parcouraient le haut de mon dos.

— Touche-toi, chuchotai-je.

Sa main trouva son intimité, mais elle ne se caressa pas. Elle enserra la base de mon sexe entre son pouce et son index et m'accompagna dans mon mouvement. Je plongeai mon regard dans le sien, savourant la lueur de satisfaction que j'y voyais.

Lui faire l'amour ici, après trois semaines de quasi-disette sexuelle, était incroyable. Nos corps bougeaient dans une même cadence, dans cette même harmonie qui n'appartenait qu'à nous.

Je jouis quelques secondes plus tard, perdu dans son regard, perdu en elle, mon corps tendu au-dessus du sien. Quand elle me rejoignit quelques secondes plus tard, superbe et libérée, je sus ce que je voulais vraiment. Et cela tenait en un mot : elle.

A notre réveil, le lendemain matin, nous n'abordâmes pas le sujet de son départ et encore moins celui de notre séparation à venir. Inutile de remuer le couteau dans la plaie. Nous oubliâmes le monde extérieur, recréant notre bulle pour nous replonger dans notre histoire unique et pas ordinaire.

J'en avais pris mon parti : pendant quelques mois encore, Maddie ne serait avec moi qu'épisodiquement.

— Tu n'étais pas prévue, soufflai-je à Maddie avant qu'elle ne reparte pour la Californie.

— Je suis une fille pleine de surprises. On se revoit dans deux semaines ?

— C'est long, râlai-je.

— Le temps approximatif qu'il faut pour faire l'aller-retour entre Chicago et Nashville à pied.

Elle m'offrit un dernier baiser, murmurant un « je t'aime » qui vibra dans tout mon corps.

— A dans deux semaines. Même lieu, même heure !

Elle décrocha sa main de la mienne et, à reculons, se dirigea vers la porte d'embarquement.

En quelques mois, je devenais un visiteur professionnel de l'aéroport. Je devenais aussi un expert de l'orgasme téléphonique. Maddie pouvait se révéler très imaginative et il n'était pas impossible que je tombe un peu plus amoureux d'elle chaque jour.

En gros, soyons honnête, je devenais une mauviette, incapable de penser de manière cohérente dès que Maddie surgissait dans mon esprit. Elle m'obsédait et m'inspirait. Et tous les quinze jours, nous étions les spectateurs de l'effondrement d'un meuble. Après la bibliothèque, la table, deux chaises et la table basse avaient rendu l'âme.

Austin n'était pas en cause pour la table basse, j'avais sûrement montré un peu trop d'enthousiasme à l'idée de sentir Maddie contre moi.

Je l'aimais. Aussi simple que ça. Et en aucun cas quelque chose d'ordinaire.

Et aujourd'hui, nouvel aéroport, nouvelle vie, nouvelle routine. Mon vol devait atterrir trente minutes avant le sien, mais, en jetant un coup d'œil aux arrivées, je constatai que Maddie avait deux heures de retard.

Ce qui me laissait deux heures pour gamberger un peu plus sur ce que j'allais faire. Peut-être était-ce une mauvaise idée. Peut-être était-ce même une très mauvaise idée, de celles qui la rendraient hystérique et me feraient passer pour un abruti.

En l'attendant, je décidai de me concerter avec mon maître à penser de l'amour : Maître Ben Yoda. Il résidait toujours sur le canapé du loft, mais sut immédiatement me rassurer.

— Elle sait déjà que tu es abruti, aucun souci à te faire !

— Et si elle refuse ?

— Elle ne refusera pas.

— On parle de Maddie, elle refusera. Elle ne fait rien comme les autres.

— Justement. Tu es persuadé qu'elle va refuser. Et donc, si on suit ta logique, elle acceptera, uniquement pour te contredire. Tu as acheté une bague au moins ?

— Tu me prends pour un idiot ?

— Avec elle ? Oui.

— Je ne serais pas contre un mot d'encouragement.

— Que la force soit avec toi !

La force ne suffirait pas. Aussi, je priai. Et parce que le type qui dirige l'univers et mon karma est un sacré farceur, cela n'eut aucun effet. Après deux bonnes heures d'attente, je vis Maddie débouler façon Attila le Hun, dézinguant des yeux ceux qui osaient croiser son regard.

Le regard sombre, les traits tirés et les poings serrés, elle fonça sur moi et me jeta son sac aux pieds.

— Je viens de vivre le pire vol de toute ma vie !

— Oh. Inutile alors de te demander comment tu vas ?

— On m'a vomi dessus ! Un gamin derrière moi a passé son temps à taper dans mon siège, il y a eu des turbulences et, pour couronner le tout, je me suis rendu compte que j'avais oublié de prendre mes escarpins pour le foutu mariage de ta sœur !

— Je vais bien aussi, répondis-je en souriant.

— Rentrons, j'ai besoin d'une douche.

J'oubliai donc la petite demande romantique au milieu de l'aéroport. Maddie aurait pu être capable de faire un remake d'*Apocalypse Now* à Chicago.

Au pas de charge, nous gagnâmes la file d'attente des taxis. Maddie tapait furieusement du pied, agacée et en colère. Derrière elle, je fis profil bas. En rajouter ou tenter de calmer l'atmosphère ne ferait que m'attirer ses foudres.

La petite boîte dans la poche de mon jean me faisait un mal de chien dès que je marchais. Discrètement, je la glissai dans mon sac à dos et tentai d'enlacer Maddie. Elle ne me repoussa pas, mais ne fit rien pour favoriser notre étreinte.

Ambiance.

Réfléchis, Connor. Tu es à deux doigts de demander à cette femme — à Attila — de rester toute sa vie avec toi, tu es donc capable de survivre à son humeur calamiteuse.
Le trajet en taxi fut silencieux et tendu. En rentrant dans le loft, Ben bondit de son canapé et vint nous accueillir.

— Alors ? s'enquit-il, très excité.

Derrière Maddie, je secouai frénétiquement la tête, espérant qu'il ne vende pas la mèche.

— Alors je viens de voyager sur les ailes de l'enfer. J'ai besoin d'une douche, d'une bière et d'une cigarette, grogna Maddie. Et dans cet ordre !

Elle n'attendit pas ma réponse et alla directement dans mon ancienne chambre pour se laver. Ben m'adressa un regard compatissant.

— On lui a vomi dessus, expliquai-je. Ce n'était pas franchement le moment d'un grand élan romantique.

— Mauvais karma.

— Je suis fâché contre mon karma. Je vais aller fumer une cigarette en l'attendant.

Je déposai nos sacs dans ma chambre, récupérant la bague, sans son encombrant écrin, pour la mettre dans ma poche. A mon retour dans la cuisine, Ben était au téléphone, arpentant la pièce nerveusement.

— Je prends le message, lança-t-il sèchement avant de raccrocher.

Il nota quelques mots sur un Post-it et le colla sur le réfrigérateur, d'ores et déjà tapissé des mêmes petits papiers colorés.

— C'est pour Ash. Je fais secrétaire !

— Et donc tu redécores le réfrigérateur ?

— Je prends les messages ! A croire qu'elle a distribué ce numéro à tous les radiologues de la planète. Je dois aller faire une course. On se voit ce soir ?

— Bien sûr. Tequilation ? fis-je en riant.

— Tequilation, approuva-t-il.

Je récupérai deux bières et m'installai sur l'escalier de secours. Je savais que Maddie m'y trouverait. L'air frais d'octobre me frappa. A Houston, j'avais perdu l'habitude d'avoir froid. Le vent chaud du sud persistait en toute saison. Maddie réapparut, vêtue d'un short en jean et d'un débardeur.

— Il fait un froid polaire ! râla-t-elle en s'installant près de moi.

— Tu exagères !

Elle prit ma cigarette d'entre mes mains et tira longuement dessus. Je portai mon regard plus bas, apercevant Ben et Ash en pleine conversation sur le trottoir.

— Elle va finir par le rendre fou, commentai-je.

— « L'amour est de la folie pure. » C'est de ta sœur, expliqua-t-elle en découvrant mon regard stupéfait. Je suis désolée pour tout à l'heure, j'étais vraiment... fatiguée et agacée par ce vol.

— Ce n'est rien. C'était la dernière fois que je venais te chercher à l'aéroport, tu sais.

— Je sais. Tu es vraiment certain de vouloir vivre avec moi ?

— On a déjà vécu ensemble. C'était une expérience fantastiquement pénible et pour rien au monde je ne voudrais manquer ça !

J'entrelaçai nos doigts et embrassai le dos de sa main. Maddie posa la tête sur mon épaule, s'intéressant en souriant à Ben et Ash.

— Vingt dollars qu'il finit par céder, proposa Maddie en me rendant ma cigarette.

— On parle de Maître Yoda. Il ne cédera pas.

— Tu sais, je crois finalement que cet endroit va me manquer.

— Le loft ?

— Non. Juste l'escalier.

Elle déposa un baiser au coin de mes lèvres et mon cœur repartit dans son erratique marathon. La nervosité que j'étais parvenu à évacuer refit surface et je me surpris à faire la seule chose capable de m'apaiser quand j'étais avec Maddie.

Râper le fromage, chauffer le beurre...

Et cet automatisme revenait encore plus vivement quand je m'apprêtais à faire un truc vraiment idiot avec elle.

— Tu es la seule qui ait osé s'aventurer avec moi dans cet escalier.

— Je suis loin d'être une fille ordinaire, plaisanta-t-elle.

Incorporer la farine, fouetter...

Je me redressai, captant son regard étonné, avant de me placer devant elle, un genou à terre. A cet instant, je lus clairement la panique gagner son visage.

— Qu'est-ce que tu es en train de faire ? demanda-t-elle d'une voix blanche.

— Je t'aime, Maddie. J'aime ta façon de me rendre

dingue. J'aime la fille pénible, j'aime que tu puisses boire une bouteille de tequila sans même sourciller. J'aime la fille qui veut vivre quelque chose de « pas ordinaire » et je me suis promis — et j'ai promis aussi à ton frère — de te faire vivre tout sauf une vie ordinaire.

Ajouter le lait, porter à ébullition...

Une boule de nervosité se forma dans ma gorge, m'empêchant de finir ma tirade. Je l'avais pourtant répétée plusieurs fois. Mais voir Maddie en face de moi, se tortillant de panique, mais le sourire aux lèvres, me rendait incohérent. Je sortis la bague de ma poche, devinant un gloussement de rire coincé dans la gorge de ma petite amie.

— Donc, Maddie, acceptes-tu de ne pas m'épouser ?

Elle éclata d'un rire cristallin, les larmes perlant à ses paupières. Elle hocha frénétiquement la tête, avant de se réfugier dans mes bras.

— Oui. Je veux bien ne pas t'épouser, murmura-t-elle.

Ajouter la noix de muscade, incorporer les blancs délicatement...

Elle posa la main sur mon cœur, soupirant en le sentant frapper contre sa paume. Autour d'elle flottait le parfum de mon gel douche, qu'elle avait dû utiliser pour se rafraîchir. Elle s'écarta de moi, tendant la main pour que j'y glisse le pauvre anneau en plastique rose vif que j'avais trouvé.

— Laisse-moi deviner : la tirette du supermarché ? s'enquit-elle.

— Je suis pauvre, lui rappelai-je. Le rose te va ?

— Le rose me va. Tout me va.

Elle admira sa bague quelques secondes, pendant que le soulagement me gagnait. Je me réinstallai près d'elle. Ash et Ben avaient disparu. Maddie se lova contre moi, riant toujours de ma non-proposition en mariage.

— Tu fais ça souvent ?

— Les non-demandes en mariage ?

— Me fasciner, encore et toujours.

— Tu es vraiment une sale gamine, souris-je.
— Et t'es vraiment un crétin, tu sais.
— Le truc pas ordinaire...
— Le truc pas ordinaire, approuva-t-elle.

J + 144

Note pour moi-même : ne plus jamais la laisser partir. Oh ! et prévenir Austin.

Quand je pense à toi, quand tu es trop tentante pour ton propre bien, quand tu me défies, bref, quasiment tout le temps quand tu es avec moi, je pense à cette recette.

Quand tu me rejoindras à Houston, quand tu te décideras enfin à faire ce que je veux (et à le faire sans discuter), peut-être que je t'en cuisinerai un.

Le soufflé au fromage

- 4 œufs
- 150 g d'emmental ou gruyère râpé
- 60 g de beurre
- 60 g de farine
- 40 cl de lait
- noix de muscade

Faire préchauffer le four à 180°C.
Séparer les blancs des jaunes et battre les blancs fermement.
Râper le fromage, chauffer le beurre.
Incorporer la farine, fouetter.
Ajouter le lait, porter à ébullition.
Laisser refroidir. Puis ajouter les jaunes d'œufs un à un.
Ajouter la noix de muscade et incorporer les blancs délicatement.
Beurrer le plat, le tapisser de fromage râpé.
Verser la préparation dans le plat et le mettre au four pendant trente-cinq minutes.
Surtout, si tu ne dois écouter qu'une seule de mes instructions, c'est celle-ci : ne jamais ouvrir le four pendant la cuisson. Sinon, le soufflé retombera.
Et comme le dit Ashley : « Comme beaucoup de choses, c'est moins bien quand ça retombe. »
Reviens vite. Au moins pour le soufflé. Au pire pour moi. Ou pour fuir Ash et son humour douteux.

Connor,
le type pas ordinaire qui aime une fille pas ordinaire.

Le pacte

Bonus 1

Après la cérémonie de remise des diplômes, Austin et moi avions regagné notre emplacement fétiche : le fond du jardin de mon père. Assis sur la pelouse mal entretenue, adossés à la palissade, nous savourions nos bières, plus tout à fait fraîches. Derrière moi, j'entendais le rire enfantin de Madeline, jouant dans la piscine qu'avait remplie Austin pour elle.

— Maddie s'est remise de son angine, visiblement, commentai-je dans un sourire.

— Elle te vénère, tu sais.

— Je sais, admis-je avec prétention.

Des couettes, des tâches de rousseur et la franchise désarmante de l'enfance : la très jeune sœur d'Austin, Madeline, était adorable.

Adorable, quand on faisait fi de ses incessantes questions sur le bleu du ciel, quand elle ne dénonçait pas les escapades nocturnes de son frère et quand son pied ne trouvait systématiquement pas mon tibia.

— Sincèrement, j'ai toujours cru qu'on finirait dans ce bled, lança Austin avant de porter sa bière à sa bouche.

— Le festival de la citrouille ne va pas te manquer ? demandai-je en souriant.

— Ni le festival ni Morton ! J'attends ce moment depuis que je suis en âge de plaquer le coach Miller !

J'étouffai un rire, me remémorant furtivement l'épisode ubuesque d'Austin fonçant, tête baissée, vers le *quarterback* de Tremont. Mais ce dernier était nettement plus agile qu'Austin et était parvenu à esquiver le plaquage. Mon père, le glorieux coach Miller, craint et respecté par son équipe et ses collègues depuis des lustres, n'avait pas eu cette chance.

Austin n'avait que 10 ans à l'époque et c'était une anecdote dont toute la ville se régalait encore.

— Tu es le fils que mon père aurait aimé avoir, dis-je à Austin.

— Tu es le fils que ma mère aurait aimé avoir ! contra-t-il en m'ouvrant une nouvelle bouteille de bière.

Nous replongeâmes dans le silence, sirotant comme deux héros valeureux notre victoire sur Morton et ses 5 000 âmes. Nous portions encore nos toges de diplômés, savourant enfin notre liberté durement acquise. Austin, grâce à ses étonnantes capacités physiques ; moi, grâce à mes non moins étonnantes capacités en cuisine.

D'ici une semaine, nous serions à Chicago. D'ici une semaine, Austin ne serait pas seulement mon meilleur ami, mais aussi mon colocataire. D'ici une semaine, je n'habiterai plus ma petite chambre, mais le loft d'Austin, un cadeau de son père, très sportif, très riche et très coupable d'avoir abandonné sa famille pour une vie de strass et de paillettes.

— Je ne sais pas comment te remercier, lançai-je finalement. Pour m'héberger...

Il recracha un peu de sa bière, passa le dos de sa main sur sa bouche et me fixa d'un air ahuri.

— C'est quoi au juste, cette poussée hormonale ? s'enquit-il, le sourire aux lèvres.

— Certainement un moment d'égarement !

Je secouai la tête, comme pour chasser la vague de reconnaissance et de respect que j'avais pour Austin.

Sans lui — du moins sans son père riche et coupable —, j'aurais fini dans un dortoir puant et humide.

— On va pouvoir faire la fête tous les soirs, s'esclaffa-t-il après un court silence.

J'approuvai d'un hochement de tête, avalant une nouvelle gorgée de bière. La liberté, au moins pour aujourd'hui, avait goût de houblon.

— Et se faire des filles tous les soirs, continuai-je. Sans que ta sœur ne fasse son rapport détaillé !

Austin grogna son approbation avant de hocher énergiquement la tête.

— Qui vient te faire ses adieux ce soir ? demanda-t-il. Kate, Linda, Jane ?

— Carrie, avouai-je fièrement.

Mon meilleur ami écarquilla les yeux, manquant de nouveau de cracher une partie de sa bière. Il me tendit son poing, que je frappai du mien. Il arborait sa moue respectueuse d'approbation. La même moue admirative qu'il affichait quand un adversaire parvenait à lui échapper.

— Miller, je vais finir par ériger un totem à ta gloire ! La fille du pasteur ? Vraiment ?

— Vraiment. Chez elle en plus ! soulignai-je.

— Respect, mec ! Respect ! Je vois Lisa ce soir.

— Lisa ? Encore ?

— Cinq mille habitants ! Forcément, au bout d'un moment, on épuise le cheptel !

— Classe, très classe, Austin ! le tança une voix derrière nous.

Nous pivotâmes d'un seul mouvement, rencontrant le regard bleu océan de ma sœur cadette. Elle avança vers nous et s'assit aux côtés d'Austin, capturant sa bière pour la porter à ses lèvres.

— Alors ça va être ça votre vie ? Des bières et des filles ?

— Possiblement en même temps, suggérai-je, récoltant un nouveau grognement heureux de la part d'Austin.

Sophia lui rendit sa bouteille, accompagnée d'une grimace. Ma sœur, sa repartie et sa capacité à me mettre en rogne en cinq secondes allaient curieusement me manquer. Elle posa sa tête sur l'épaule d'Austin, qui en retour plaça son bras autour d'elle. Je me raclai bruyamment la gorge, mon meilleur ami la relâchant dans la seconde.

— Lisa, alors ? demanda Sophia à ce dernier. Franchement, je ne vois pas bien ce que vous lui trouvez tous !

— Des seins !

— Et des fesses, complétai-je, qui tiennent impeccablement dans nos mains !

— Vous êtes des porcs !

Elle éclata de rire, pendant qu'Austin et moi, nous nous congratulions de notre *excellente* réputation auprès des femmes. Le lycée avait au moins eu cet aspect intéressant : l'apprentissage et le goût de la découverte. Austin et moi étions certainement l'équivalent des conquistadors espagnols sur l'Amérique encore vierge : motivés, prêts à tout et ne revenant jamais sur leur pas.

Jamais, c'était la règle de base.

— Tu pourras nous rendre visite, suggéra Austin.

— Tu m'invites chez toi ? s'étonna Sophia, en me lançant un regard en biais.

— Nous avons une chambre d'ami, précisai-je.

— A côté de la mienne, compléta mon meilleur ami.

— Et qui ferme à clé, finis-je. D'ailleurs, tu dormiras dans ma chambre, ça sera nettement plus confortable !

— Connor ? m'interpella-t-elle.

— Oui ?

— Va te faire voir !

Et pour asseoir sa réplique, elle m'adressa un magistral

doigt d'honneur auquel je répondis par un clin d'œil affectueux. La parade de la séduction entre Sophia et Austin était aussi une des raisons pour laquelle j'étais ravi qu'il quitte Morton. Je savais qu'elle lui plaisait ; et je savais aussi ce qu'Austin faisait aux filles, notamment parce que je le faisais aussi. La plupart du temps, ce que nous faisions nous excluait radicalement de la case « mecs bien ».

— Je vous laisse entre... australopithèques, sourit-elle en se redressant.

Austin la suivit du regard, pendant qu'elle s'éloignait en direction de la maison. Depuis quand ma sœur chaloupait-elle autant des hanches ? Et depuis quand mon père avait-il autorisé le port de short si court ? Sophia tourna son visage vers nous, nous adressant un sourire éblouissant. Austin la salua d'un geste de la main, pendant que j'enfonçai violemment mon coude dans ses côtes.

— Pas ma sœur, grondai-je d'une voix menaçante.

— Je sais, on ne lorgne pas sur les sœurs ! râla-t-il avant de reprendre de sa bière.

Sophia réapparut dans notre champ de vision, un panier à linge calé dans le creux de ses hanches. Il me sembla distinguer l'ombre d'un sourire, mais je n'en étais pas certain. Austin la fixait, envoûté, le goulot de sa bouteille posé sur son menton. Je poussai un long soupir, j'avais espéré qu'avec sa promesse de ne pas toucher Sophia, il finirait par s'en lasser.

— Austin ! grondai-je en claquant des doigts devant lui.

— Désolé, mec. Mais ta sœur est...

— Ne finis pas cette phrase ! le coupai-je aussitôt. Ni maintenant ni jamais ! Tu ne touches pas ma sœur... et je ne toucherai pas la tienne, finis-je en riant de ma mauvaise blague.

— Madeline a 8 ans ! geignit-il. Et elle est chiante. Alors que ta sœur est juste...

Sa voix s'éteignit quand il surprit mon regard sombre et désapprobateur. Nous avions déjà eu cette discussion. Mais je refusai que Sophia soit un prénom de plus dans la longue liste des conquêtes d'Austin. Elle méritait mieux, elle méritait plus. De toute évidence, parce qu'elle était ma sœur et parce qu'elle était géniale, elle méritait un mec bien.

— On ne touche pas aux sœurs, répétai-je en tendant la main pour sceller ce pacte.

— Jamais ? souffla mon meilleur ami, consterné. Jamais, jamais ?

— Jamais. Tu pourras sortir et malmener toute l'équipe des pom-pom girls des Bulls, mais tu ne toucheras pas à ma sœur, pigé ?

— C'est injuste ! Ce pacte ne bride que moi !

— Et c'est ce qui le rend encore meilleur !

Avec réticence, Austin cala sa main dans la mienne et le pacte fut scellé. J'étais satisfait, Austin était d'une loyauté sans faille et avec cette centaine de kilomètres entre ma sœur et lui, j'étais certain que Sophia ne risquerait rien.

Je finis ma bière, le sourire aux lèvres. Austin dévorait toujours Sophia du regard, pendant que, derrière la palissade, j'entendais la voix enfantine de Madeline chantonner.

Oui, mon plan était parfait.

Parfait, ou presque.

Rencontre avec ma future ex-meilleure amie

Bonus 2

Quand vous venez au monde et que la famille et les amis au grand complet viennent vous admirer et s'extasier devant votre mine chiffonnée et votre moue boudeuse, ils vous souhaitent le meilleur. Ils espèrent que vous serez un adulte intelligent, une belle fille, une femme accomplie.

Ils vous souhaitent une vie de rêve, parsemée :

1) de réussites professionnelles : elle sera médecin, c'est certain ;

2) d'une vie d'épouse idéale : elle fera des tartes comme Caroline Ingalls en attendant que son bûcheron de mari rentre à la maison ;

3) d'une personnalité parfaite : elle aura le sourire, sera conciliante et polie.

Une vie de rêve donc.

Je cherche encore à comprendre pourquoi ma vie ne ressemble pas exactement à ça. Le karma ? La mauvaise volonté ? L'envie de contredire mon prochain ? Oh ! maintenant ça me revient : parmi toutes les bonnes fées penchées sur mon berceau s'est glissée une ombre. Une ombre aux cheveux bruns, aux yeux marron et à l'énergie un peu trop débordante : mon frère, Austin. A 10 ans, estimant certainement que j'étais une menace pour ses jouets, sa liberté et l'amour inconditionnel de maman, il m'a jeté un sort. Je suis donc maudite, condamnée à affronter toutes les plaies que le destin ne cesse de m'envoyer en ricanant.

Je ne suis pas médecin, juste infirmière.

Je ne suis pas une épouse idéale. Rien que le mot « épouse » me flanque une poussée d'urticaire. Sans parler de mes dons en cuisine, vous en pleureriez.

Et de toute évidence, je ne suis pas une fille ultra-souriante ; quant à mes talents diplomatiques, ils avoisinent le néant.

— Bordel, Austin ! râlai-je.

Oh. Et je ne suis pas polie non plus. Non content de m'avoir jeté un sort de guigne éternelle à ma naissance — sort qui faisait concurrence à n'importe quelle punition mythologique —, Austin venait de me jeter... sa bouteille d'eau sur les cuisses.

— T'es vraiment un irrécupérable crétin ! Merde !

— Désolé, sœurette, on m'a bousculé.

Je tamponnai une serviette en papier sur mon jean, en vain. Le tissu était trempé et je sentais l'humidité s'étendre jusqu'à mes genoux.

— Ça va sécher, murmura Austin.

— Ça va geler ! Il fait 2 degrés ! m'énervai-je. Et en plus, tu es en retard !

— J'ai été retenu à l'entraînement.

— Epargne-moi les détails graveleux, contrai-je en replongeant le nez dans le journal.

— J'ai fait de la musculation.

— Je refuse même d'imaginer ce que tu étais en train de muscler.

— Maddie, je t'assure que...

— Tu as un suçon dans le cou, expliquai-je tout en entourant une annonce.

Austin grommela une litanie de jurons, puis décala sa chaise pour s'installer à mes côtés. Je n'avais que quinze minutes avant d'aller à l'hôpital pour l'inévitable première visite des lieux. Avec un peu de chance, je parviendrais à ne pas me faire vomir dessus par une cohorte de scouts.

Je bus une gorgée de mon café, dégotant une nouvelle annonce.

— Hors de question, dit fermement mon frère en tapotant l'annonce de l'index. Le quartier est infâme !

— Mon salaire est infâme, Austin !

— Et celle-ci, continua-t-il en désignant ma seconde trouvaille, est suspecte.

— Elle est très bien ! Une chambre, un coin cuisine et une douche. C'est parfait !

— C'est au deuxième sous-sol. C'est une cave, Maddie !

Je jetai un œil sur le texte de l'annonce. Austin avait raison, c'était effectivement une cave. Je poussai un profond soupir de désespoir, ma tête heurtant la table. Trouver un appartement à Chicago tenait du miracle. Austin souleva ma tête, tira le journal et contempla le désastre : deux pages de petites annonces immobilières, toutes plus désespérantes les unes que les autres.

— Tu peux toujours demander à papa de t'aider.

— Je ne lui ai pas parlé depuis au moins cinq ans ! Et notre dernière conversation était loin d'être sereine. J'ai encore ma fierté.

— Ta fierté va attraper un sacré coup de froid quand tu devras dormir dans ta voiture !

— Mieux vaut une fierté grippée qu'une fierté disparue, m'agaçai-je en lui arrachant le journal des mains. Il doit bien y avoir quelque chose d'abordable dans cette ville.

— Hormis une place de parking ? se moqua Austin. J'en doute. Ceci dit, j'ai peut-être une idée !

— Laisse-moi une minute, j'appelle CNN.

Mon frère me pinça les côtes en guise de réponse et reprit le journal d'entre mes mains. J'étouffai un rire, oubliant pendant quelques secondes que j'étais officiellement sans domicile fixe. Je pivotai vers lui, prête à écouter sa suggestion. Sincèrement, j'étais à court d'idée et même un vestiaire de sport puant la transpiration et la basket périmée aurait pu faire mon bonheur.

— Je peux t'héberger, proposa Austin sans lâcher des yeux le journal.

— J'ai repéré un pont à côté de l'hôpital, ça sera parfait.

— Ne sois pas ridicule. Papa m'a offert ce loft et je peux tout à fait t'accueillir.

— Et je peux tout à fait te tuer dans ton sommeil, après deux jours de cohabitation.

— Je croyais que tu étais désespérée.

— Oui. Cela ne veut pas dire que je suis suicidaire ! Vivre avec toi, dans ta... garçonnière, grimaçai-je, est hors de question. Je dois alterner entre mes gardes et mes études, j'ai besoin de calme, pas d'un baisodrome doublé d'un bar clandestin.

— Un baisodrome ? s'esclaffa-t-il.

— Austin, l'industrie du préservatif ne tient qu'à ton mode de vie. Si un jour tu te maries — et je plains d'avance cette pauvre âme —, le cours du latex s'effondrera.

— Je suis vexé, dit-il, une main sur le cœur.

— Tu es un obsédé, rectifiai-je. Et je refuse de vivre avec toi et ton taux himalayen de testostérone. Je trouverai quelque chose, affirmai-je, convaincue en repliant le journal.

— Parfait. Quand tu auras épuisé toutes tes options, tu sais où me trouver !

— A la pharmacie ?

— Tu pues la jalousie, avec une pointe de... frustration.

— Et tu pues... tout court. Je dois y aller, je vais finir par être en retard.

Je remballai mes affaires et calai la lanière de mon sac sur mon épaule. Austin régla sa consommation et bondit de sa chaise pour me suivre. Nous sortîmes du café et nous dirigeâmes vers l'hôpital. Je n'étais pas d'une nature inquiète, mais ne pas savoir où j'allais dormir ce soir commençait à me tourmenter. Je devais rester six mois dans cette ville et je ne pouvais pas me permettre de vivre à l'hôtel.

— Je fais une soirée ce soir, tu veux venir ? Bières, tequila et de la musique, proposa Austin.

— J'ai ralenti sur la tequila, souris-je. Cela réveille la Maddie-prête-à-tout-et-que-rien-n'arrête.

— J'aime bien cette Maddie. Et je veux bien vivre avec elle !

— Le sujet est clos, Austin. Je ne vivrai pas avec toi. Je passerai ce soir, promis-je.

Je déposai une bise sur sa joue, avant de grimacer et de lui frapper l'épaule du poing... et de manquer de me casser le métacarpe dans la manœuvre.

— Par respect pour tes invités, prends une douche.

Austin éclata de rire et je traversai l'avenue pour rejoindre l'entrée des urgences. J'avais une dernière carte en main : les nouvelles infirmières. Toutes celles qui, comme moi, débarquaient à Chicago et cherchaient un toit. Je ne pouvais pas vivre avec Austin, mais vivre avec une autre infirmière était tout à fait acceptable.

Par essence, les infirmières sont majoritairement non-fumeuses, mangent sainement, ont un tempérament calme.

Et de toute évidence, je fais exception à cette règle de l'infirmière bien sous tous rapports.

Je soupirai en prenant possession de mon vestiaire. Je jetai un coup d'œil autour de moi. Parmi ma petite dizaine de collègues fraîchement arrivées, il devait bien y en avoir une qui répondait au portrait-robot de la colocataire idéale. Vivre avec Austin était impensable, mais je devais admettre que son loft était plus agréable qu'un gourbi dans un sous-sol avec toilettes sur le palier. Je secouai la tête, repoussant l'idée.

Vivre avec Austin signifiait slalomer entre ses chaussettes, rincer la douche après lui et subir la ribambelle de vagins sur pattes qui défilaient chez lui.

La responsable des infirmières rassembla notre petit groupe dans le couloir et nous guida à travers les différents services. Il s'agissait surtout d'un repérage. Après une heure de visite, nous parvînmes dans la salle d'attente des urgences, bien garnie pour une fin d'après-midi.

— Ici donc les urgences. Nous sommes spécialisés dans les traumas et nous accueillons les cas pédiatriques.

— Génial, marmonnai-je. Encore plus de vomi !

— Avez-vous des questions ? demanda notre guide.

Au même instant, une jeune fille passa les portes coulissantes, une boîte de beignets sous le bras, braillant les Bee Gees à en perdre haleine. J'esquissai un sourire, me pinçant les lèvres pour retenir le rire monstrueux qui couvait.

— *Stayin' aliiiiiiiiiiiiiiiiiiiiive !*

Elle retira l'écouteur fiché dans son oreille, toisa la petite foule médusée devant elle et haussa les épaules.

— Quoi ? C'est bien le but de tous ces gens : rester en vie ! Quelqu'un veut un beignet ?

Elle ouvrit la boîte et nous en proposa. La guide reprit ses notes, ignorant la nourriture qui circulait devant ses yeux.

— Ashley Foster ? lança-t-elle.

— Enchantée, sourit la jeune fille, extatique.

— En retard plutôt ! corrigea notre guide.

— Vous êtes certaine de ne pas vouloir un beignet ? proposa-t-elle de nouveau.

— Madeleine, auriez-vous l'obligeance d'amener Mlle Foster à son vestiaire ?

Ma poisse, encore et toujours. Déjà à l'école, j'étais la bonne poire qui amenait ses camarades à l'infirmerie. Inutile d'être Freud pour comprendre d'où vient ma vocation. D'un signe de tête, j'indiquai à Ashley de me suivre. Au passage, je capturai un beignet et le fourrai dans ma bouche.

— Laisse-moi deviner, j'ai manqué : la visite des services, le passage par la cafétéria et la présentation à tout un tas de médecins prétentieux ? s'enquit-elle.

— On n'a pas encore vu les médecins, souris-je.

— Merde. J'ai toujours la sensation d'entrer au harem et d'attendre qu'on me marque au fer rouge.

Je devais admettre qu'elle n'avait pas tout à fait tort. A notre prise de service, un médecin décrétait qu'on était à son service — corps et âme — pendant la durée de notre garde.

Je désignai son vestiaire à Ashley. Pendant qu'elle déposait ses affaires, je jetai un coup d'œil au panneau d'affichage. Ici et là étaient punaisées des annonces et des messages. Avec un peu de chance, j'y trouverai mon prochain toit.

— Tu cherches un appartement ? demanda Ashley derrière moi.

— Une colocation.

— Je crois qu'il reste une chambre dans l'appartement que j'occupe.

— Vraiment ? m'exclamai-je, ravie. C'est où ? Et c'est combien ?

Ashley mordit dans son beignet. Avec une rare élégance, elle me répondit, la bouche encore pleine. J'avais au moins un point commun avec elle : elle ne répondait pas non plus exactement au cliché de l'infirmière. Elle s'essuya la bouche du dos de la main et répéta le montant du loyer.

Je fis la moue, c'était exorbitant. Mon bel espoir s'envola aussitôt, me replongeant dans l'angoisse. Où allais-je dormir ce soir ?

— Sinon, tu peux toujours sortir avec un médecin !

— Quoi ? m'écriai-je, ahurie.

— Un médecin. Basiquement, ça ne sert pas à grand-chose, mais leurs apparts sont toujours super.

— Et tu me parles de harem ?

— Je tente de te trouver une solution. Tu as l'air d'être la seule fille normale ici.

— Tu ne connais même pas les autres !

— Tu es la seule à avoir pris le beignet à la confiture de myrtille. On va être amies. Tu aimes le disco ?

— Non ! m'exclamai-je, estomaquée.

— Fantastique !

— Est-ce que tu prends... euh... des drogues ?

— Parce que je chante ? s'amusa-t-elle.

J'opinai, effrayée d'avoir en face de moi une sorte d'alter ego en plus... vitaminée. Ashley, dans son état normal, ressemblait à s'y méprendre à la Maddie-prête-à-tout-et-que-rien-n'arrête : un brin barrée, mais attachante.

— On y retourne ? Je ne veux pas louper la marque au fer rouge ! lança-t-elle.

— J'arrive.

Elle avala d'une bouchée son beignet et en prit un second. Elle déposa la boîte sur la table qui trônait au centre des vestiaires. Je la suivis des yeux, médusée et presque sous le choc, pendant qu'elle quittait la pièce en chantant *I Want to Break Free.*

Même si elle avait proposé de me loger gratuitement, j'aurais refusé. Cette fille était frappée. Je collai mon téléphone contre mon oreille, me pinçant l'arête du nez de désespoir.

Ce que j'allais faire était terrifiant.

— Austin ? C'est d'accord, je viens vivre chez toi.

— Génial ! Pour ce soir...

— J'ai des conditions, ajoutai-je rapidement. Je ne fais pas ton ménage ni ta cuisine. Et je ne suis pas non plus ta secrétaire. Je te verserai un loyer et je participerai aux courses.

— Eh bien, voila une première mission pour toi : ramène de la tequila !

Et il raccrocha, sans me laisser le temps de répondre. En traînant des pieds, je me dirigeai vers la porte, prête à affronter la meute de médecins. Au passage, je récupérai un beignet, cachant mon désespoir dans le sucre. Je rejoignis les infirmières et me plaçai près d'Ashley. Lui donnant un coup de coude, je chantonnai avec elle.

— Oh ! *I want to break free !*

La première des mauvaises décisions

Bonus 3

Quand on est jeune, on prend de mauvaises décisions.

On ajoute de la tequila au punch du bal de fin d'année, on se permet d'arriver en short à sa remise de diplôme, on jure solennellement de ne pas toucher à la sœur de son meilleur pote.

Ça, c'est *la première* mauvaise décision. Celle qui pourrit ma vie au quotidien, celle que je regrette amèrement chaque matin, celle que je maudis chaque soir.

C'est lors de mes visites à l'hôpital que je suis devenu ami avec Connor. Je venais prendre de ses nouvelles après l'avoir accidentellement plaqué au sol. Il lui manquait deux dents. Au fil de nos conversations, nous nous sommes trouvé des points communs. Et je pense que les deux bières que j'ai ramenées en cachette lors de ma toute dernière visite ont joué en ma faveur. De ce jour, notre amitié était scellée.

Nous avions le même sens de l'humour, la même envie de quitter ce maudit bled de Morton. Et surtout, Connor et moi avions la même passion des filles. S'il jouait sur son côté esprit créatif et sur son look de jeune premier faussement torturé, personnellement, je m'appuyais sur ma réputation de sportif. A nous deux, nous avons très certainement conquis huit filles sur dix à Morton.

Huit sur dix, oui. Vous trouvez ça dégoûtant, immoral ou indécent ?

Pour nous, il s'agissait juste d'un jeu, auquel toutes les participantes étaient volontaires. Nous ne promettions rien — surtout pas une relation suivie et exclusive —, nous ne mentions pas sur nos intentions, nous séduisions, nous prenions, nous jetions.

Huit filles sur dix donc.

Les 20 % restant incluaient les filles intelligentes — celles qui avaient compris notre manège et s'estimaient trop bien pour nous — et... la sœur de Connor.

Sophia.

J'ai croisé Sophia pour la première fois à l'hôpital. Elle n'avait que 13 ans à l'époque, et moi, j'étais sous l'influence tyrannique de la puberté, mes neurones atomisés par mes hormones. Sophia était déjà très jolie : blonde, mince, des yeux rieurs, un sourire lumineux à peine terni par son appareil dentaire.

Sophia, l'inaccessible.

Elle n'était ni naïve ni crédule et encore moins épatée par mes performances sportives.

Sophia, la provocante.

Très vite, Connor guetta dans l'ombre. Il refusait que Sophia devienne une proie. Et moi, je refusais de comprendre que Sophia était bien plus qu'une proie. Une fille comme elle, une fille sortie de vos rêves les plus dingues, de vos fantasmes les plus débridés, ne pourrait jamais être une simple proie.

Je ne suis qu'un homme. Alors, évidemment, j'ai tenté ma chance. Nous fêtions la fin du championnat, dans le garage d'un ami. Connor était hors de vue, j'avais bu, Sophia dansait. Elle me plaisait. Elle me souriait, cherchait mon regard parmi la foule. En fait, elle me draguait.

J'ai posé mon verre, me suis levé de ma chaise et j'ai

pris sa main. Elle était chaude et douce. Elle a entremêlé ses doigts aux miens et m'a souri. Et comme un imbécile, j'y ai cru !

En moins d'une seconde, elle a tiré sur mon bras, me l'a tordu, avant de me faire une clé de bras et de me paralyser complètement.

— Tu rêves, Austin, a-t-elle murmuré à mon oreille.

Elle m'avait ensuite libéré et pincé la fesse droite pour faire bonne mesure. J'ai frôlé la luxation de l'épaule et le médecin m'a défendu de jouer pendant près de deux mois. Je n'ai jamais avoué à personne l'origine de ma douleur persistante dans le bras les jours de pluie. C'est un secret que j'adore partager avec Sophia. C'est l'une des choses qui nous lient.

Quelques semaines plus tard, j'ai obtenu mon diplôme... et mon passeport pour la liberté. Connor, quant à lui, a été admis dans une école de cuisine. Ce crétin était incroyablement doué avec des casseroles et ce truc fonctionnait invariablement avec toutes les filles qu'il croisait.

Quelques jours avant le départ pour Chicago, nous sirotions chacun notre bière, quand j'ai pris la pire décision de toute ma vie. A ma décharge, Connor m'a pris dans un moment de faiblesse, un moment d'égarement où je fixai avec gourmandise les fesses de Sophia, moulées dans un short qui mettait ses longues jambes fuselées en valeur.

— On ne touche pas aux sœurs, a soudain proposé Connor en tendant sa main pour sceller cette promesse.

— Jamais ? ai-je murmuré. Jamais, jamais ?

— Jamais. Tu pourras sortir et malmener toute l'équipe des pom-pom girls des Bulls, mais tu ne toucheras pas à ma sœur, pigé ?

— C'est injuste ! Ce pacte ne bride que moi !

— Et c'est ce qui le rend encore meilleur ! s'est-il réjoui.

Oui, c'était la première des mauvaises décisions de ma vie. Mais je comprenais Connor. J'avais aussi une sœur, beaucoup plus jeune, et je redoutais le jour où elle finirait par me présenter un homme. Qui plus est, un homme comme moi ou Connor. Nos sœurs méritaient mieux de toute évidence.

J'ai juré. J'ai promis.

Il n'y a même pas eu de chantage : Connor n'a pas juré ma mort si je rompais ma promesse, je ne me suis pas engagé à mettre mes bijoux de famille sur le billot si jamais je succombais à Sophia. Mais j'ai promis à mon meilleur ami, à mon frère, au mec à qui j'ai cassé deux dents, que je ne toucherai pas à sa sœur. Et je suis un type qui tient ses promesses.

Je suis un type qui tient douloureusement ses promesses.

Depuis notre aménagement à Chicago, Sophia était toujours là. Elle gravitait autour de nous, participait aux fêtes, dînait avec son frère, riait de mes blagues. Parfois, je captais un regard, elle me souriait et trouvait ensuite une magnifique vacherie à me lancer.

Elle savait parfaitement que Connor m'interdisait même d'y penser. Je crois sincèrement qu'elle adorait me voir impuissant et incapable de gérer la situation correctement. Elle jubilait, je me torturai. Je cherchai sans cesse un moyen de contourner le pacte, en vain. Parler à Connor était certainement la meilleure des solutions, mais je ne suis qu'un homme. Je peux plaquer des dizaines d'adversaires, soulever de la fonte pendant des heures, enchaîner les femmes, subir les critiques acerbes des commentateurs sportifs, mais affronter Connor, me mettre à nu devant lui, parler des sentiments que j'ai pour sa sœur étaient impossibles.

J'ai pris mon parti de la situation : des filles différentes chaque soir, mais une seule qui retenait véritablement mon attention.

Une seule.

Ce jour-là, mon match avait été catastrophique. Deuxième défaite de la saison et je savais que je n'avais pas été bon. Le coach n'avait pas été tendre, nous rabrouant violemment dès notre retour aux vestiaires. Cerise sur le gâteau, j'étais blessé à la cheville et certainement privé de mes deux prochains matchs.

J'étais seul. Mes coéquipiers avaient quitté le stade, la tête basse et le moral dans les chaussettes. Je repliai ma serviette pour la ranger dans mon sac. Depuis le coup de sifflet final, je tentai de garder mon calme, d'analyser la situation, de réfléchir à mon pauvre niveau de jeu.

— Bordel, jurai-je en envoyant mon poing dans la porte.

— Tu as été déplorable, fit une voix derrière moi.

Je pivotai vers Sophia, souriant en la voyant vêtue d'un mes anciens maillots et d'un jean élimé. Comme toujours, fabuleuse. Comme toujours, intouchable. Appuyée au chambranle de la porte, elle m'adressa un sourire compatissant.

— Est-ce que je peux entrer ? demanda-t-elle en jetant un coup d'œil circulaire dans le vestiaire.

— Tout le monde est parti.

Je m'assis sur un banc et Sophia s'installa près de moi. Sa jambe touchait la mienne et l'odeur infecte qui régnait ici ne semblait pas la déranger.

— Tu feras mieux au prochain match, j'en suis certaine.

— Je me suis blessé, m'agaçai-je.

— Je sais.

— Tu aurais dû me dire que tu venais au match, je t'aurais fait placer dans une de ces cabines privées avec champagne et petits-fours !

Elle éclata de rire, dissipant dans l'instant mon humeur

maussade et tourmentée. Elle se pencha en avant, cala son menton dans le creux de sa main et m'offrit un nouveau sourire.

— C'est comme ça que tu me vois ?

— Comment ?

— Comme une fille fragile et... mondaine ? précisa-t-elle après une seconde de réflexion.

— Disons que je ne te vois pas beugler comme une bête sauvage et buvant de la bière au goulot.

— Tu serais surpris. Quand tu as fait cette passe contre les Patriots, c'était phénoménal. La foule scandait ton nom ! Il n'y a pas ce genre d'ambiance en cabine privée.

— Contre les Patriots ? répétai-je, stupéfait.

— L'an dernier, avant-dernier match du championnat régulier. Juste avant...

— Les play-off, finis-je pour elle. Tu étais là ?

— Je suis toujours là, Austin. Toujours. J'ai pris l'habitude que tu m'ignores.

— Je ne t'ignore pas, ripostai-je presque immédiatement.

Elle rit de nouveau, puis se releva et se planta devant moi, poings sur les hanches. Instinctivement, je reculai, redoutant une nouvelle attaque furtive et douloureuse.

— Je sais, admit-elle, tu respectes une promesse. Une promesse ridicule et idiote, mais...

— Sophia, la dernière fois que j'ai tenté de... t'aborder, tu as failli me luxer l'épaule. Comme l'aurait fait la majorité des hommes, j'ai interprété ça comme un refus.

— Ce n'était pas un refus, s'énerva-t-elle.

— Ah bon ? Alors quoi, tu prends plaisir à faire du mal aux hommes pour les séduire ?

— Dit l'homme qui prend plaisir à mettre des hommes à terre pour un vulgaire ballon ?

— C'est mon métier, rétorquai-je, vexé.

— Et je ne suis pas une proie, Austin.

Je clignai des yeux, m'interrogeant sur cette conversation surréaliste. Comment étions-nous passés des play-off à notre non-relation ? Sophia était devenue une amie, je respectais toujours le pacte, tout cela me convenait.

Me convenait plus ou moins, dirons-nous.

Sophia se pencha et prit mon visage entre ses mains. Une vague de panique me submergea, me tétanisant sur ce banc. Elle déposa un baiser furtif sur mes lèvres, avant de souder son front au mien.

— Je suis désolée pour ton match et pour ta blessure. Je ne suis pas venue ici pour me disputer avec toi.

— Alors pourquoi es-tu là ?

— Parce que le jeu a assez duré. Je ne suis pas une proie, Austin, je ne suis pas non plus fragile. Et pour ta gouverne, j'adore manger italien. J'aime les roses, les pâtisseries à la crème et marcher pieds nus dans mon appartement.

Elle noua ses doigts autour de ma nuque et m'embrassa de nouveau doucement, avant de me libérer.

— Je dois y aller. Bonne chance pour ta cheville.

Elle s'éloigna, franchit la porte et j'entendis ses pas résonner dans le couloir.

C'est à cet instant que j'ai compris que sceller ce pacte avec Connor n'était pas la seule mauvaise décision de ma vie.

La pire décision de ma vie allait se produire ici, dans ce vestiaire puant, avec ma cheville blessée et mon ego maltraité.

— Sophia, attends, je t'invite à dîner. Italien, c'est ça ?

Oui, c'était une très mauvaise décision. Et c'était la deuxième. Il paraît que c'est « Jamais deux sans trois » ; et je redoute vraiment la prochaine.

Composé et édité par HarperCollins France.

Achevé d'imprimer en septembre 2016.

CPI
BLACK PRINT

Barcelone

Dépôt légal : octobre 2016.

Pour limiter l'empreinte environnementale de ses livres, HarperCollins France s'engage à n'utiliser que du papier fabriqué à partir de bois provenant de forêts gérées durablement et de manière responsable.

Imprimé en Espagne.